D1002475

Identité
et différence

John Locke

Identité
et différence

An Essay concerning Human Understanding
II, xxvii, Of Identity and Diversity

L'invention de la conscience

Présenté, traduit et commenté
par Étienne Balibar

Éditions du Seuil

CET OUVRAGE EST PUBLIÉ SOUS LA DIRECTION
D'ALAIN BADIOU ET DE BARBARA CASSIN

ISBN 978-2-02-026300-9

© Éditions du Seuil, septembre 1998

« *Ici, plus que dans n'importe quel domaine, chaque langue contient* […] *un système de concepts qui, précisément parce qu'ils se touchent, s'unissent et se complètent dans la même langue, forment un tout dont les différentes parties ne correspondent à aucune de celles du système des autres langues* » (Friedrich Schleiermacher, Des différentes méthodes du traduire, traduit par Antoine Berman). Bref il y a *des* ordres philosophiques parce qu'on philosophe en langue.

Cette série voudrait mettre à la disposition de tout lecteur français des textes essentiels pour la philosophie, faisant date, structurant un champ ou une problématique ; des textes par là même « intraduisibles », toujours à retraduire. Et comme il s'agit souvent de l'instauration d'un vocabulaire, on pourra ouvrir le volume à des textes qui se répondent.

D'où le choix du bilingue, pour que l'œil revienne à l'original comme à un point d'arrivée. D'où la nécessité du glossaire qui pose les problèmes du point de vue de la langue et présente dans la langue maternelle une langue étrangère qu'on pourra ainsi entendre sans la connaître.

A. B. et B. C.

INTRODUCTION

Le traité lockien de l'identité

Le texte dont nous proposons ici la réédition — comportant l'original anglais, la traduction française classique, ainsi qu'une nouvelle traduction, un dossier de textes complémentaires et un Glossaire des principaux termes théoriques qui y figurent — est sans conteste l'un des plus décisifs de la philosophie moderne. C'est aussi l'un de ceux qui posent avec acuité, non seulement la question des difficultés de la traduction, mais celle du rôle que les problèmes de langue, le transport des questions spéculatives d'un idiome dans un autre, jouent dans l'invention théorique elle-même[1].

Il s'agit du chapitre xxvii du Livre II de l'*Essai philosophique concernant l'entendement humain* — ajouté à partir de la 2e édition (1694) à l'ouvrage que Locke avait publié en 1690, et qui allait devenir la référence avouée ou non de toutes les grandes « théories de la connaissance » et « sciences de l'expérience de la conscience » dans la philosophie occidentale, depuis les *Nouveaux Essais sur l'entendement humain* de Leibniz (qui se présentent comme un « dialogue » avec ses formulations) jusqu'à l'*Essai sur l'origine des connaissances humaines* de Condillac, à la *Critique de la raison pure* de Kant, aux *Essays on the Intellectual Powers of Man* de Reid, à la *Phénoménologie de l'esprit* de

1. Nous souhaitons remercier ici tous ceux qui, à un moment ou à un autre, ont bien voulu faire bénéficier ce travail de leurs critiques et suggestions : Paulette Carrive, Yves Duroux, Françoise Kerleroux, Marc Parmentier, Jean-Michel Vienne, et particulièrement Geneviève Brykman, qui a relu et annoté l'ensemble de notre première version.

Hegel, et même à l'*Essai sur les données immédiates de la conscience* de Bergson et aux *Idées directrices pour une phénoménologie* de Husserl.

Le chapitre « Of Identity and Diversity », constitue pratiquement un Essai dans l'Essai[2]. Non seulement il a été ajouté après-coup[3], en partie pour faire face à des objections que la critique de l'idée d'une âme substantielle avait suscitées, en partie pour résoudre des difficultés que l'argumentation de l'*Essai* avait créées aux yeux de l'auteur lui-même, mais il se développe selon un ordre propre et propose un ensemble d'arguments destinés à résoudre le « problème de l'identité personnelle » qui peuvent être isolés de leur contexte. Comme tels, ils ont déterminé jusqu'à nos jours une longue succession de débats — surtout dans la philosophie anglo-saxonne, dont ils ont fortement contribué à constituer l'originalité[4].

Pour notre part, cependant, tout en tirant bénéfice de cette autonomie pour détacher le traité « Identité et différence » d'une retraduction d'ensemble de l'ouvrage de Locke, à laquelle il faudra bien procéder un jour[5], nous ne voulons pas tant isoler la question du « critère de l'identité » que la replacer dans son contexte. En faisant de la conscience (*consciousness*) le critère de l'identité personnelle (*identity of person*), Locke a, en effet, été conduit à révolutionner la conception même de la subjectivité, aussi bien par rapport à l'idée aristotélicienne de l'âme individuelle comme « forme substantielle » que par rapport à la revendication cartésienne du « je » existant et pensant. Cette révolution théorique, dont nous sommes encore tributaires jusque dans nos critiques du

2. Ou comme nous dirons désormais, un « traité ». L'autre développement comparable (ébauche d'un « Traité des Passions ») est le chap. xxi du Livre II, *Of Power*, au centre duquel figure le concept de l'*uneasiness* (« malaise », « inquiétude », voire « souci »).

3. À la suggestion de son ami William Molyneux.

4. Voir les bilans proposés par H.E. ALLISON, « Locke's Theory of Personal Identity : a Re-examination », in *Locke on Human Understanding*, Selected Essays edited by I.C. Tipton, Oxford University Press 1977, et par J. BAILLIE, « Recent Work on Personal Identity », in *Philosophical Books* 34, 1993, 193-206.

5. Au moment de remettre ce travail, nous apprenons que M. Jean-Michel Vienne doit faire paraître prochainement à la Librairie Vrin une nouvelle traduction des Livres I et II de l'Essai.

psychologisme, du primat de la conscience et de l'impérialisme du sujet, est le moment décisif de l'*invention de la conscience* comme concept philosophique, dont Locke est le grand protagoniste. D'un côté elle en cristallise les différentes implications (possibilité d'une expérience intérieure accédant directement à la réalité mentale, refonte de la conception classique du temps et du rapport entre la connaissance et la responsabilité). De l'autre elle prépare déjà le lieu où, dès Hume, Kant et Hegel, vont se situer les critiques de la conscience de soi comme effet de « fiction » de l'imagination, comme « paralogisme » de la raison pure, ou comme figure du soi « étrangé à lui-même ». En ce sens, au moment même où Locke inaugure ce qui est devenu pour nous la première modernité philosophique, il prépare déjà les conditions de l'ouverture d'une seconde modernité.

Dans les pages qui suivent, nous nous proposerons trois objectifs, pour introduire à la (re)lecture du traité de Locke et du dossier dont nous l'accompagnons :

1. redonner à l'invention de la *consciousness*, du *self* et de la *self-consciousness* sa force de nouveauté, en montrant d'abord comment dans la langue philosophique française, en dépit des efforts de son traducteur, elle a été effacée par l'attribution à Descartes d'une paternité fictive[6] ;

2. replacer le traité lockien « Identité et différence » dans le cours de l'invention européenne de la conscience, dont nous signalerons quelques épisodes[7] ;

---

6. La position que nous soutenons sur ce point a déjà été esquissée par quelques auteurs, notamment Francis Jacques dans sa Préface à la traduction du livre de Ryle, *La Notion d'esprit* : « Mais pourquoi l'auteur se soucie-t-il si peu d'établir, avec une identification précise du Cogito, une imputation équitable de responsabilités ? [...] Car enfin, s'il avait voulu présenter son adversaire dans sa véritable figure historique, il le pouvait : en la personne de John Locke. C'est lui, et non Descartes, qui prescrit l'examen minutieux des états et opérations de conscience [...] C'est le philosophe anglo-saxon [...] qui soutient que l'esprit peut voir ou regarder ses propres opérations à la lumière qu'elles émettent [...] » (éd. Payot, 1978, p. VI).

7. Pour plus de précisions sur ce point, cf. notre article « Conscience », à paraître dans le *Vocabulaire Européen des Philosophies*, sous la direction de Barbara Cassin, Seuil-Robert.

3. indiquer comment la conjonction des questions de l'identité personnelle et de la connaissance par le *Mind* de ses propres opérations se situe dans l'*Essai*, dont elle permet en retour de mieux comprendre l'économie générale et l'articulation au reste de l'œuvre (en particulier la dimension morale et politique). Cette élucidation se poursuivra dans le GLOSSAIRE dont nous faisons suivre le texte.

I. Une énigme de traduction : « *l'expédient* » de Pierre Coste[8]

Nous croyions que Descartes était le premier des grands « philosophes de la conscience ». La France — même expatriée en Hollande — avait cette gloire. Et nous étions confortés dans ce sens par de célèbres controverses qui, tout récemment encore, opposèrent entre eux des interprètes (Gueroult, Alquié) divergeant radicalement sur le sens et les propriétés de la « conscience » cartésienne mais d'autant plus unanimes à lire au cœur de la « méditation » une théorie de l'identité de la conscience et du sujet. Nous croyions aussi savoir (comme le répètent à l'envi les *Dictionnaires* de philosophie) qu'il avait été l'introducteur du terme même de conscience dans cette acception qu'on désigne comme métaphysique, mais aussi comme psychologique, transcendantale, épistémologique (au prix de controverses bien connues sur l'équivalence et la compatibilité de ces termes), pour la distinguer de l'acception dite « morale »[9].

---

8. Les pages qui suivent avaient fait l'objet, en 1992 à l'Université de Paris-I, d'un premier exposé aux Journées d'étude « Traduire les philosophes », dirigées par Olivier Bloch. Elles ont bénéficié ultérieurement des observations de Catherine Glyn-Davies, dont on lira l'étude irremplaçable, *Conscience as consciousness : the idea of self awareness in French philosophical writing from Descartes to Diderot*, The Voltaire Foundation, Oxford 1990.

9. Cf. art. *Conscience (– réflexive)* [*philo. géné.*], par F. Brémondy, in *Les Notions philosophiques. Dictionnaire*, Volume dirigé par S. Auroux, PUF, Paris 1990, Tome 1, p. 432-433. Légère nuance dans le *Historisches Wörterbuch der Philosophie* (art. *Bewusstsein*, par A. Diemer) : « Der moderne Bewusstseinsbegriff ist nach allgemeiner Auffassung durch Descartes konstituiert [...] vom Gewissensbegriff losgelöst [...] und umgekehrt zum zentralen anthropologischen Begriff <geworden>. » On observe à l'occasion que la « confusion possible » des deux acceptions est propre au français, puisque les Allemands ont *Gewissen* et *Bewusstsein*, les Anglais *conscience* et *consciousness*.

Sans doute le premier point est-il indépendant du second : on ne saurait exclure absolument que Descartes ait conçu, et même placé au centre de sa philosophie, une « chose » dans laquelle, après coup, nous reconnaissons ce que nous appelons conscience — quitte à examiner soigneusement ce qui distingue ses thèses de celles d'un Locke, d'un Kant, d'un Husserl, d'un Freud ou d'un Bergson. Reste que l'idée d'un concept anonyme ou pseudonyme est difficile à assumer : si Descartes avait élaboré une doctrine de la conscience et de son caractère fondateur sans lui donner de nom, ou en lui donnant un autre nom, comment le saurions-nous ? S'il avait énoncé sa doctrine de la conscience au moyen d'une terminologie multiple, comportant plusieurs équivalents partiels disjoints ou non, où serait donc la démonstration de leur articulation systématique ? Sauf à invoquer cette tautologie : la philosophie de Descartes étant essentiellement celle de la conscience, le système complet des concepts cartésiens en constitue la description…

Inversement, l'idée d'une introduction par Descartes du terme de conscience en philosophie n'implique pas que Descartes mérite l'appellation de philosophe de la conscience ou du *primat* de la conscience [10] : il y a cependant beaucoup à parier qu'elle doit son effet de vraisemblance à une telle lecture de la philosophie cartésienne, dont il serait futile de contester l'ancienneté et l'importance historique, mais dont il n'est jamais inutile de vérifier les titres.

Or Descartes n'est pas « l'introducteur » ou « l'inventeur » de la conscience. Et nous doutons fort désormais qu'on puisse voir en lui typiquement, voire archétypiquement, un « philosophe (du primat) de la conscience ». Ni au sens psychologique du terme (mais où commencent, où s'arrêtent la psychologie, le psychologisme ?), ni au sens métaphysique ou transcendantal. Cette désillusion, nous ne la devons pas d'abord à une argumentation philosophique (même si certains travaux contemporains, autour de Lacan, de Canguilhem, de Wittgenstein, pouvaient nous y préparer), mais à une rencontre philologique : celle de Pierre Coste, traducteur en 1700

---

10. Au sens où, pour des raisons diverses, on considère que Spinoza, Hegel, Comte, Nietzsche, Frege, Wittgenstein. Heidegger ou Cavaillès ne le sont pas.

de l'*Essai concernant l'Entendement humain* de Locke. La traduction de Coste est aujourd'hui encore la seule complète en français. Félicitons-nous, pour une fois, de cet archaïsme, puisqu'il réserve à tout étudiant, à tout lecteur français de l'*Essai*, la possibilité de tomber en arrêt sur les deux notes du traducteur de la p. 264, à propos du § 9 du chapitre 27 du Livre II, que voici[11] :

« (1) Le *moi* de M. *Pascal* m'autorise en quelque manière à me servir du mot *soi*, *soi-même*, pour exprimer ce sentiment que chacun a en lui-même qu'il est *le même* ; ou pour mieux dire, j'y suis obligé par une nécessité indispensable ; car je ne saurais exprimer autrement le sens de mon Auteur, qui a pris la même liberté dans sa Langue. Les périphrases que je pourrais employer dans cette occasion, embarrasseraient le discours, et le rendraient peut-être tout à fait inintelligible. »

« (2) Le mot anglais est *consciousness*, qu'on pourrait exprimer en latin par celui de *conscientia*, *si sumatur pro actu illo hominis quo sibi est conscius*. Et c'est en ce sens que les Latins ont souvent employé ce mot, témoin cet endroit de *Cicéron* (Epist. ad Famil. Lib. VI. Epist. 4.) *Conscientia rectae voluntatis maxima consolatio est rerum incommodarum*. En français nous n'avons à mon avis que les mots de *sentiment* et de *conviction* qui répondent en quelque sorte à cette idée. Mais en plusieurs endroits de ce Chapitre ils ne peuvent qu'exprimer fort imparfaitement la pensée de M. *Locke*, qui fait absolument dépendre l'*identité personnelle* de cet acte de l'Homme *quo sibi est conscius*. J'ai appréhendé que tous les raisonnements que l'Auteur fait sur cette matière, ne fussent entièrement perdus, si je me servais en certaines rencontres du mot de *sentiment* pour exprimer ce qu'il entend par *consciousness*, et que je viens d'expliquer. Après avoir songé quelque temps aux

11. Nous reproduisons la Cinquième édition revue et corrigée, MDCCLV, à Amsterdam et à Leipzig, Chez J. Schreuder et Pierre Mortier le Jeune (Reprint par les soins d'E. Naert, Paris, Vrin, 1972) de l'*Essai philosophique concernant l'Entendement humain*, « traduit de l'Anglois par M. Coste ».

moyens de remédier à cet inconvénient, je n'en ai point trouvé de meilleur que de me servir du terme de *Conscience* pour exprimer cet acte même. C'est pourquoi j'aurai soin de le faire imprimer en Italique, afin que le Lecteur se souvienne d'y attacher toujours cette idée. Et pour faire qu'on distingue encore mieux cette signification d'avec celle qu'on donne ordinairement à ce mot, il m'est venu dans l'esprit un expédient qui paraîtra d'abord ridicule à bien des gens, mais qui sera au goût de plusieurs autres, si je ne me trompe ; c'est d'écrire *conscience* en deux mots joints par un tiret, de cette manière, *con-science*. Mais, dira-t-on, voilà une étrange licence, de détourner un mot de sa signification ordinaire, pour lui en attribuer une qu'on ne lui a jamais donnée en notre Langue. À cela je n'ai rien à répondre. Je suis choqué moi-même de la liberté que je prends, et peut-être serais-je des premiers à condamner un autre Écrivain qui aurait eu recours à un tel expédient. Mais j'aurais tort, ce me semble, si après m'être mis à la place de cet Écrivain, je trouvais enfin qu'il ne pouvait se tirer autrement d'affaire. C'est à quoi je souhaite qu'on fasse réflexion, avant que de décider si j'ai bien ou mal fait. J'avoue que dans un Ouvrage qui ne serait pas, comme celui-ci, de pur raisonnement, une pareille liberté serait tout à fait inexcusable. Mais dans un Discours Philosophique non seulement on peut, mais on doit employer des mots nouveaux, ou hors d'usage, lorsqu'on n'en a point qui expriment l'idée *précise* de l'Auteur. Se faire un scrupule d'user de cette liberté dans un pareil cas, ce serait vouloir perdre ou affaiblir un raisonnement de gaîté de cœur ; ce qui serait, à mon avis, une délicatesse fort mal placée. J'entends, lorsqu'on y est réduit par une nécessité indispensable, qui est le cas où je me trouve dans cette occasion, si je ne me trompe. — Je vois enfin que j'aurais pu sans tant de façon employer le mot de *conscience* dans le sens que M. Locke l'a employé dans ce Chapitre et ailleurs, puisqu'un de nos meilleurs écrivains, le fameux Père *Malebranche*, n'a pas fait de difficulté de s'en servir dans ce même sens en plusieurs endroits de la *Recherche de la Vérité*. Après avoir remarqué dans le Chap. VII du IIIᵉ Livre qu'il faut distinguer quatre manières de connaître les choses,

il dit que *la troisième est de les connaître par conscience ou par sentiment intérieur. Sentiment intérieur* et *conscience* sont donc, selon lui, des termes synonymes. *On connaît par conscience*, dit-il un peu plus bas, *toutes les choses qui ne sont point distinguées de soi... Nous ne connaissons point notre Ame*, dit-il encore, *par son idée*, nous *ne la connaissons que par conscience... La conscience que nous avons de nous-mêmes ne nous montre que la moindre partie de notre Être.* Voilà qui suffit pour faire voir en quel sens j'ai employé le mot de *conscience*, et pour en autoriser l'usage. »

Faisons ici une première pause. Le texte précédent est celui que rencontrent les lecteurs actuels. Or il a subi une élaboration fort instructive. Dans la Première édition de sa traduction [12], la deuxième note de Coste, identique jusqu'à la phrase « ... par une nécessité indispensable, qui est le cas où je me trouve dans cette occasion, si je ne me trompe », se poursuivait ainsi :

« Je viens de voir au reste une Bible de la Traduction de *Genève,* où l'on s'est servi du mot de *Conscience* dans le sens que je viens de marquer. C'est dans la première Épître aux Corinthiens, chap. VIII, vers. 7. *Il n'y a pas connaissance en tous, car quelques-uns en mangent* (de ces viandes sacrifiées) *avec* conscience *de l'Idole,* c'est-à-dire, quoiqu'ils sentent, qu'ils croient en eux-mêmes que l'Idole à qui ces viandes sont offertes, est quelque chose, et qu'il leur a communiqué quelque vertu. Je ne rapporte pas cet endroit pour confirmer l'usage du mot de *conscience* en ce sens-là, car je sais que la Version de Genève n'est d'aucune autorité dans notre langue, mais seulement pour faire voir le besoin que nous en avons. »

Le terme que les pasteurs de Genève traduisent par *conscience* est le grec *suneidêsis* [13], dont nous reparlerons

---

12. Parue en 1700 à Amsterdam chez Henri Schelte, l'éditeur de la *Bibliothèque Universelle* de J. Le Clerc, dont nous reparlerons.

13. Dans la version moderne de l'École française de Jérusalem, les traducteurs ont mis ici *habitude,* ce qui ne manque pas de créer une disparité avec d'autres traductions de *suneidêsis* dans le contexte. En anglais classique, la version dite « du roi Jacques » (1611), portait partout *conscience* (et non *consciousness*).

(tandis que *connaissance* traduit *gnôsis*). À partir de la Deuxième édition de sa traduction[14], Coste supprime cette référence biblique, qui pose à la fois des problèmes sémantiques (car nous sommes ici à la lisière des usages « cognitifs » et des usages « moraux » de conscience) et des problèmes d'autorité théologique (le livre doit être diffusé en France, pays catholique), et il introduit la référence à Malebranche que nous connaissons maintenant, qui en pose d'autres. Nous devrons tenir compte de cette rectification.

Passé le premier instant d'admiration pour ce style, et pour cette « conscience » de traducteur et de philosophe, il apparaît que le texte — dans ses deux versions successives — comporte plusieurs difficultés qu'il n'est pas vain de chercher à élucider. À son tour la recherche des éléments de cette élucidation montre que nous sommes en présence, non seulement d'un témoignage capital quant à la formation du concept de conscience dans la philosophie moderne, propre à dissiper un certain nombre de confusions et de légendes, mais aussi d'un moment de cette formation, dont la négligence ou l'oubli doivent être réparés si nous voulons commencer à nous faire une exacte représentation d'une invention qui n'a pas fini de déterminer notre mode de penser.

En esquissant l'histoire de cette invention, en contrepoint du Traité de Locke, nous souhaitons contribuer à la reconnaissance du rôle philosophique de la traduction des philosophes : quiconque, depuis presque trois siècles, se réfère à la conscience, est tributaire de la décision prise par Pierre Coste, venant après celle de Locke. Nous entendons aussi souligner — sur un exemple privilégié, mais qui n'est sans doute pas unique — à quel point la formation des concepts fondamentaux de notre tradition a toujours résulté d'un travail sur les langues originairement transnational.

La première question qu'on peut se poser à la lecture de la note de Coste, c'est de savoir pourquoi elle intervient si tard. Et du même coup c'est de savoir pourquoi Coste n'a pas traduit « consciousness » par *conscience* ou par *con-science* avant le chapitre xxvii du Livre II. Les indications qu'il donne

14. Parue en 1729, chez Pierre Mortier à Amsterdam.

laissent entendre que jusqu'à ce point des équivalents partiels
(tels que connaissance, sentiment et conviction) pouvaient
suffire, mais qu'ils sont désormais incompatibles avec l'exactitude théorique (dans un ouvrage « de pur raisonnement »).
Elles suggèrent que ce moment est celui où certaines tensions
issues de l'histoire du latin et du français doivent être réso-
lues. Mais elles laissent dans l'ombre l'élément nouveau qui
serait intervenu. Or ce retard est d'autant plus étonnant que le
mot « *consciousness* » a figuré dans le texte de Locke *depuis
le Chapitre 1 du Livre II* de l'*Essai*[15], non pas de façon épiso-
dique ou en un sens vague, mais de façon systématique et
conceptuelle. C'est précisément au § 19 de ce chapitre que
figure la caractérisation de la *consciousness* généralement
citée par la tradition anglo-saxonne comme définition de la
conscience selon Locke : « *Consciousness is the perception
of what passes in a Man's own Mind.* » C'est-à-dire : la
« conscience », c'est la perception de ce qui (se) passe dans
l'esprit d'un homme ; mais aussi : c'est le fait, pour un
homme, de percevoir ce qui (se) passe dans son propre esprit
(dans un esprit qui est le sien, qui lui appartient en propre, qui
est sa propriété).

Pourquoi Coste, manifestement averti des exigences d'une
traduction théorique (à ce qu'il en dit lui-même, qu'aurions-
nous d'essentiel à ajouter ?), et ne reculant pas devant l'innovation, rend-il en II.i.1 « *conscious to himself that he thinks* »
par « convaincu en lui-même qu'il pense » ; en II.i.11 « *it
being hard to conceive, that anything should think, and not be
conscious of it* » par « il n'est pas aisé de concevoir qu'une
chose puisse penser, et ne point sentir qu'elle pense » ;
« *without being conscious of it* » par « sans en avoir une perception actuelle » ; en II.i.19 la définition citée ci-dessus par
« cette conviction n'est autre chose que la perception de ce

---

15. Et même, si l'on tient compte des ajouts de la 2ᵉ édition, depuis le
chap. 3 (numéroté IV dans les éditions anglaises) du Livre I (§ 20). Une
preuve supplémentaire de cette systématicité est le couplage du substantif
consciousness et de l'adjectif *conscious,* de telle sorte que si, étymologiquement, le premier dérive du second, théoriquement le second renvoie
toujours au premier. Coste, même lorsqu'il aura introduit *con-science,* ne
traduira jamais « conscious » par « conscient » : cf. ci-dessous notre Glossaire,
CONSCIOUS, CONSCIOUSNESS.

qui se passe dans l'âme de l'homme[16] » ; etc., avant d'en venir soudain en II. xxvii.9 à « puisque la *con-science* accompagne toujours la pensée, et que c'est là ce qui fait que chacun est ce qu'il nomme *soi-même* » pour « *since consciousness always accompanies thinking, and 'tis that, that makes everyone to be, what he calls **self** » ?

Le seul élément de réponse que nous fournisse cette localisation précise dans le contexte, mais il est capital, c'est la conjonction dans la même phrase des *deux* termes théoriques fondamentaux, qui ne s'étaient jamais rencontrés précédemment, mais qui deviennent désormais corrélatifs : *the self, the consciousness*, le « soi », la « conscience ». *Avant* ce § 9 du chap. xxvii consacré au problème de l'identité personnelle, il a bien été question de *consciousness,* mais non pas du *self* comme substantif. Coste « invente » donc la *con-science* au moment précis où il est contraint par la langue et la matière théorique à créer non pas un mais deux néologismes, l'un de vocabulaire, l'autre de sens[17]. Nous pressentons que ces deux créations extraordinaires sont étroitement liées chez Coste comme elles le sont chez Locke, mais la signification complète de cet indice ne nous apparaîtra qu'après coup.

Avant de nous engager dans cette voie, il nous faut cependant essayer d'y voir plus clair dans les usages des termes en présence, tant en français qu'en anglais et en latin, c'est-à-dire dans les différentes branches du colinguisme européen[18]. Plaçons-nous dans la situation du traducteur et commençons

16. Cette « traduction » de Coste produit une incohérence dont on s'étonne qu'il n'ait pas pris conscience : à partir de la deuxième édition l'*Essay* de Locke comporte un Index final avec une entrée *consciousness* qui renvoie à la « définition » de II.i.19 (« consciousness, what ») ; Coste a traduit l'index tel quel en employant *con-science,* et donc renvoyé à un passage où chez lui ce mot ne figure pas.

17. Ayant inventé *le soi* pour traduire *the self,* et *con-science* pour traduire *consciousness,* Coste n'a cependant jamais pu se résoudre à forger un néologisme pour *self-consciousness.* C'est pourquoi, au § 16 du traité, il s'est contenté de reprendre son mot de *con-science,* ajoutant toutefois en note : « *Self-consciousness* : mot expressif en Anglois qu'on ne sauroit rendre en François dans toute sa force. Je le mets ici en faveur de ceux qui entendent l'Anglois. »

18. Nous empruntons ce concept à R. Balibar, *Le Colinguisme*, PUF, Collection Que sais-je ?, 1993.

par l'anglais. « Le mot Anglois est *consciousness,* qu'on pourrait exprimer en latin par celui de *conscientia...* », écrit Coste, ce qui prouve qu'il lui a fallu remonter au latin pour comprendre de quoi il s'agissait. En effet, et c'est une donnée capitale de notre problème, *consciousness* n'est pas seulement un concept défini par Locke, c'est comme mot anglais un quasi-néologisme, ainsi que le montrent les meilleures lexicographies existantes [19]. Le seul précédent (nous allons voir qu'il est capital) se trouve dans l'ouvrage de Cudworth, *The True Intellectual System of the Universe,* publié en 1678 [20]. Locke a été à l'évidence parfaitement conscient d'innover sur le plan du concept (sinon de la langue). La formule toujours citée comme définition intervient dans le cours d'une argumentation fondatrice dirigée contre l'idée d'une « pensée non consciente », qu'il croit impliquée dans la doctrine des idées innées. C'est un *elenchos* qui aboutit à l'identification de la « pensée » et de la « conscience de la pensée », puisque leur séparation se contredirait elle-même : *« thinking consists in being conscious that one thinks »* (II.i.19). De plus il a rigou-

19. On consultera notamment l'*Oxford English Dictionary* (2nd Edition, 1989), qui donne :
– pour *conscious* : 1625 BACON *Ess., Praise* (Arb.) 353 Wherin a Man is Conscious [MS and ed. 1612 conscient] to himselfe, that he is most Defective. 1690 LOCKE *Hum. Und.* II. i, If they say, That a Man is always conscious to himselfe of thinking [...]
– pour *consciousness* : 1678 CUDWORTH *Intell. Syst.* (1837) I.93 Neither can life and cogitation, sense and consciousness... ever result from magnitudes, figures, sites and motions. 1690 LOCKE *Hum. Und.* II.i. § 19 Consciousness is the perception of what passes in a Man's own Mind [...]
20. Voir notre Dossier. Ralph Cudworth, 1617-1688, dont on redécouvre aujourd'hui l'importance de l'œuvre, fut *Master* de Christ's College et le principal exposant du « platonisme de Cambridge ». Locke l'avait rencontré à Londres en 1681. Il devint l'ami de sa fille Lady Masham (elle-même auteure d'essais philosophiques et correspondante de Leibniz), chez qui il passa les dernières années de sa vie. La vie et l'éloge de Locke écrits après sa mort par Lady Masham se trouvent dans la lettre de celle-ci à Jean Le Clerc du 12 janvier 1705 (Jean Le Clerc, *Epistolario,* vol. II (1690-1705), a cura di M. G. e M. Sina, Leo S. Olschki Editore, Florence 1991, pp. 497-517). Sur cette figure importante des lettres européennes, cf. Sarah Hutton, « Damaris Cudworth, Lady Masham : between Platonism and Enlightenment », *The British Journal for the History of Philosophy,* Vol.1 N°1, 1993.

reusement distingué ce néologisme du concept moral de *conscience,* qui fait lui aussi l'objet d'une définition[21]. Quels obstacles, linguistiques ou conceptuels, ont pu dissuader Coste de recourir *ici* à l'«expédient» auquel, à un certain moment, il a pensé pour donner la mesure de l'invention de Locke?

Poursuivons notre enquête en nous tournant cette fois vers le latin, comme le fait Coste lui-même. Nous ne saurions entrer dans toute la lexicographie du terme *conscientia*[22]. Il semble clair que le terme se comprend toujours encore à partir de *scientia,* c'est-à-dire comme connaissance ou savoir dans le latin classique. Le préfixe *cum* désigne un partage ou une communauté, qui donne lieu soit à l'idée de complicité ou de connivence avec d'autres, soit à l'idée de for intérieur ou de secret (le secret étant le savoir qu'on ne partage qu'avec soi-même, dont on ne répond qu'à soi-même). D'où la construction classique *sibi conscire, sibi conscius esse* — donnant en anglais *conscious to (with) itself (himself)* — qui ne veut pas dire «être conscient de soi» mais «être informé, averti» de quelque chose (*alicujus rei*), et qui a notamment un usage judiciaire. D'autre part, dès la philosophie antique, en particulier sous l'influence stoïcienne, chez Cicéron et Sénèque, le domaine d'application privilégié de ce savoir qu'on ne partage qu'avec soi-même est la vie morale : les actes, les paroles, les intentions dont la valeur est en discussion. *Conscientia* ou *conscientia animi* est donc synonyme de jugement, d'estime de soi-même, et d'instance de cette évaluation, qui approuve ou condamne, rend témoignage ou poursuit de remords (*conscientiae morsus*). Le jeu du dédoublement de la personne (étayé sur la métaphore de la «voix» intérieure) est enclenché : dans la *conscientia,* est-ce moi qui me connais et me juge, ou qui suis dévoilé et jugé? Ce jeu est amplifié par la casuistique morale du christianisme : la question se posant

---

21. *Essay,* I.iii.8 : « nothing else, but our own Opinion or Judgment of the Moral Rectitude or Pravity of our own Action ».

22. On se reportera sur ce point à l'article « conscience », à paraître dans le *Vocabulaire Européen des Philosophies,* cit. Voir aussi les réflexions de C.S. Lewis, « Conscience and conscious », *Studies in Words,* Cambridge University Press, 1967.

alors de savoir si la « voix de la conscience » est naturelle ou
surnaturelle, si elle émane d'une capacité humaine, d'une
moralité innée, ou si elle exprime une intervention divine, un
avertissement et une grâce que nous recevons d'En Haut.

Traduisant par *conscientia* le grec *suneidêsis*, toute la tradition
chrétienne glose et varie la phrase de saint Paul, *Rom.*, 2, 15-16 :

> « ... ces hommes, sans posséder de loi, se tiennent à eux-
> mêmes lieu de loi (*nomon mè ekhontes heautois eisin
> nomos*) ; ils montrent la réalité de cette loi inscrite en leur
> cœur, à preuve le témoignage de leur conscience (*summar-
> turousès autôn tès suneidèséôs*), ainsi que les jugements
> intérieurs de condamnation ou d'acquittement qu'ils por-
> tent sur leurs propres actions, [ils seront justifiés] au jour où
> Dieu jugera les actions secrètes des hommes (*krinei o theos
> ta krupta tôn anthrôpôn*) selon mon Évangile[23]... » [trad.
> Bible de Jérusalem, 1956]

Augustin avait identifié la *conscientia* avec *l'homme intérieur* (*intus hominis, quod conscientia vocatur*, In Ps., 45, 3),
réduit secret que perce le regard de Dieu, ou mieux : qu'il
habite déjà (*Noli foras ire, in teipsum redi : in interiore
homine habitat veritas,* De vera Rel., 39, 72). Jérôme dira que
l'étincelle de la conscience déposée en nous, *scintilla
conscientiae*, brille encore même chez les criminels et les
pécheurs. Mais la formule employée par Coste (*conscientia,
si sumatur pro actu illo hominis quo sibi est conscius*), qui
appelle logiquement un complément (*alicujus rei*), semble
plutôt d'origine scolastique[24]. Elle renvoie à la définition de
saint Thomas (Summ. Theol., Ia, Q. 79, art. 13) qui établit
que la *conscientia* n'est pas, sans doute, elle-même une
« puissance intellectuelle », mais *l'acte* correspondant à la
synderesis, puissance de connaissance des principes pratiques

---

23. Elle est étroitement apparentée aux formules de *1 Cor.*, 14, 25 et *2
Cor.*, 5, 10, sur l'ouverture des secrets du cœur au jour du Jugement, dont
Locke fera la base de son développement aux §§ 22 et 26 de son traité (cf.
ci-dessous Glossaire, RESURRECTION).

24. Le *Thesaurus eruditionis scholasticae* de B. Farber, publié en 1571
et réédité en 1696 (cité par Diemer, *Hist. Wört. der Phil.*, art. *Bewusstsein*)
donne comme 2ᵉ sens de *conscientia* : *is animi status quo quis alicujus rei
sibi conscius est.*

(c'est-à-dire de la loi morale), lorsque celle-ci s'applique à des cas particuliers, concrets[25]. Nous retrouverons constamment les termes d'*acte* ou d'*actuelle* chez les traducteurs de Descartes et de ses interlocuteurs pour qualifier la « connaissance » correspondant à *conscientia*. L'important est ici l'insistance sur l'aspect intellectualiste de la conscience (contre les doctrines du sentiment, de la spontanéité, de l'enthousiasme et de l'inspiration). Saint Thomas prend soin de ramener *conscientia* à une étymologie *cum alio scientia* pour insister sur son caractère d'acte de l'intellect. Nous sommes dans une problématique rationaliste, aux antipodes de l'idée d'un « instinct divin » à la Rousseau.

Faudrait-il donc, pour expliquer le sens de la *consciousness* de Locke tel que le comprend Coste, y voir la transposition d'une conception scolastique du jugement moral ? Même si cet arrière-plan est présent, plusieurs raisons vont à l'encontre d'une genèse de ce type. Locke et Coste sont des protestants[26] : la « conscience », dans leur langage et leur formation, est à la fois une inspiration personnelle et une affirmation de liberté (après Luther qui associait étroitement le *Gewissen* et la *Gewissheit*, conscience et certitude, Calvin place au centre de la revendication de la foi l'*adhésion de conscience*, tandis que les anabaptistes forgeaient l'*objection de conscience*). D'autre part Coste traduit dans un environnement imprégné de cartésianisme et de discussions sur la doctrine cartésienne. Il ne peut donc pas ne pas tenir compte de textes français dont il est

25. Les développements de la scolastique procèdent de Jérôme, mais par l'effet d'un étonnant quiproquo : les copistes ayant cru lire dans son texte un mot *sunteresis*, ils l'interprètent d'abord comme un dérivé de *térésis* (« garde »), puis comme dérivé de *hairèsis* (« choix »). Se trouve ainsi forgé un mot grec fictif, la « syndérèse », mais qui remplit la fonction essentielle de dédoubler la conscience en faculté passive (trace de la création divine) et faculté active (opérant après la chute). Thomas d'Aquin et Bonaventure forment alors le « syllogisme pratique » du procès par lequel la révélation éclaire nos actions et les guide : 1. *sunderesis*, 2. *conscientia*, 3. *conclusio*. Il s'agit là d'un schème intellectualiste fondamental dont la prégnance est loin de disparaître avec sa justification théologique (cf. *Hist. Wört. der Philos.*, art. *Gewissen*, par H. Reiner).

26. Ils appartiennent à l'aile libérale, « arminienne », du protestantisme européen : cf. ci-dessous nos remarques sur le cercle de Jean Le Clerc.

certain que Locke lui-même les a lus. C'est ici que les explications de sa note sont, à première vue, le plus embrouillées :
pourquoi s'attribue-t-il un néologisme, si le terme « conscience »
au sens de pure connaissance de soi existe déjà? Pourquoi
introduit-il après-coup une référence à Malebranche et fait-il
mine d'en découvrir l'autorité si elle suffit à régler la question[27]?
Pourquoi ne mentionne-t-il pas Descartes?

La solution de ces difficultés réside d'abord, nous semble-
t-il, dans les constatations suivantes :

1. Descartes, à deux exceptions près dont l'une est douteuse
et l'autre adventice, n'emploie jamais le mot « conscience »
en français ni, a fortiori, l'adjectif « conscient » ou l'expression « être conscient[28] ». D'autre part il n'emploie que très
peu *conscientia* et *conscius esse* en latin, les deux exceptions
majeures étant constituées par les textes, étroitement apparen-
tés, des *Definitiones* I et II (*Cogitatio*, *Idea*) dans l'Exposé
Géométrique des *Réponses aux Deuxièmes Objections*[29] et de
l'article I, § 9 des *Principes de la philosophie* (dans aucun des

27. On peut évidemment supposer que Coste n'a pas songé d'abord à
citer Malebranche, et qu'il lui est apparu ou lui a été signalé après-coup
comme une meilleure référence que la Bible de Genève. Mais il nous
semble très peu probable que Coste ait ignoré les textes de Malebranche,
non seulement en raison de leur notoriété, mais pour une raison beaucoup
plus précise : en 1696, au moment où il s'installe auprès de Locke pour travailler à sa traduction, Locke vient lui-même de rédiger une critique de la
Recherche de la Vérité où, comme nous le verrons, la terminologie de la
connaissance de soi joue un rôle central. La confrontation a donc bel et bien
eu lieu dans les coulisses de la traduction. On trouvera chez Jean Deprun,
La Philosophie de l'inquiétude en France au XVIII* *siècle*, Vrin, 1979,
p. 193, la confirmation de l'étroite association de Coste et de Locke dans la
confrontation avec Malebranche.

28. Cf. Lettre à Gibieuf, 19-1-1642 : « je ne le tire que de ma propre
pensée ou conscience ». G. Rodis-Lewis (*L'Œuvre de Descartes*, Vrin
1971, p. 240) commente en note : « d'après une copie manuscrite, alors que
l'édition Clerselier, peut-être par scrupule de puriste, a omis « ou
conscience ». On ne trouve le terme, avec cette acception métaphysique en
français, que dans les *3ᵉ réponses*, A.T. IX, 137, sur les « actes intellectuels
qui ne peuvent être sans pensée, ou perception, ou conscience et connaissance » (les deux derniers mots rendant le seul *conscientiae* de A.T. VII,
176, il est possible que Descartes ait lui-même ajouté : « et conscience » à
la traduction de Clerselier). »

29. Cf. Dossier de textes ci-dessous.

deux cas les traducteurs, Clerselier et l'Abbé Picot, dont le texte a été revu par Descartes, n'ont employé « conscience » ou « être conscient »). *Conscientia* ne figure pas dans les *Méditations,* qui seront plus tard considérées comme fondatrices d'une théorie du sujet conscient de soi, notamment dans les analyses de la « chose qui pense » des IIe et IIIe Méditations, pas plus que « conscience » dans le *Discours de la méthode* ou dans les *Passions de l'Âme.* Sans Descartes, il n'y aurait pas eu en philosophie d'invention de la conscience (et avant elle de la *consciousness*), mais celle-ci n'est pas tant son fait que le résultat des problèmes épineux posés par l'interprétation de sa doctrine.

2. « Conscience » a été cependant introduit en français par les disciples immédiats de Descartes engagés dans les controverses sur le dualisme du corps animal et de l'esprit, ainsi que sur les fondements de la métaphysique : en premier lieu, semble-t-il, par Louis de La Forge, éditeur en 1664 de *L'Homme* et auteur en 1666 du *Traité de l'Esprit de l'Homme*[30]. Il a fait l'objet d'une définition nominale dans le *Système de Philosophie* du cartésien Pierre-Sylvain Régis, paru en 1690, la même année que l'*Essay* de Locke :

> « Je suis donc assuré que j'existe toutes les fois que je connais ou que je crois connaître quelque chose ; et je suis convaincu de la vérité de cette proposition, non par un véritable raisonnement, mais par une connaissance simple et intérieure, qui précède toutes les connaissances acquises, et que j'appelle *conscience*[31] ».

Ce double fait attire notre attention sur une des directions dans lesquelles s'exerce l'influence de Descartes et sur la façon dont elle travaille la langue française. Mais jusqu'au milieu du XVIIIe siècle au moins le terme de « conscience »

---

30. LA FORGE (Louis de) : *Traité de l'esprit de l'homme* (1666), in *Œuvres philosophiques*, Édition présentée par Pierre Clair, PUF, 1974. Cf. Geneviève LEWIS : *Le Problème de l'inconscient et le cartésianisme*, PUF, 1950.

31. Pierre-Sylvain REGIS, *Système de Philosophie, contenant la Logique, la Métaphysique et la Morale*, 1690, Tome Premier [...] p. 63 sq. Mme Monette Martinet nous signale que l'ouvrage de Régis a été rédigé plusieurs années avant sa publication. Cf. Dossier ci-dessous.

dans un sens autre que moral y sera peu courant et ressenti comme ayant besoin d'un éclaircissement.

3. La grande exception est Malebranche, chez qui la notion de conscience est en effet primordiale, et nous allons y revenir en détail. Mais sa définition comme « sentiment intérieur » est anticartésienne dans son fond : elle place donc les philosophes devant la nécessité d'une prise de position. La conscience de Malebranche, c'est la connaissance imparfaite que nous avons de l'âme (« nous ne savons de notre âme que ce que nous sentons se passer en nous »). Cette pseudo-connaissance « n'est point fausse », sans doute, mais essentiellement confuse et exposée à toutes sortes d'illusions. Malebranche sait bien qu'il détruit ainsi le cœur même du cartésianisme, à des fins théologiques et apologétiques (remplacer le *cogito* par l'idée du Verbe divin dans la position de première vérité)[32].

Or le choix de Locke (qui, depuis ses années de jeunesse, connaît parfaitement la pensée du grand Oratorien), sur ce point, est très clair : c'est de critiquer Descartes *autrement* que Malebranche. Sa *consciousness* n'est pas une idée confuse marquant une limite pour la connaissance et la maîtrise de soi-même. Elle est au contraire une reconnaissance immédiate, par le *Mind*, de ses opérations sur sa « scène » intérieure, champ indéfiniment ouvert dont il est l'acteur et le spectateur. La *consciousness* de Locke, dirions-nous aujourd'hui, n'est pas « moins consciente » que la *cogitatio* cartésienne, elle l'est « plus » ! Voilà pourquoi sans doute Coste n'a pu s'autoriser de ce précédent massif qu'au terme d'une longue hésitation, tout en ne cessant de chercher à inscrire la différence au cœur du mot, par un « expédient » graphique qui figure comme la trace muette du conflit latent.

4. La contre-épreuve de cette situation nous est fournie par l'examen des textes de Leibniz : Leibniz prend, face à la conception cartésienne de la connaissance, le parti inverse de Locke : *pour les idées innées* et contre l'idée que l'esprit peut

---

32. Cf. Jean-Pierre Osier, Présentation du *Traité de Morale* de Malebranche (1684, rééd. Garnier-Flammarion, 1995) : en même temps qu'il transfère au « sentiment intérieur » de l'âme les fonctions attribuées par Descartes à l'idée confuse de l'union de l'âme et du corps, Malebranche restitue à Dieu la clarté du *cogito* et la suffisance ontologique dont elle est le signe.

s'inspecter lui-même ou se connaître entièrement par sa propre réflexion. Le *Discours de Métaphysique* (1686) n'emploie pas le terme, mais la correspondance avec Arnauld comporte différentes références à la conscience (associée à l'« expérience intérieure », la « pensée », la « réminiscence »)[33]. Toutefois celle-ci est toujours référée à une notion beaucoup mieux construite dans l'économie du système et plus décisive pour l'avenir : celle de l'*aperception*, qui finalement devient la notion fondamentale (cf. le § 14 de la *Monadologie*, 1714). Il semble bien que, dans cette décantation, la lecture de Locke ait joué un rôle : au chapitre II.xxvii.9 des *Nouveaux Essais* Leibniz, qui relit l'*Essai* dans la traduction de Coste, retraduit *consciousness* par *conscienciosité*. C'est-à-dire qu'il refuse le néologisme de Coste, pour essayer de situer la conscience dans le système des catégories de la perception[34]. L'opposition conceptuelle de Leibniz et de Locke, l'opposition terminologique de Leibniz et de Coste manifestent que les deux côtés de la métaphysique cartésienne de la « chose qui pense » sont désormais devenus incompatibles.

5. Il faudra attendre Condillac pour que le terme de « conscience », à nouveau présenté comme une innovation,

33. Cf. LEIBNIZ, *Discours de métaphysique et correspondance avec Arnauld*, Introd. et commentaire par G. Le Roy, 5e édition, Vrin, 1988 (en particulier Lettre XXVI du 9 octobre 1687, p. 180 sq.). On se reportera aux analyses de Martine de Gaudemar, *Leibniz. De la puissance au sujet*, Vrin, 1994.

34. Cf. LEIBNIZ, *Nouveaux Essais sur l'entendement humain*, Introduction par J. Brunschwig. Garnier-Flammarion, 1966. La lettre de Jean Le Clerc à Locke du 9 avril 1697 (*Epistolario*, ed. cit., vol. II, p. 232) montre que Leibniz avait déjà lu l'*Essay* en anglais, rédigeant des remarques pour les amis de l'auteur. Cependant le travail qui a conduit à la rédaction du « dialogue » (dans lequel le point de vue de Locke est représenté par des citations ou résumés placés dans la bouche de « Philalèthe ») s'est fait en 1702-1703 sur la traduction Coste. Fort sensible aux questions d'idiome philosophique, Leibniz discute les traductions en confrontant les étymologies française, anglaise et même allemande (par exemple dans le cas de l'*uneasiness* : *N.E.*, II, chap. 20, § 6, où Coste est appelé « l'interprète français »). Les *Nouveaux Essais* sont demeurés inédits du vivant de Leibniz (la mort de Locke en 1704 l'ayant dissuadé de poursuivre la dispute). Ils n'ont été publiés qu'en 1765. La suggestion de retraduire *consciousness* par *conscienciosité* est donc restée lettre morte, si tant est qu'elle ait eu une chance de l'emporter.

soit définitivement naturalisé. Mais cet usage procède de
Locke, et par conséquent de Coste. Dans l'*Essai sur l'origine
des connaissances humaines* de 1746, exposant « l'analyse et
la génération des opérations de l'âme » (I.ii sv.), Condillac
commence par étudier (I.ii.1) « la perception, la conscience,
l'attention, la réminiscence ». Au § 4 il écrit :

> « [...] de l'aveu de tout le monde, il y a dans l'âme des
> perceptions qui n'y sont pas à son insu. Or ce sentiment
> [...] je l'appellerai *conscience*. Si, comme le veut Locke,
> l'âme n'a point de perception dont elle ne prenne connais-
> sance [...] la perception et la conscience ne doivent être
> prises que pour une seule et même opération. Si au
> contraire le sentiment opposé était le véritable, elles
> seraient deux opérations distinctes ; et ce serait à la
> conscience et non à la perception, comme je l'ai supposé,
> que commencerait proprement notre connaissance [35]. »

Condillac — qui ne fait aucune référence à Descartes — va
introduire, à côté du concept de conscience, celui d'*attention*
(§ 5), qui est un « plus de conscience » inhérent à certaines
perceptions au regard des autres. Il se déclarera contre la position de Leibniz (même s'il lui emprunte en partie sa description des « petites perceptions »), et ralliera *sous réserve* celle
de Locke, à condition de la rectifier par l'étude des phénomènes de seuil, d'attention plus ou moins vive, de mémoire et
d'oubli. À la suite de Locke, et pour ainsi dire dans les marges
de son texte, il débouche finalement sur le « sentiment de
mon être », la reconnaissance de la permanence d'un « être
qui est constamment le même *nous* », l'identité du « *moi*
d'aujourd'hui » et du « *moi* de la veille », qui fait un avec
l'idée du temps dérivée de la succession de nos pensées. Huit
ans plus tard, dans le *Traité des Sensations*, il retarde encore

---

35. CONDILLAC, *Essai sur l'origine des connaissances humaines,* in
Œuvres philosophiques de Condillac, texte établi et présenté par Georges
Le Roy, PUF, 1947, volume 1 p. 11. Ce paragraphe est recopié par de Jau-
court dans l'article *Conscience* (Phil. Log. Métaph.) de l'Encyclopédie,
qui donne la « définition » suivante : « L'opinion ou le sentiment intérieur
que nous avons nous-mêmes de ce que nous faisons », et poursuit : « c'est
ce que les Anglois expriment par le mot de *consciousness,* qu'on ne peut
rendre en François qu'en le périphrasant. » Cf. Glyn-Davies, ouvr. cit.

l'entrée en scène de la « conscience ». Elle n'intervient qu'au chap. vi du Livre I (« Du moi, ou de la personnalité d'un homme borné à l'odorat »), après toute la genèse des facultés conçues comme transformations de la sensation pure. Citant Pascal en note (« Où est donc le *moi*, s'il n'est ni dans le corps ni dans l'âme ? »), il écrit alors (§ 3) :

> « Les odeurs, dont la statue ne se souvient pas, n'entrent donc point dans l'idée qu'elle a de sa personne [...] Son *moi* n'est que la collection des sensations qu'elle éprouve, et de celles que la mémoire lui rappelle. En un mot c'est tout à la fois et la conscience de ce qu'elle est, et le souvenir de ce qu'elle a été[36]. »

La conscience est alors devenue, en français également, le concept unitaire qui recouvre la perception des choses, celle du soi comme multiplicité interne de représentations et la continuité temporelle de son existence. Les formulations de Condillac seront reprises par les Idéologues, et critiquées, d'un côté par Maine de Biran, de l'autre par Victor Cousin. La dialectique des conceptions de la conscience, « matérialistes » et « spiritualistes », ou d'un autre point de vue « psychologiques » et « transcendantales », peut commencer à se déployer. Elle arrivera jusqu'à nous.

Avant de nous retourner vers le texte de l'*Essai* de Locke pour prendre la mesure des opérations théoriques qui ont mis en branle cette remarquable translation, il faut essayer de comprendre plus largement ce qu'a été, sur le double plan des mots et des idées, l'invention dont nous venons d'observer le point d'aboutissement provisoire.

II. L'invention européenne de la conscience

L'invention de la conscience plonge ses racines dans l'enchaînement des événements intellectuels qui inaugurent la modernité. Elle concerne tout le champ de la théologie, de la politique, de la pensée morale et philosophique, des lettres[37]. Nous pouvons nous la représenter comme un drame en plu-

---

36. *Œuvres philosophiques de Condillac*, éd. citée, vol. 1, p. 239.
37. L'unité même de ces plans pourra être après coup réfléchie comme champ d'une « conscience » collective, faite d'une multiplicité de

sieurs épisodes, dont les protagonistes appartiennent à la fois à la culture insulaire et à la culture continentale, de part et d'autre du *Channel*. Ils s'expriment en latin (lisant également et parfois reconstituant le grec, mais non l'arabe), en italien, en français, langue de la « République des Lettres », en anglais, et à partir du XVIIIᵉ siècle en allemand.

Un premier épisode, dont l'héritage est bien visible chez Locke, dans sa façon de nommer la conscience et d'identifier sa continuité avec l'autonomie du « soi », correspond aux débats suscités par la Réforme autour de la *liberté de conscience*. Son acquis le plus frappant réside dans la possibilité d'employer le mot « conscience » non pas pour désigner une faculté de l'âme, ou le témoignage intérieur d'un double du sujet, mais comme l'autre nom d'un individu singulier. Cette personnification métonymique permet de *qualifier* les consciences au regard de leurs actions et de leurs expériences : « une noble conscience », « une conscience éclairée », « une conscience ferme », « une conscience malheureuse », etc.[38].

Un autre épisode décisif, préparé à l'époque des Lumières par la radicalisation du sensualisme en théorie de la genèse des facultés intellectuelles (Condillac), par les analyses concurrentes du naturel et de l'artifice chez Diderot et Hume, par la refonte rousseauiste des rapports de l'homme privé et de l'homme public, débouchera à l'époque des Révolutions et

---

« consciences » individuelles préoccupées par leur place dans le monde et dans l'histoire. D'où le jeu de mots contenu dans le titre du livre de Paul HAZARD : *La crise de la conscience européenne (1680-1715)*, Paris 1935, auquel nous essayons en un sens de restituer une partie de ses conditions de possibilité. On trouvera d'utiles analyses dans l'ouvrage sous la direction de R. ELLRODT, *Genèse de la conscience moderne. Études sur le développement de la conscience de soi dans les littératures du monde occidental*, PUF, 1983.

38. La métonymie est déjà courante chez Calvin : « Je dis que ces remèdes et soulagements sont trop maigres et frivoles pour les consciences troublées, et abattues, affligées et épouvantées de l'horreur de leur péché » (*Inst. de la religion chrétienne*, IV, 41). Toutefois, c'est la lutte politique qui en inscrit le jeu au cœur des usages du mot conscience, en faisant du for intérieur aussi un « fort » et une « force » (dont le concept, tout au long de l'âge classique, entrera en concurrence avec ceux d'*esprit* et de *génie* pour désigner le principe d'individualité).

des guerres européennes sur les psychologies du sens intime (Maine de Biran) et les divisions dialectiques de la conscience de soi (Kant, Fichte et Hegel).

Mais dans l'intervalle prend place un long moment de construction spéculative. Pour une part essentielle, il procède de la façon paradoxale dont Descartes a tranché la querelle du scepticisme. L'affirmation de *certitude* inscrit la garantie de vérité au cœur de la pensée individuelle, mais sous la forme d'une identification de l'immédiateté et de la réflexivité, ou de la présence à soi et du savoir de soi de la pensée, où se trouvent impliquées énigmatiquement les distinctions substantielles du fini et de l'infini, de l'âme et du corps, qui ne sont jamais que l'autre face d'unions existentiellement indissolubles. Ce paradoxe entraîne aussitôt le surgissement d'un conflit, faisant de la conscience *à la fois* le concept de la « connaissance de soi » et celui de la « méconnaissance de soi ». L'œuvre de Locke et la translation de ses concepts sur le continent se situent au cœur de cette tension métaphysique, qui ne trouvera pas sa résolution avant la *Dialectique transcendantale* kantienne. Si nous voulons en prendre toute la mesure, il nous faut entreprendre un assez long détour.

Pour la clarté de l'exposition, après avoir relu des textes essentiels de Descartes, nous schématiserons le conflit de la façon suivante : d'un côté les tenants d'une conception *affirmative* de la conscience, chez qui ce concept acquiert une valeur fondatrice, en tant que *reconnaissance* de soi de l'âme ; de l'autre les tenants d'une conception *négative*, chez qui le concept de la conscience est également nommé, mais qui y voient essentiellement une fonction de *méconnaissance* ou de *méprise*. Ce sont là deux voies fondamentales pour la constitution d'une philosophie de la subjectivité, qui resteront longtemps distinctes. Dans le premier camp se situent les « augustino-cartésiens » français, à vrai dire aussi peu fidèles à la question de saint Augustin (comment Dieu, « plus haut que ce qui est le plus haut en moi », se fait-il sentir au plus intérieur de l'intimité de mon âme ?) qu'à celle de Descartes (qui suis-je donc, moi qui suis certain de mon existence pensante ?). Ils sont en ce sens, avant Locke, les inventeurs de ce que Wolff et Kant appelleront la psychologie rationnelle. Dans le second nous trouvons Malebranche mais aussi bien

sûr Spinoza[39], dont les philosophies, entièrement opposées
sur les questions de la création et de la nature, ont néanmoins
ceci de commun qu'elles font de la «conscience» (ou de la
conscientia) une *méconnaissance* de l'âme par elle-même.
À l'écart de cette antinomie, mais non moins déterminante pour
la suite (non seulement pour les sollicitations que leur doit Locke,
mais pour les idées et les mots qu'ils transmettent à Leibniz),
nous trouvons la position des platoniciens de Cambridge, qui
fait de la conscience la forme «expresse» ou «explicite» de la
perception de soi-même présente à des degrés divers en toute
individualité.

1. Cogito *et* cogitatio : *éthique et métaphysique
de la certitude de soi-même chez Descartes*

Les historiens de la philosophie nous disent que le moment
où la conscience va désigner *l'essence* de la subjectivité coïncide avec une remontée vers le fondement de la pensée, à travers l'expérience métaphysique du doute. Ils identifient donc,
fondamentalement, la conscience au *cogito*, ou font de celui-
ci le prototype philosophique de celle-là[40]. La réalité est plus
complexe. La philosophie des *Méditations* n'est pas celle de
la conscience (*Bewusstsein*) mais de la certitude (*Gewissheit*)
et des conditions de son obtention. Dans le texte original latin,
on trouve une seule fois le mot *conscius*, dans un passage
important où le traducteur (revu par Descartes) ne l'a pas
rendu par «conscient» :

«…je m'interroge moi-même, pour savoir si je possède
quelque pouvoir et quelque vertu, qui soit capable de faire
en sorte que moi, qui suis maintenant, sois encore à l'avenir : car, puisque je ne suis qu'une chose qui pense […], si

---

39. Nous ne consacrerons pas ici de développement explicite à Spinoza,
ce qui nous entraînerait trop loin de notre objectif : éclairer le contenu et les
conditions de rédaction du traité de Locke. Cf. notre étude « A Note on
Consciousness/conscience in the *Ethics* », *Studia Spinozana*, N° 8, 1994.

40. Grandement aidés en cela, évidemment, par la façon dont, dans la
Critique de la raison pure, se référant à Descartes, Kant avait identifié les
problèmes de la « conscience de soi » (*Selbstbewusstsein*) aux interprétations du « je pense » (*das Ich denke*), « texte unique d'où la psychologie
rationnelle doit tirer toute sa science ». Mais ceci est une autre histoire.

une telle puissance résidait en moi, certes je devrais à tout le moins le penser, et en avoir connaissance (*si quae talis vis in me esset, ejus procul dubio conscius essem*)… [41] »

Posant comme une évidence que « l'âme pense toujours », cette philosophie ne débouche pas sur un programme de connaissance dont la conscience serait le medium et l'organe, mais sur un conflit métaphysique qui divise les post-cartésiens. En prenant parti dans ce conflit, de façon originale, Locke proposera une philosophie de l'esprit (*Mind*) qui, tout en se substituant au cartésianisme, prescrira par avance les voies de sa redécouverte et même de son interprétation.

On sait que le texte des *Méditations* ne comporte pas la formule canonique *cogito* ou *cogito (ergo) sum*. En revanche, nous y trouvons la version la plus subtile de l'argumentation qui établit la vérité — « toutes les fois que je la prononce, ou que je la conçois en mon esprit » — de la proposition d'existence « je suis, j'existe » (*ego sum, ego existo*). C'est cette formulation que la tradition a enregistrée sous le nom de « cogito ». Est-ce un autre nom de la conscience ? En quoi serait-elle ici impliquée ?

La certitude de mon existence s'explicite aussitôt comme certitude de l'existence de cette « chose qui pense » que je suis :

« Mais qu'est-ce donc que je suis ? Une chose qui pense. Qu'est-ce qu'une chose qui pense ? C'est-à-dire une chose qui doute, qui conçoit, qui affirme, qui nie, qui veut, qui ne veut pas, qui imagine aussi, et qui sent… » (A.T., IX, 22)

Elle est certes une expérience de l'entendement. D'autre part la proposition « Je suis une chose qui pense », malgré sa complexité syntaxique, exprime une idée simple, saisie dans ce que Descartes appelle par ailleurs une intuition. Au sortir du doute, la certitude que « je suis » est équivalente à celle que « je pense », c'est-à-dire qu'elle ne porte sur rien d'extérieur à la pensée en train de s'effectuer et de s'énoncer (ou de

41. *IIIe Méditation*, A.T., IX, 39 (trad. de Luynes). La pagination du volume IX de l'édition Adam-Tannery est reproduite en marge de l'édition des *Œuvres philosophiques* de Descartes par F. Alquié, 3 vol., Garnier 1967, où les *Méditations* latines et françaises figurent dans le vol. II.

s'effectuer en s'énonçant, serait-ce tacitement). Il s'agit donc
d'une pure autoréférence. Mais à son tour « je pense » se
démultiplie à l'infini, car c'est une idée qui enveloppe toutes
les modalités de la pensée, les pensées de tous les objets possibles, et finalement toutes mes actions en tant que je les
pense. Aux termes énumérés d'abord (je doute, je conçois,
etc.), Descartes ajoute d'autres modalités concernant les
actions corporelles présentes à la pensée : je marche, je res-
pire, etc. On peut représenter cela par un schéma :

$$
\text{Je suis} = \text{Je pense} = \left\{
\begin{array}{l}
\text{Je doute} \\
\text{Je conçois} \\
\text{J'affirme} \\
\text{Je nie} \\
\text{Je (ne) veux (pas)} \\
\text{J'imagine} \\
\text{Je sens} \\
\text{Je marche} \\
\text{Je respire} \\
\text{etc.}
\end{array}
\right.
$$

Mais nous avons aussi le mouvement réciproque, dans
lequel toutes les modalités de ma pensée sont rassemblées en
une seule idée simple :

$$
\left.
\begin{array}{l}
\text{Je doute} \\
\text{Je conçois} \\
\text{J'affirme} \\
\text{Je nie} \\
\text{Je (ne) veux (pas)} \\
\text{J'imagine} \\
\text{Je sens} \\
\text{Je marche} \\
\text{Je respire} \\
\text{etc.}
\end{array}
\right\} = \text{Je pense} = \text{Je suis}
$$

L'expression « je suis pensant », ou « je suis une chose qui
pense » est en somme un *équivalent général* de toutes les
modalités infiniment diverses de la pensée, avec leurs objets et
leurs références propres. Notons que le terme de « chose »

n'est aucunement ici une façon de dénaturer la subjectivité : c'est plutôt, pour Descartes, la façon de nous faire comprendre que *c'est du point de vue d'un sujet que « pensée » et « existence » peuvent être immédiatement identifiées*[42]. Dans cette méditation, le sujet (*ego*) se reconnaît comme l'auteur de toutes ses pensées[43]. Cette « chose » qui pense en moi *n'est autre* que moi. Ainsi la certitude est à la fois certitude que *c'est moi qui pense en moi* (personne ne pense « à ma place », pas même Dieu — peut-être surtout pas Dieu), et certitude que *je pense bien « ce que je pense »* (il y a une vérité intrinsèque de mes pensées : même si elles sont fausses, fictives, etc., elles sont mes pensées, qui « m'appartiennent »).

Tel étant le mouvement des *Méditations*, il pourrait sembler que l'accent se déplace si nous passons à d'autres textes : en particulier ceux des *Réponses aux IIe Objections* et des *Principes de la philosophie*[44]. Le problème, comme dit la traduction française des *Principes*, I, § 9, est de savoir « ce que c'est que penser » : problème de définition et non d'interprétation d'une expérience. À nouveau cependant nous avons ici une relation entre une « substance » et des « modes », ou entre l'attribut principal de cette substance (qui se confond prati-

---

42. Avant d'être suppléé par celui de « substance », dont Descartes fait d'ailleurs un usage profondément déviant par rapport à la tradition, « chose » est ici un terme oxymorique dénotant à la fois la question que sa coïncidence avec la pensée pose au sujet, et le supplément de singularité que *ego cogito* ou *ego sum cogitans* comportent par rapport à l'essence de la *cogitatio*. On pourrait parler en ce sens d'*haeccéité* de la pensée, qui est proprement le sujet cartésien.

43. Ce qui ne veut pas dire nécessairement comme leur *cause* : dans la IIIe Méditation Descartes opérera cette distinction, en montrant que parmi toutes mes idées, il y en a au moins une (l'idée de Dieu) dont je ne puis pas être la cause, car elle me dépasse infiniment en perfection : je n'en suis pas moins, « formellement », son auteur, en ce sens que c'est bien moi qui la pense. D'où l'acuité de la tension entre *Ego* et *Ille*, Homme et Dieu, première et troisième personne, qui se crée alors, et le risque qu'elle fait courir à mon *identité*. Cf. E. Balibar, « Ego sum, ego existo », Descartes au point d'hérésie, *Bulletin de la Société française de philosophie*, n° 3, 1992.

44. Voir les textes dans notre Dossier ci-dessous. On en trouvera une interprétation en partie différente dans l'ouvrage de Vincent Descombes, *La Denrée mentale*, Éditions de Minuit, 1995, p. 26 sq. Bien qu'il dise la philosophie mentale « post-cartésienne plutôt que cartésienne », Descombes s'efforce toujours de faire remonter à Descartes ce qui n'est articulé que par Locke.

quement avec elle), la pensée (*cogitatio*), et ses modes qui
relèvent tous du *cogitare* ou sont des *cogitationes* :

$$\left.\begin{array}{l} \text{entendre} \\ \text{imaginer} \\ \text{sentir} \\ \text{voir} \\ \text{marcher} \\ \text{etc.} \end{array}\right\} = \text{penser (des pensées)}$$

On notera qu'ici il n'est pas question d'être ou d'exister.
Nous sommes dans l'attribut de la pensée, que nous décri-
vons[45]. En revanche nous voyons intervenir le terme
conscientia (*Cogitationis nomine intelligo illa omnia quae
nobis consciis in nobis fiunt, quatenus eorum in nobis
conscientia est…*), occurrence presque unique chez Descartes. Que signifie-t-il exactement ? Il nous semble qu'il faut
suivre le fil conducteur fourni par les *traductions* revues et
approuvées par Descartes, qui certes peuvent renvoyer à un
état de langue désuet, mais ont l'immense avantage de dissiper l'illusion d'une transparence des mots. Or que disent-
elles ? Tout simplement que *nous savons*, ou que *nous avons
nous-mêmes une connaissance* de ce qu'est la pensée : « Par
le mot de penser, j'entends tout ce qui se fait en nous de telle
sorte que nous l'apercevons immédiatement par nous-mêmes,
etc.[46]. » Qu'est-ce que cette aperception ou cette immédiate

---

45. On verra ci-dessous comment Locke modifie la fonction de cette
énumération dans la perspective de sa propre articulation de la « réflexion »
et de la « conscience ».

46. Comparer le texte de l'*Exposé Géométrique* des *Réponses aux
Secondes Objections* : « Cogitationis nomine complector omne id, quod sic
in nobis est, ut ejus immediate conscii sumus […] Ideae nomine intelligo
cujuslibet cogitationis formam illam, per cujus immediatam perceptionem
ipsius ejusdem cogitationis conscius sum… » ; traduction de Clerselier :
« Par le nom de *pensée*, je comprends tout ce qui est tellement en nous, que
nous en sommes immédiatement connaissants […] Par le nom d'*idée* j'entends cette forme de chacune de nos pensées, par la perception immédiate de
laquelle nous avons connaissance de ces mêmes pensées […] » (A.T., IX, 124).

F. Alquié (éd. cit. p. 586) croit pouvoir annoter : « Au lieu de *connaissants*, nous dirions mieux : *conscients*. Car le latin est : *ut ejus immediate
conscii sumus*. La pensée (*cogitatio*) est donc, pour Descartes, synonyme

connaissance ? Quelques remarques simples peuvent être for-
mulées :

– premièrement la *conscientia* est elle-même une « pensée »
parmi les autres. *Nulle part Descartes ne dit que la pensée en
général c'est la conscience* ; mais il dit qu'il n'y a pas de
pensée *sans* cette autre pensée — ou cette « idée de l'idée »,
comme dira plus tard Spinoza — qu'est la conscience ;

– deuxièmement, il se sert de cette thèse, qu'il pose en axiome,
pour introduire une clause de complétude : nous pouvons inven-
torier exhaustivement les modes de la pensée, car de même qu'il
n'y a rien qui appartienne à la pensée sans que nous le sachions,
de même à toutes nos actions correspondent des pensées. Il n'y a
donc ni pensées inconscientes ni actions impensées ;

– troisièmement, ceci veut dire que la *conscientia* est
l'opérateur qui, en permanence, rapporte toutes les pensées
à un *ego* qui peut les penser, et qui, réciproquement, inscrit
le sujet parmi les pensées (faisant qu'il y a, entre autres
choses, une pensée de moi-même). On est tenté de dire :
« je » ou *ego*, ce moi qui pense, qui marche, qui vois, etc.,
est inscrit lui aussi « objectivement » (c'est-à-dire en tant
qu'*idée*) dans le monde des pensées. Il ne lui est pas *extérieur* ;

– enfin, cette connaissance est *immédiate*, c'est-à-dire
qu'elle ne résulte pas d'une liaison ou d'un raisonnement. Ce
point est décisif : dans l'histoire de la philosophie, ce qu'on
appellera « conscience » ne sera plus toujours une connaissance claire ou rationnelle, mais sera toujours immédiat, ou
originairement fondé dans l'immédiateté.

Le fait que Descartes donne cette connaissance comme
immédiate est justement ce qui a troublé ses lecteurs, car cela
conduit à une mutation de la notion de *réflexion*. Jusqu'alors la
réflexion désignait une opération médiate : en particulier quand
les aristotéliciens disaient que l'âme et ses opérations se
connaissent par réflexion, ils voulaient dire qu'elles ne se

---

de conscience [...] cf. *Principes*, I, 9. » De son côté, dans *Descartes selon
l'ordre des raisons* (Aubier, 1953, vol. I, pp. 63 sq., 94-103), M. Gueroult
ne cesse de pratiquer l'équation de l'essence de la pensée et de la
conscience, de façon à montrer, en particulier, qu'il n'y a pas de différence
réelle entre pensée et pensée de la pensée.

connaissent pas directement, mais seulement par leurs effets, leurs différences. Au contraire chez Descartes, réflexion veut dire que l'âme ou pensée se reconnaît elle-même en chacune de ses modalités, puisqu'elle y est à chaque fois présente (et d'autres textes ajoutent qu'elle y est *identiquement* présente, c'est-à-dire que certains modes comme l'intelligence n'ont à cet égard aucun privilège, ce qu'on voit d'ailleurs bien dans le § 9 des *Principes* : elle est tout aussi bien dans le sentir ou le vouloir)[47].

On doit pourtant se demander *de quoi* exactement nous avons ici la *connaissance*, quel est son domaine ou son objet. D'une certaine façon ce domaine est infiniment étendu, puisque toutes les *cogitationes* y rentrent de plein droit. Mais d'un autre côté il est extrêmement pauvre, car à chaque fois il s'agit d'une seule et même chose : du *fait* que nous pensons sous telle ou telle modalité, ou que concevoir, vouloir, sentir, etc. sont des pensées qu'*ego* peut rapporter à lui-même. Il n'est donc pas question de fixer à cette « conscience » un programme d'investigation réflexive tel que découvrir des facultés de l'âme ou analyser des opérations logiques, etc., contrairement à ce que croiront certains successeurs de Descartes. Contrairement, surtout, à ce que théorisera et pratiquera Locke à propos du *mind*. Et c'est pourquoi aussi la fameuse formule des *Méditations* disant « que l'âme est plus aisée à connaître que le corps » n'ouvre à aucune psychologie rationnelle ou métaphysique de l'âme. Si l'âme est « plus aisée à connaître… », c'est bien sûr parce qu'elle se reconnaît partout elle-même (jusque dans le moindre « morceau de cire »…), mais c'est aussi parce que, à la différence de la connaissance des corps, qui est complexe et ardue, celle de l'âme est simple et toujours identique à elle-même. C'est pourquoi Descartes dit qu'elle ne doit pas nous occuper longtemps, qu'on peut la régler rapidement. Il suffit d'en saisir le principe. À la limite, s'il y a chez Descartes une métaphysique de l'âme, cette métaphysique est une science ponctuelle.

La formule qui dit que nous ne pouvons pas penser sans savoir que nous pensons et nous savoir « pensants », n'en

---

47. Sur les paradoxes de la réflexion chez Descartes, on consultera les travaux de Jean-Marie Beyssade : *La Philosophie première de Descartes (Le temps et la cohérence de la métaphysique)*, Flammarion, 1979, et son édition de l'*Entretien de Descartes avec Burman* (PUF, 1981).

revêt pas moins une extrême importance. C'est elle qui, à travers la discussion par Locke des idées innées conduira à faire de la « conscience » le sujet même de la pensée, mais aussi à soulever le problème de l'inconscient. Il est utile de rappeler ici quelques-unes des formules dont se sert Descartes [48]. Dans ses Réponses aux IVᵉ Objections (d'Arnauld), il écrit :

> « il ne peut y avoir en nous aucune pensée, de laquelle, dans le même moment qu'elle est en nous, nous n'ayons une actuelle connaissance (*nec ulla potest in nobis esse cogitatio, cujus eodem illo momento, quo in nobis est, conscii non simus*). C'est pourquoi je ne doute point que l'esprit, aussitôt qu'il est infus dans le corps d'un enfant, ne commence à penser, et que dès lors il ne sache qu'il pense, encore qu'il ne se ressouvienne pas après de ce qu'il a pensé, parce que les espèces de ses pensées ne demeurent pas empreintes en sa mémoire. »

Et dans les Réponses aux VIᵉ Objections :

> « Il ne se peut pas faire que nous n'expérimentions pas tous les jours en nous mêmes que nous pensons (*non potest non esse sibi conscius*) ; et partant […] personne ne pourra de là raisonnablement inférer qu'il ne pense donc point, si ce n'est celui qui […] se voudra tellement opiniâtrer à maintenir cette proposition : *l'homme et la bête opèrent d'une même façon*, que, lorsqu'on viendra à lui montrer que les bêtes ne pensent point, il aimera mieux se dépouiller de sa propre pensée (laquelle il ne peut toutefois ne pas connaître en soi-même par une expérience continuelle et infaillible) (*Nam sane fieri non potest quin semper apud nosmet ipsos experiamur nos cogitare*) que de changer cette opinion… »

De son côté, dans les Septièmes Objections, le P. Bourdin écrivait :

> « Si celui qui se sert de cette méthode dit qu'il pense […] et qu'il pense de telle sorte que par une action réfléchie il

---

48. Voir dans notre Dossier de textes une liste plus complète, avec les références détaillées.

envisage sa pensée et la considère, ce qui fait qu'il pense, ou bien qu'il sait et considère qu'il pense (ce que proprement l'on appelle apercevoir, ou avoir une connaissance intérieure) (*et consideret se cogitare (quod vere est esse conscium, et actus alicujus habere conscientiam*), et s'il dit que cela est le propre d'une faculté [...] qui est spirituelle, et partant qu'il est un esprit, il dira ce qu'il n'a point encore dit, ce qu'il devait dire, ce que je m'attendais qu'il dirait, et ce que je lui ai même souvent voulu suggérer lorsque je l'ai vu s'efforçant en vain pour nous dire ce qu'il était [...] mais il ne dira rien de nouveau... »

C'est ce contradicteur de Descartes qui introduit, comme synonyme de *conscientia*, le terme *réflexion* en son sens scolastique : l'âme ne se connaît pas directement mais par réflexion. Descartes va lui répondre :

« Quand notre auteur dit qu'il ne suffit pas qu'une chose soit une substance qui pense pour être tout à fait spirituelle et au-dessus de la matière, laquelle seule il veut pouvoir être proprement appelée du nom d'esprit ; mais qu'outre cela il est requis que, par un acte réfléchi sur sa pensée, elle pense qu'elle pense, ou qu'elle ait une connaissance intérieure de sa pensée (*ut actu reflexo cogitet se cogitare, sive habeat cogitationis suae conscientiam*) ; il se trompe [...] Car la première pensée, quelle qu'elle soit, par laquelle nous apercevons quelque chose, ne diffère pas davantage de la seconde, par laquelle nous apercevons que nous l'avons déjà auparavant aperçue, que celle-ci diffère de la troisième par laquelle nous apercevons que nous avons déjà aperçu avoir aperçu auparavant cette chose ; et l'on ne saurait apporter la moindre raison pourquoi la seconde de ces pensées ne viendra pas d'un sujet corporel, si l'on accorde que la première en peut venir. »

Il nous semble possible d'interpréter ces textes (qui ont donné lieu à beaucoup de discussions) en suggérant que Descartes y soutient quatre thèses successives, mais qui de son point de vue forment une seule doctrine :

1. L'âme ou esprit (*mens*) *ne peut pas ne pas penser*, parce que telle est précisément son essence. En d'autres termes (et

cette formulation doublement négative confère à sa thèse la valeur d'un *principe*), il serait contradictoire de poser à la fois que l'essence de l'âme est de penser et qu'elle puisse ne pas penser[49].

2. À cette thèse d'essence, on peut donner une traduction sur le plan de l'*existence* : dès lors qu'une âme existe, elle ne cesse de penser aussi longtemps qu'elle existe, en d'autres termes l'âme pense *toujours*. Mais ce fait n'implique aucunement qu'elle se *souvienne* d'avoir pensé précédemment quand elle pense (et d'avoir existé quand elle existe !), que ce soit en rêve, quand son corps était en gestation, dans l'enfance, ou tout simplement l'instant d'avant... La réciproque figure dans l'*Entretien avec Burman* : pour que l'âme soit « consciente » (ait connaissance) de sa pensée, il n'est aucunement nécessaire que celle-ci soit déjà passée. En d'autres termes, thèse radicale (et psychologiquement malaisée), *la pensée qui est l'essence de l'âme n'a rien d'essentiel à voir avec la mémoire,* elle existe et doit être pensée hors de toute considération de temps écoulé, mais toujours « actuellement », c'est-à-dire *dans l'acte même* de penser (et dans sa durée propre).

3. Descartes soutient, d'un même mouvement, que l'âme *ne peut pas penser sans savoir qu'elle pense*, ou sans se savoir pensante avec certitude. Mais il faut faire ici des distinctions fines. Descartes veut dire d'abord que *toute pensée se sait pensée* (par exemple nous ne pouvons « vouloir une chose que nous n'apercevions par même moyen que nous la voulons »). Il s'agit de la *présence à soi de la pensée*, qui est identiquement dans toutes ses modalités et ne dépend de l'exercice d'aucune faculté particulière. À nouveau la formulation négative serait plus claire : l'âme, en tant qu'elle pense d'une façon ou d'une autre, ne peut pas se méconnaître (c'est-à-dire se prendre elle-même pour un autre genre de « chose »). Elle a donc toujours la possibilité de se connaître comme « chose pensante » *en général*, sous l'une ou l'autre de ses modalités, ou de saisir sa propre essence dans les « actions » où elle s'exprime.

---

49. On le verra, c'est la contrainte de cette thèse qui conduira Locke à cesser d'identifier la faculté de penser (et de se penser), qu'il appelle *mind*, avec une *âme* substantielle (pour laquelle il réserve les termes de *soul* et de *spirit*).

C'est proprement de cela qu'il s'agissait dans le *cogito*, surtout si on l'expose sous la forme où nous l'avons fait ci-dessus, en tant qu'«équivalent général» des différentes modalités du penser, immanent à leur variation. Car ce n'est jamais d'une façon impersonnelle que l'âme ou la pensée saisit sa propre essence générique, présente dans chacune de ses modalités particulières, mais par une expérience qui n'a de sens qu'*en première personne* (comme « mon expérience que voici », *hoc pronuntiatum* disent les *Méditations*), même si en chacun de nous elle s'effectue de manière rigoureusement identique. On est ici au plus près de ce qui fait à la fois l'originalité et la difficulté du cartésianisme : la connaissance de la pensée saisit bien une essence rationnelle, communicable, mais à partir d'une expérience absolument singulière. Le cartésianisme est ce court-circuit, cette tension presque insoutenable entre l'universalité de l'essence et l'immédiateté de l'existence singulière, réunies dans un seul énoncé. Si le concept de « conscience », tel qu'il se formera aussitôt après, selon la modalité de Malebranche ou celle de Locke, ne peut vraiment y trouver place, n'est-ce pas qu'il vise justement à distendre cette unité de contraires, à y introduire une *médiation* (et de proche en proche, nous allons le voir, toute une série de médiations) ? Réservons pour l'instant notre réponse.

4. On arrive alors à la quatrième et dernière thèse : l'âme sait ou connaît *ce qu'elle pense*, c'est-à-dire qu'elle connaît ses propres pensées *pour ce qu'elles sont*. À première vue il ne s'agit là que d'appliquer en détail ce qui vient d'être posé pour la pensée en général. Mais on voit bien vite que le détail peut faire problème, dès lors qu'entre en jeu la question de l'« union de l'âme et du corps », dans les sensations, les sentiments, les passions, et même l'imagination[50]. D'une certaine façon il existe toute une série de pensées dont nous *méconnaissons la nature*, puisque nous les attribuons au corps, comme si, à la limite, c'était *le corps qui pensait en nous* (quand nous sentons, etc.). Dans la VIᵉ Méditation, Descartes

---

50. On trouvera dans le livre de D. Kambouchner, *L'Homme des passions. Commentaires sur Descartes*, Albin Michel, 1995, une discussion de ces difficultés, conduisant à l'idée d'un « cogito développé », distinct de la « réflexion pure » (vol. II, p. 335 sq.).

explique que cette méprise remplit une fonction vitale : si nous ne localisions pas nos sensations dans le corps, nous les prendrions pour des conclusions de l'âme à partir d'informations reçues du corps, nous pourrions les mettre en doute, et nous ne réagirions pas spontanément aux douleurs, dangers, etc. conformément aux nécessités de notre survie. Argumentation finaliste qui oblige à se demander si on peut soutenir *en général* que l'âme se sait ou se connaît.

À nouveau, on peut nous semble-t-il distinguer ici deux étapes. D'abord on peut dire que, jusque dans la méprise, toutes les pensées se saisissent bien dans leur vérité : précisément comme sensations, volontés, imaginations, jugements… Elles ne se confondent pas entre elles. Et celles qui impliquent l'influence du corps ou une influence sur le corps sont vraiment pensées comme « unies » à lui ou « confondues » avec ses actions et ses passions. Le contraire, on l'a dit, impliquerait une mystification. Mais ensuite, et c'est le plus délicat, on peut dire que nous avons toujours la possibilité de diriger exclusivement notre attention sur *ce qui fait qu'une idée est une idée, ou qu'une pensée est une action de l'âme*. Descartes ne dit pas que cette possibilité soit réalisée dans toutes les circonstances, ni qu'elle soit aisée à exercer : mais elle est toujours *en droit* possible, et on peut en apprendre les moyens par la méditation. On accède alors à une *priorité* ou « précédence » qui est inhérente à la nature de l'âme, et qui la manifeste clairement pour elle-même. Ce que nous pensons alors, dans tous les cas, n'est pas la confusion mais la *distinction* de la pensée, qu'il ne dépend que d'elle de ressaisir.

Que voulait donc dire Descartes en répétant que « l'âme est plus aisée à connaître que le corps » et que nous en avons une *meilleure* connaissance ? Phrase non dénuée sans doute d'intentions apologétiques, mais qui doit pouvoir aussi se concilier avec sa pratique théorique. Nous croyons qu'il n'a aucune intention de faire une théorie des facultés ou opérations de la pensée[51]. En revanche il s'agit pour lui de faire à chaque fois la même démonstration : la pensée peut être référée à la seule « chose qui pense » dont elle est l'action, même

---

51. Il y a renoncé après les *Regulae ad directionem ingenii*, restées inachevées.

si c'est sous l'effet d'objets extérieurs et particulièrement de corps. Au bout du compte la connaissance que j'ai de moi-même en tant que pensée (ce « quelque chose » ou cette « chose » que *je* suis) a pour objectif de refaire l'expérience de la certitude première et de constater dans tous les cas la distinction de l'âme. C'est pourquoi elle peut être à la fois infiniment riche (multiple) en objets, rencontrés dans toutes les occasions de la vie, et infiniment pauvre (simple) en résultats ou conclusions : puisque *la conclusion est toujours la même.*

Avançons que ce que l'âme connaît d'elle-même dans son rapport au monde, ce n'est jamais que sa liberté ou puissance, consistant dans sa capacité propre de penser clairement et distinctement les choses (dont elle-même) — et, à défaut, de suspendre le jugement. On voit que, sur ce point, l'objectif de la connaissance de soi n'a rien de spéculatif, mais que son orientation métaphysique est fondamentalement « pratique » ou si l'on veut *éthique*. Mais cette éthique de l'autonomie intellectuelle est aussi incommode que risquée, pour ce qu'elle comporte de *précarité* et de *suffisance* [52]. Elle n'assure l'ancrage de la certitude de soi-même dans l'existence (*fundamentum inconcussum* comme dit Heidegger) qu'au prix de la plus grande insécurité quant à l'identité ou à l'essence de son « sujet », à chaque instant reconquise sur son altérité intérieure : *je ne suis pas ce Dieu* dont l'idée parfaite est pourtant inscrite comme son modèle infini ou sa cause « éminente » au cœur de ma raison, de même que *je ne suis pas ce corps* auquel mes perceptions sont tellement unies que j'éprouve en lui ma propre existence, mes actions et passions, et ainsi *je suis « moi »*.

C'est elle que les cartésiens, disciples infidèles, vont aussitôt essayer de faire passer sur le plan de la *science*. Mais la science s'appellera aussi bien *conscience : cum scientia.*

---

52. Dans « Le cerveau et la pensée » (rééd. in *Georges Canguilhem, Philosophe, historien des sciences*, Albin Michel, 1993), Canguilhem la caractérise comme « revendication » (et non représentation) d'une « surveillance du monde des choses et des hommes » (p. 29-30).

2. L'idée d'une métaphysique de l'âme
chez les « cartésiens » français.

Bien que le substantif «conscience» ne figure pas dans son œuvre, ni en latin ni en français, il importe de s'adresser d'abord à Arnauld, car il contribue à l'émergence du concept par deux puissantes suggestions[53].

La première est contenue dans *La logique ou l'art de penser* de 1662, ouvrage connu sous le titre de « Logique de Port-Royal », écrit en collaboration avec P. Nicole, où l'on voit quelquefois l'une des sources du psychologisme qui aurait dominé la logique jusqu'à l'entrée en scène du formalisme moderne. C'est une réorganisation de la théorie classique des jugements, des raisonnements et de la méthode sur la base d'une analyse des éléments de la pensée. Or celle-ci est une *théorie des « idées »*, au nouveau sens que ce terme est en train d'acquérir : des signes ou images de choses ayant leur origine dans l'esprit lui-même. Dès lors les formes logiques doivent être conçues comme traduisant au moyen du langage des « opérations mentales » dont la nature est en dernière analyse indépendante de ce revêtement verbal. On retrouvera chez Locke cette suggestion considérablement développée[54].

La seconde est explicitée dans l'ouvrage beaucoup plus tardif, dirigé contre Malebranche, *Des vraies et des fausses idées* (1683). C'est ici qu'Arnauld inaugure la considération *du* « cogito » (futur « je pense »), pris nominalement, comme

53. Antoine ARNAULD, « le grand Arnauld », théologien et philosophe, à qui sa longévité exceptionnelle (1612-1694) a permis d'être à la fois le principal « intellectuel » du jansénisme, l'interlocuteur de Descartes au moment du débat sur les *Méditations*, plus tard l'adversaire de Malebranche sur les questions de la grâce et de la vision en Dieu, enfin le correspondant de Leibniz à propos du *Discours de métaphysique* (1686), est le promoteur d'une tentative de fusion entre cartésianisme et augustinisme qu'on peut considérer comme la source majeure du *spiritualisme* dans la philosophie française. C'est lui qui entreprend de faire reconnaître que le *cogito ergo sum* comporte des « antécédents » dans l'œuvre de saint Augustin que Descartes, en somme, n'aurait fait que retrouver.

54. Locke avait traduit en anglais, en 1675-1676, des *Essais de Morale* de Pierre Nicole, où celui-ci exposait, entre autres, qu'il faut aller aux choses elles-mêmes par-delà les mots. cf. Michaud 1986, p. 111 ; Marshall 1994, p. 131 sq.

argument-type et modèle de la connaissance de soi sur laquelle doit reposer une métaphysique rationnelle. Cette insistance est associée à une discussion concernant la nature des idées en tant que « représentations ». À ce terme qu'il considère comme dangereusement équivoque, Arnauld préfère celui de *perception*, applicable à toute situation dans laquelle une chose « est objectivement dans mon esprit ». Il s'agit en somme de trouver une voie moyenne entre deux opposés, également inacceptables : que les idées soient des « êtres représentatifs » autonomes (ce qui mène à la thèse malebranchienne selon laquelle l'âme perçoit non les objets eux-mêmes, mais leurs idées, c'est-à-dire leurs représentants ou leurs modèles) ; ou inversement que les « choses mêmes » soient en quelque sorte visées par l'âme (selon la doctrine médiévale de l'intentionnalité, qui sera plus tard retrouvée à sa façon par la phénoménologie). Les idées selon Arnauld doivent être considérées comme *le moyen terme d'un « double rapport »* : à l'âme qui pense, dont elles sont une modification, et à l'objet qu'elles représentent, selon un mode spécifique qui ne serait pas, en général, réductible à la notion de tableau ou d'image. À la limite elles ne sont rien d'autre que le nom donné à ce rapport[55].

La présence de l'âme comme un des termes du double rapport qui constitue l'idée autorise alors Arnauld à proposer une définition de la pensée (qu'il rattache à l'autorité de Descartes et à sa définition de la *cogitatio*), identifiant celle-ci de proche en proche à la *réflexion* puis, implicitement, à la « conscience » :

> « Notre *pensée ou perception* est essentiellement réfléchissante sur elle-même : ou, ce qui se dit plus heureusement en latin, *est sui conscia*. Car je ne pense point, que je ne sache que je pense. Je ne connais point un carré, que je ne sache que je le connais [...] outre cette réflexion qu'on peut appeler *virtuelle*, qui se rencontre dans toutes nos perceptions, il y en a une autre plus *expresse*, par laquelle nous

55. Sur la conception de l'idée chez Arnauld et sa critique de l'idée d'une obscurité de l'âme à elle-même, voir les études de J.-M. Beyssade, « Sensation et idée : le *patron rude* », et de D. Kambouchner, « Des vraies et des fausses ténèbres. La connaissance de l'âme d'après la controverse avec Malebranche », in *Antoine Arnauld. Philosophie du langage et de la connaissance*, Études réunies par Jean-Claude Pariente, Vrin, 1995.

examinons notre perception par une autre perception, comme chacun l'éprouve sans peine [...] il s'ensuit que, toute perception étant essentiellement représentative de quelque chose, et selon cela s'appelant *idée*, elle ne peut être essentiellement réfléchissante sur elle-même, que son objet immédiat ne soit cette *idée*, c'est-à-dire, *la réalité objective* de la chose que mon esprit est dit apercevoir... » (ouvr. cit., rééd. Fayard 1986, p. 52).

N'oublions pas qu'au XVIIᵉ siècle « réalité objective » veut dire représentation de l'objet, par opposition à la « réalité formelle » de la chose, qui est son être en soi. On voit que le double rapport constitutif de l'idée s'est trouvé *à son tour redoublé*, à partir de son terme mental. De cette réflexion qui est toujours au moins virtuelle, Arnauld fait le principe subjectif de toute science, à commencer par la science même de l'âme et de Dieu, dont nous avons les idées les plus claires de toutes.

Nous trouvons des conceptions analogues chez les cartésiens « orthodoxes » dans le dernier tiers du XVIIᵉ siècle. Dès 1666, Louis DE LA FORGE, médecin et philosophe, qui venait d'éditer à titre posthume le *Traité de l'Homme* de Descartes, en donne une « suite » sous le titre *Traité de l'esprit de l'homme*, dans lequel il déclare que « [son] dessein [...] n'a été que d'expliquer, un peu plus au long qu'il [= Descartes] n'avait fait, les Facultés de l'Âme ». Le double patronage de l'auteur des *Méditations* et de celui des *Confessions* y est immédiatement revendiqué. Lui aussi entend par idée « les seules formes des pensées de l'Esprit », qui nous représentent « deux sortes d'Êtres [...] celui qui est étendu, qu'on appelle Corps, et celui qui pense, que l'on nomme Esprit ». L'Esprit, « c'est-à-dire, la chose qui pense », se pense donc lui-même. La connaissance de la pensée par elle-même, pour laquelle convient le mot cartésien de *cogitare*, est essentiellement identique à l'*intelligere* de saint Augustin, qui s'adresse à l'*homme intérieur* (*homo interior*, alors que le Corps est *homo exterior*)[56].

Plus loin La Forge va décrire cette connaissance de soi comme un retrait et une ascèse, une façon pour l'Esprit de « se retirer chez lui pour se regarder sans témoin » (p. 100), et

---

56. De la Forge, ouvr. cit., rééd. PUF, 1974, p. 82. Cf. Dossier ci-après.

finalement comme une *conscience* (pour laquelle il emploie également le nom de *sentiment intérieur*) :

> « Je prends ici la Pensée pour cette perception, conscience, ou connaissance intérieure que chacun de nous ressent immédiatement par soi-même quand il s'aperçoit de ce qu'il fait ou de qui se passe en lui » (p. 112).

Et encore :

> « Que sera donc cette admirable fonction, dont l'essence paraît si cachée ? [...] si toutes les fonctions de la connaissance sont des opérations qui ne tiennent rien de la matière, et qui ne sortent point de l'âme, c'est s'abuser grossièrement de regarder ailleurs que dans l'esprit même pour en découvrir les ressorts [...] Nous avons prouvé ci-devant que la nature de l'esprit était d'être une chose qui pense, et nous avons dit que l'essence de la pensée consistait dans cette conscience et cette perception que l'esprit a de tout ce qui se passe en lui... » (p. 156).

Nous voyons ici La Forge effectuer d'un seul coup trois opérations fondamentales : il introduit le néologisme *conscience* ; il en fait l'essence même de la pensée, la modalité selon laquelle « l'âme pense toujours » ; et il l'identifie à l'*intériorité* ou à ce mouvement par lequel « l'homme intérieur » rentre en lui-même, c'est-à-dire se contemple en tant que « pur esprit ». Les développements de La Forge sur ce point sont étroitement liés au projet d'une démonstration de l'*immatérialité* et de l'*immortalité* de l'âme, qui, à leur tour, précèdent et commandent l'analyse de ses « facultés »[57].

La préoccupation apologétique s'exprime à plein dans le traitement de la question de l'union de l'âme et du corps, qui

---

57. Bien que La Forge se réclame de saint Augustin, il y a une considérable différence entre la façon dont il traite la question de l'intériorité ou intimité de l'âme et la façon dont elle apparaissait dans les *Confessions* et le *De Magistro*. C'est que, pour saint Augustin, ce que nous découvrons « au plus profond de nous-mêmes » est, d'une part, un combat permanent entre l'aspiration au salut et l'inclination au péché, et, d'autre part, l'appel de Dieu lui-même, « maître intérieur » qui transcende notre nature et la place en quelque sorte « hors de soi ». Cette référence ne joue aucun rôle chez La Forge, beaucoup plus naturaliste.

signe un nouvel écart par rapport à Descartes. Non seulement La Forge introduit pour l'interpréter le concept fondamentalement anticartésien d'une *Alliance* ou d'un *Traité*, formé sur le modèle du « gouvernement du monde » et comme lui conclu sous l'égide de Dieu, dont il va jusqu'à énumérer les clauses. Mais il en déduit (non sans embarras, car comment concilier cette thèse avec le *monisme* fondamental de la conception cartésienne de la pensée ?) l'idée que l'Âme ou Esprit de l'Homme comporte une « partie supérieure » (la seule véritablement immortelle ou immatérielle) et une « partie inférieure » (susceptible d'union avec le corps et soumise à son influence), qui se combattraient l'une l'autre, en particulier dans les passions [58].

Mais ce qui est peut-être le plus remarquable, c'est la façon dont le recours à l'idée d'*intériorité* contribue finalement à l'occultation de la question du « je » ou de la *première personne*, une fois donné le coup de chapeau nécessaire au « cogito ». Sur ce point, La Forge qui se veut à la fois augustinien et cartésien, n'est en réalité ni l'un ni l'autre : le concept de conscience ou de sentiment intérieur qu'il introduit est impersonnel (c'est une essence ou une faculté), aussi éloigné de l'*ego* des *Confessions* en proie au combat intérieur (*ego eram, qui volebam, ego, qui nolebam…*) [59] que de celui des *Méditations*, aux prises avec la question « qui suis-je ? », et « (qu'est-ce donc) qui pense en moi ? ».

Le mouvement s'achève et se codifie, nous l'avons dit, chez un troisième auteur, Pierre-Sylvain Régis (1632-1737), qui dans son *Système de philosophie contenant la Logique, la Métaphysique et la Morale* [60] donne deux définitions de la Conscience, l'une formelle et assez générale dans le *Glossaire* des termes non usuels figurant à la fin de l'ouvrage (« *Conscience,* c'est un témoignage qu'on se rend intérieure-

---

58. Descartes, dans l'art. 47 des *Passions de l'Âme*, s'était explicitement démarqué de cette « imagination » de « combats entre la partie inférieure et la supérieure de l'âme ». L'âme pour lui n'a pas de parties car toute son essence n'est que de penser, sous une multiplicité de modalités.

59. Saint Augustin, *Les Confessions*, VIII, x, 22 : « j'étais moi-même celui qui le voulait et qui ne le voulait pas » (trad. Arnauld d'Andilly).

60. Voir notre Dossier de textes.

ment à soi-même touchant quelque chose »), l'autre spécifiquement liée à la reprise du texte cartésien :

> « Je suis donc assuré que j'existe toutes les fois que je
> crois connaître quelque chose ; et je suis convaincu de la
> vérité de cette proposition, non pas par un véritable raison-
> nement, mais par une connaissance simple et intérieure, qui
> précède toutes les connaissances acquises, et que j'appelle
> *conscience*. »

Mais surtout (alors que la Physique est la science des corps)
il identifie la Métaphysique avec la science des vérités qui
concernent les âmes, c'est-à-dire la « connaissance des substances intelligentes » considérées, soit « en elles-mêmes » ou
en tant qu'*Esprits*, soit « par rapport au corps » auquel l'Esprit est uni, ou qui lui « appartient plus que les autres ». Le
système de Régis convertit véritablement le « je » cartésien en
« moi conscient » et celui-ci en sujet-objet d'une métaphysique de l'âme à la fois intellectualiste et spiritualiste, ou
d'une psychologie rationnelle. Nous aurons à nous demander
dans quelle mesure l'« empirisme » lockien diffère de ce
point de vue. Si c'est le cas, ce n'est peut-être pas tant en
raison de sa conversion aux choses mêmes que de sa confrontation serrée avec d'autres discours théoriques, profondément
(mais différemment) imprégnés d'une visée théologique :
celui de Malebranche, qui dénie à l'âme humaine la capacité
de se connaître clairement elle-même, et celui du « platonicien de Cambridge », Ralph Cudworth, qui forge le néologisme *consciousness* à partir d'une étymologie grecque
fictive, et tente par ce moyen d'opposer au matérialisme
menaçant une téléologie de l'émergence progressive de l'esprit
dans la nature. Examinons-les tour à tour.

3. *Conscience en tant que méconnaissance : Malebranche*

Les Cartésiens sont les théoriciens de la conscience claire,
comme connaissance de soi ; chacun à sa façon Malebranche
et Spinoza appelleront « conscience » une obscurité ou méconnaissance nécessaire[61]. Mais à la différence de Spinoza, qui

---

61. Le rapprochement avec Spinoza, pratiqué par ses adversaires et
même par certains de ses partisans, a été la croix de la vie de Malebranche.

caractérise la conscience comme méconnaissance en tant qu'elle est incapable de former une idée adéquate de l'individualité corporelle, dont la multiplicité dépasse toujours sa puissance de perception (*Éthique*, IIe partie, prop. 21 et suiv.), Malebranche fait de la méconnaissance une caractéristique du rapport que l'âme entretient *avec elle-même*. De façon très étonnante, il décrit ce rapport dans le langage même qui avait servi à Descartes à caractériser la « confusion » de l'union de l'âme et du corps. C'est pourquoi sans doute il utilise indifféremment les termes de *conscience* et de *sentiment intérieur* ou il éclaire l'un par l'autre. D'autre part il explique que la représentation confuse que l'âme humaine a d'elle-même est liée (non pas causalement, mais symboliquement) à l'influence que prend le corps, ou mieux, à la *complaisance pour le corps* qui, chez l'homme, résulte de la chute. Il s'agit donc d'une conception étroitement commandée par le dogme d'une perversion initiale de la nature humaine. La conscience malebranchienne a partie liée, intrinsèquement, avec l'*amour de soi*, qui doit se convertir pour se transformer en *amour de Dieu*.

Il faut toutefois être attentif à ne pas déformer la pensée de Malebranche, dont le finalisme radical comporte aussi une dimension constructive : il explique en effet que sans cette complaisance au corps, si l'âme était capable de se penser et de se connaître elle-même d'une façon pure, elle se détournerait des besoins et des tâches de la vie terrestre, et n'aspirerait plus qu'à connaître Dieu et à s'unir immédiatement avec lui, ce qui irait contre la destination terrestre de l'homme. La méconnaissance est donc *utile*, elle a une fin *pratique*. Elle inscrit l'économie surnaturelle du salut dans les exigences naturelles de la santé, et réciproquement.

Dans la *Recherche de la Vérité* de 1674, Malebranche s'est complètement expliqué sur sa théorie de la conscience comme connaissance confuse de l'âme, et sur son opposition sur ce point au cartésianisme[62]. Il distingue quatre « manières de connaître » (auxquelles correspondent quatre types d'objets de connaissance) :

Il ne cessera de devoir défendre ses théories de la « cause occasionnelle » et de la « vision en Dieu » contre l'accusation de « spinozisme ».

62. Livre III, 2e partie, chap. VI et VII. Cf. Dossier de textes.

1. Seul Dieu nous est connu « par lui-même », c'est-à-dire qu'il est connaissable en soi, ou mieux encore, qu'*il se fait connaître* en nous, comme notre « maître intérieur » ou la « lumière de notre propre esprit ». Cette connaissance suprêmement adéquate, *éclairante* plutôt qu'*éclairée*, commence avec ce que Malebranche appelle *l'idée générale de l'être* et débouche sur celle de *l'infini*, ou de l'*être parfait*[63]. Elle nous révèle que notre essence est unie à l'essence divine, et n'est pas séparable de l'amour : mais il s'agit d'un amour intellectuel, et non d'un sentiment[64].

2. Pour ce qui est de la connaissance « par les idées », elle est le point caractéristique de la théorie de Malebranche (et le plus contesté). Les idées sont considérées à la fois comme des *archétypes* (en revenant à une inspiration platonicienne), et comme des *représentants* des choses, qui se substituent à elles pour l'entendement. Et, selon Malebranche, le « lieu » de ces archétypes est Dieu lui-même, ce qui veut dire que *nous voyons en Dieu*, comme sur un écran transcendantal, les idées géométriques des corps et plus généralement les « vérités éternelles » de la raison et de la science. Notons que les propriétés dont il s'agit ici sont les qualités géométriques et mécaniques des corps, correspondant à des idées claires et distinctes (pour lesquelles Locke forgera l'expression de « qualités premières »).

3. La connaissance par *conscience ou sentiment intérieur* est celle que nous avons de notre propre esprit ou de notre âme : elle est immédiate, mais obscure ou confuse (comme nous l'éprouvons et comme on peut l'expliquer par la théo-

---

63. Qui est aussi l'idée de l'*ordre* : en ce sens il y a peu d'auteurs classiques à qui convienne mieux le vocable d'« onto-théologie ». Cf. en particulier les *Entretiens sur la métaphysique et la religion* (1688) (Tome XII des *Œuvres complètes de Malebranche*, sous la dir. de A. Robinet, CNRS/Librairie Vrin).

64. « Puisque la *Vérité* et l'*Ordre* sont des rapports de grandeur et de perfection réels, immuables, nécessaires, rapports que renferme la substance du Verbe Divin ; celui qui voit ces rapports, voit ce que Dieu voit : celui qui règle son amour sur ces rapports, suit une loi que Dieu aime invinciblement. Il y a donc entre Dieu et lui une conformité parfaite d'esprit et de volonté. En un mot, puisqu'il connaît et aime ce que Dieu connaît et ce qu'il aime, il est semblable à Dieu autant qu'il en est capable » (*Traité de Morale*, I, 1, 14 ; éd. J.-P. Osier, p. 62).

logie de la chute). Le « soi » qu'elle nous livre est un soi aliéné, ambivalent, qui se montre et se dérobe à la fois[65].

4. Enfin la « conjecture » est la manière dont nous connaissons « les âmes des autres hommes », donc l'essence même d'*autrui* : sa pensée semblable à la nôtre, ses sentiments issus de la même façon que les nôtres d'une union de l'âme et du corps, son langage « institué »... C'est donc elle qui rend possible la communication ou la société.

L'identification de la conscience au sentiment intérieur donne lieu de la part de Malebranche à une très belle phénoménologie, qui se prolonge dans toute sa doctrine morale. Comme il est le premier grand utilisateur du terme de conscience dans un sens métaphysique et psychologique, cette équation aura de très fortes conséquences dans la tradition philosophique française (par exemple chez Rousseau). Elle introduit en quelque sorte un *troisième terme* entre l'idée de connaissance et celle de jugement. Par rapport à la connaissance véritable la conscience a évidemment une portée *restrictive*, ce qui va contre l'illusion cartésienne d'une parfaite connaissance de l'âme par elle-même (et par conséquent, contre la *suffisance* à soi de l'âme connaissante, dans laquelle Malebranche, comme tout l'antihumanisme du siècle, voit une hérésie et quasiment un blasphème). Mais d'un autre côté, par le sentiment confus que nous avons de nous-mêmes nous saisissons quelque chose d'essentiel, qui est *le pressentiment de notre liberté*, inséparable d'une destination surnaturelle[66].

65. « Je ne suis que ténèbres à moi-même » (*Méditations chrétiennes et métaphysiques*, IX, § 15, cité par Michel Henry, *Généalogie de la psychanalyse*, PUF 1985, qui présente une interprétation de Malebranche comme doctrine contradictoire : d'un côté une « répétition » phénoménologique radicale du *cogito* cartésien, dans l'élément de *l'affectivité*, de l'autre une dévaluation ontologique de ce même cogito en tant que privation ou aliénation de la lumière).

66. Cf. *Éclaircissements sur la Recherche de la Vérité*, Ier Éclaircissement (Ed. Rodis-Lewis, vol. III, pp. 3-17). Le schème de l'aliénation ne cesse cependant de s'y reproduire en abîme : « Nos sens ne sont pas si corrompus qu'on s'imagine ; mais c'est le plus intérieur de notre âme, c'est notre liberté qui est corrompue » (*De la Recherche...*, Livre I, ch. V, éd. cit., vol. I, p. 25). Il est frappant d'observer que cette théorisation anticartésienne de l'obscurité de la conscience a pour contrepartie, non seulement

Au fond, par rapport à Descartes, et dans une terminologie qui s'inspire directement de lui, les batteries sont totalement inversées : ce n'est pas d'une « union de l'âme et du corps » que procède la confusion, mais d'une « union de l'âme avec Dieu », vécue (en raison du péché) sur le mode aliéné de la séparation. Et ce renversement aboutit à une proposition étonnante, inacceptable pour un cartésien : si nous sommes en mesure de distinguer clairement l'âme du corps, ce n'est pas positivement, parce que nous avons toujours déjà une idée claire de l'âme, mais négativement, parce que nous n'avons une idée claire que des corps !

« Nous ne savons de notre âme que ce que nous sentons se passer en nous […] Il est vrai que nous connaissons assez par notre conscience ou par le sentiment intérieur que nous avons de nous-mêmes que notre âme est quelque chose de grand, mais il se peut faire que ce que nous en connaissons ne soit presque rien de ce qu'elle est en elle-même ».

Quelques années plus tard (1678), dans les *Éclaircissements à la Recherche de la vérité*, Malebranche accuse le trait :

« Lorsque M. Descartes, ou les cartésiens à qui je parle, assurent que l'on connaît mieux l'âme que le corps, ils n'entendent par le corps que l'étendue. Comment donc peuvent-ils soutenir que l'on connaît plus clairement la nature de l'âme que l'on ne connaît celle du corps, puisque l'idée du corps ou de l'étendue est si claire […] et que celle de l'âme est si confuse, que les cartésiens mêmes disputent tous les jours si les modifications de couleur lui appartiennent […] On peut dire que l'on a une idée claire d'un être et que l'on en connaît la nature, lorsque l'on peut le comparer avec les autres, dont on a aussi une idée claire […] Mais on ne peut comparer son esprit avec d'autres esprits, pour en reconnaître

---

une ontologie et une morale théocentriques, mais, sur un autre plan, une des toutes premières occurrences de l'idée de « science de l'homme » (au sens du génitif objectif) faisant de celui-ci l'objet d'une discipline anthropologique (cf. la Préface de la *Recherche* : « De toutes les sciences humaines, la science de l'homme est la plus digne de l'homme », éd. cit., p. XX).

clairement quelque rapport ; on ne peut même comparer entre elles les manières de son esprit, ses propres perceptions[67]. »

La conception de la conscience exposée par Malebranche mérite à beaucoup d'égards d'être appelée *existentielle*[68]. Sans doute, chez Descartes déjà, la pointe du « cogito » consistait dans la certitude d'une existence (*ego sum, ego existo*). Mais celle-ci était d'autant plus forte que l'expérience correspondante était plus intellectuelle. C'est l'inverse chez Malebranche. Retournant la fameuse analyse du « morceau de cire » de la IIe Méditation, il oppose à son tour les qualités géométriques ou intelligibles des corps à leurs qualités sensibles (couleurs, saveurs, odeurs, etc.) qui sont indissociables de sentiments de plaisir et de douleur. Or ce sont ces dernières qui nous révèlent quelque chose de notre âme dont elles sont des « modifications », d'une façon précisément « confuse ». Inscrivant la *sensation*, le *sentiment* et la *conscience* dans une continuité non seulement sémantique, mais ontologique, Malebranche ouvre ainsi la voie à une description de la subjectivité en tant qu'ensemble de vécus qualitatifs, inséparables d'une particularité individuelle qui demeure incommunicable. Et même, à la rigueur, inanalysable. Locke, chez qui la distinction des qualités « premières » et « secondes » joue un rôle fondamental, devra s'employer au contraire à montrer sa compatibilité avec la thèse d'une pleine accessibilité analytique des opérations de l'esprit (le *Mind*, qu'il distingue, nous le verrons, de l'âme)[69].

67. Voir l'intégralité des textes dans notre Dossier.

68. Elle suscitera le plus grand intérêt chez Merleau-Ponty, qui lui consacrera un cours : *L'Union de l'âme et du corps chez Malebranche, Biran et Bergson*, Notes recueillies et rédigées par Jean Deprun, Vrin, 1978 (p. 29 : « On voit que, chez Malebranche, les problèmes d'aujourd'hui sont déjà là... »). Des thèmes malebranchiens n'ont cessé de faire retour dans les problématiques de la conscience entre le XVIIIe et le XXe siècles (notamment chez les auteurs français), mais *sur la base* d'une position préalable du sujet humain comme « conscience de soi » qu'on peut dire lockienne — pour la compléter, la rectifier, voire la subvertir, du côté de l'affectivité et de la « chair ».

69. On trouvera un exposé du problème des qualités premières et secondes dans l'ouvrage d'Emmanuel Picavet, *Approches du concret. Une introduction à l'épistémologie*, Ellipses, 1995. La terminologie ne figure pas chez Descartes et les cartésiens. On considère souvent que Locke l'a élaborée à partir des formulations de Boyle.

La contre-épreuve de cette opposition nous est fournie par un texte de Locke à bien des égards remarquable, qui présente aussi l'intérêt de nous ramener à l'intrication des problèmes théoriques et des questions de langue : il s'agit des notes critiques sur la théorie des « idées » de Malebranche rédigées en 1696 (au moment même où Coste entreprend la traduction de l'*Essay*) et publiées après sa mort en 1706 dans les *Posthumous Works*[70]. Locke récuse absolument la distinction opérée dans la *Recherche de la vérité* entre des connaissances « par idées », portant sur les essences objectives que nous voyons « en Dieu » (c'est-à-dire telles exactement qu'elles existent dans l'entendement divin), et des connaissances « par sentiment », portant sur les qualités sensibles dont nous ne percevons que les « modifications de l'esprit » qu'elles produisent en nous (ou comme nos propres affections). Pour lui toutes les idées ou perceptions procèdent de la *sensation*, de la *réflexion*, ou de leur combinaison, quel que soit leur degré de clarté ou de confusion (*Essai*, Livre II, chap. 1). Le côté de l'objectivité (la représentation des choses) et celui de la subjectivité (la modification de l'esprit) ne peuvent donc être répartis entre plusieurs modes de connaissance, mais sont présents dans *tous* les cas. À cette occasion Locke relève l'usage par Malebranche du mot de « sentiment » (en français) et se déclare dans l'impossibilité de le traduire faute, d'abord, de pouvoir le comprendre (*Examen*, § 42). Cette difficulté atteint son point extrême lorsque Malebranche déclare que la « conscience ou sentiment intérieur » est le mode de la connaissance de l'âme par elle-même :

« L'idée d'une âme humaine », demande alors Locke, « n'est-elle pas tout autant un être réel en Dieu que l'idée

---

70. *Examination of P. Malebranche's opinion of our « seing all things in God »*, *The Works of John Locke*, New Edition, London 1823, vol. IX, pp. 211-255. Il existe une traduction française récente : John Locke, *Examen de la « vision en Dieu » de Malebranche*, Introduction, traduction et notes par Jean Pucelle, Vrin 1978. Le principal commentaire anglais est celui de Charlotte Johnston, « Locke's Examination of Malebranche and Norris », *Journal of the History of Ideas*, 1958, p. 551-558. Locke avait déjà fait une étude détaillée des thèses de Malebranche dans la *Recherche de la vérité* et de leur critique par Arnauld aussitôt après la parution du livre de celui-ci *Des vraies et des fausses idées* (1683), comme en témoigne son journal.

d'un triangle ? Et s'il en est ainsi, pourquoi mon âme, étant intimement unie à Dieu, ne voit-elle pas aussi bien sa propre idée qui est en lui que celle du triangle qui y est aussi ? Et comment justifier que Dieu nous ait donné l'idée d'un triangle et non celle de notre âme, sinon en disant que Dieu nous a donné une sensation externe pour l'une et aucune pour percevoir l'autre, si ce n'est une sensation interne pour percevoir l'opération de celle-ci ? » (*Ibid.*, § 46)

Locke n'a aucune difficulté à rendre le français « conscience » par l'anglais *consciousness*, pratiquant en somme l'opération inverse de celle qu'au même moment — peut-être avec son aide — Coste décide d'accomplir dans sa traduction de l'*Essay*. En revanche il lui est tout à fait impossible de trouver un équivalent anglais pour ce « sentiment intérieur » qui, chez Malebranche, est l'autre nom de la conscience, et d'abord pour l'idée même de « sentiment » (à laquelle ne convient *ni* l'idée lockienne de *sensation ni* celle de *reflection*, et qui pour cette raison n'est pas une *perception*)[71].

On ne peut qu'être frappé de la façon dont se trouve ainsi matérialisée par l'intraductibilité des mots l'incompatibilité des problématiques de la conscience, ou du rapport de l'esprit à lui-même, dans le moment même de la plus grande proximité des intérêts. Deux voies se trouvent préfigurées, qui pourront se confronter à nouveau ou former les termes d'une antithèse (comme dans la « Dialectique transcendantale » kantienne), mais non pas se concilier. Et cette incompatibilité se communiquera dans une large mesure aux traditions nationales qui interpréteront la conscience/*consciousness*, soit comme sens interne, soit comme sentiment intérieur.

4. « Sunaisthêsis, Con-sense and Consciousness » : le néologisme de Cambridge

Ralph Cudworth (1617-1688), principal représentant avec Henry More de l'école des « platoniciens de Cambridge », appartenait au protestantisme modéré (« latitudinaire »), partisan de la liberté de conscience aussi bien en face de l'Église qu'en face de l'État, en vertu d'une conception de la morale

---

71. Cf. ci-dessous notre § III.3 : « L'origine des idées et le sens interne ».

qui en faisait un sentiment naturel du Bien et du Mal plutôt qu'un commandement et une contrainte[72]. Son monumental ouvrage dirigé contre les matérialistes (de Démocrite à Hobbes)[73], *The True Intellectual System of the Universe : The First Part; Wherein All the Reason and Philosophy of Atheism is Confuted; and Its Impossibility Demonstrated*, achevé en 1671, ne fut publié qu'en 1678[74]. Il est nourri de la lecture de Plotin et des interprétations néo-platoniciennes d'Aristote (citées dans le texte grec). La thèse qu'il défend est que l'*atomisme*, base de tous les athéismes depuis l'Antiquité, constitue en réalité l'interprétation tardive, réductrice et déformante, d'une « vraie philosophie » disparue, qu'il s'agit de retrouver[75] : le fondement en serait la conception de l'univers comme un tout animé constitué de *monades* ou atomes spirituels.

72. Sur Cudworth et le platonisme de Cambridge, outre les ouvrages classiques de Cassirer et de R. Colie, on lira l'introduction de J.-L. Breteau à son édition française du *Traité de morale et Traité du libre arbitre* de Cudworth, PUF, 1995, ainsi que, du même auteur, « La conscience de soi chez les platoniciens de Cambridge », in R. ELLRODT, *Genèse de la conscience moderne,* PUF, 1983. Voir également J.A. PASSMORE, *Ralph Cudworth,* Cambridge, 1951 ; Samuel S. MINTZ, *The Hunting of Leviathan. Seventeenth Century Reactions to the Materialism and Moral Philosophy of Thomas Hobbes,* Cambridge, 1969 ; C.A. PATRIDES, *The Cambridge Platonists,* Cambridge, 1969 ; R. POPKIN, « Cudworth », in *The Third Force in Seventeenth-Century Thought,* Leiden, 1992.

73. Il est l'un des tout premiers à employer le terme : cf. O. BLOCH, *Le Matérialisme,* PUF Que sais-je ?, 1985, p. 6. Cudworth propose une classification des quatre formes classiques du matérialisme (atomiste démocritéen, stratonicien, stoïcien, hylozoïque).

74. La deuxième partie annoncée ne fut pas achevée. Le livre de Cudworth ne fut jamais traduit en français, mais fit l'objet d'un très long résumé dans plusieurs livraisons de la *Bibliothèque choisie* de Jean Le Clerc, publiée à Amsterdam entre 1703 et 1706 (voir les tomes I, II, V — ce dernier contenant la réponse aux critiques de Bayle contre la doctrine des *natures plastiques* —, VI, IX, X). Cette publication joua un rôle important dans la renaissance des conceptions vitalistes en face du mécanisme inspiré de Harvey et Descartes : cf. J. ROGER, *Les Sciences de la vie dans la pensée française au xviiiᵉ siècle,* 1963, rééd. Albin Michel, 1993, p. 418 sq.

75. Idée proche du thème hermétiste de la *prisca philosophia* : cf. la discussion par Frances Yates des positions de Cudworth sur ce point, in *Giordano Bruno et la tradition hermétique,* tr. fr. Dervy-Livres, 1988, p. 492 sq. Également, M. BERNAL, *Black Athena,* vol. I, tr. fr. PUF, 1996, pp. 234-237 ;

La philosophie de Cudworth est en fait un vitalisme généralisé, à la fois moniste et hiérarchique. Moniste, parce que toute la nature est intelligible à partir d'un principe unique de formation des individus, qu'il appelle « nature plastique » (*plastick nature*), à la fois forme et force. Hiérarchique, parce que, tout au long de l'« échelle des êtres » (*scale or ladder of nature*), depuis les individus matériels ou inanimés jusqu'aux esprits, et finalement à l'Intellect divin lui-même, en passant par la vie végétale et animale, ce principe d'activité et d'autoformation se donne lui-même des formes de plus en plus pures, et de plus en plus libres. Le système de Cudworth (dont il ne serait pas difficile de trouver des répliques modernes et contemporaines, depuis Charles Bonnet et Maupertuis jusqu'à Bergson et Teilhard de Chardin) est ainsi une vaste téléologie, *à la fois naturaliste et spiritualiste*, dans laquelle la nature progresse vers sa propre perfection. Toutes les formes, tous les degrés d'être y sont immanents au même processus (ce qui n'est pas allé sans créer des difficultés théologiques à Cudworth, accusé de panthéisme, ou de réintégrer Dieu dans le Monde). Mais toute cette progression est aspirée vers sa fin, et la perfection de l'âme divine représente la force organisatrice de l'univers en même temps que l'archétype dont l'ensemble des individualités qui le constituent s'approche plus ou moins complètement.

Dans ce cadre Cudworth, entre autres termes abstraits de même facture en -*ness*, crée celui de *consciousness* d'après l'adjectif *conscious* (= *conscius*), lui-même de naturalisation récente. Il en fait l'équivalent de « Con-sense », qu'il réfère aux termes grecs *sunaisthêsis* et *sunesis*, retrouvés chez Aristote et Plotin, et fabrique ainsi une étymologie fictive (car jamais les Latins n'ont considéré comme une « traduction » de tels termes le mot *conscientia,* qu'ils rapportaient plutôt aux termes stoïciens et chrétiens *suneidos* et *suneidêsis*)[76]. Ce

---

A. Rupert-Hall, *Henry More. Magic, Religion and Experiment*, Basil Blackwell, Oxford 1990, p. 113 sq.

76. On trouvera des précisions sur l'usage des termes grecs *suneidos, suneidêsis, sunesis, sunaisthêsis* dans l'étude d'A. Cancrini : *SUNEIDESIS. Il tema semantico della « con-scientia » nella Grecia antica*, Lessico Intellettuale Europeo, VI, Edizioni dell'Ateneo Roma, 1970, et dans l'article de

néologisme intervient dans un développement continu récapitulant la doctrine des « natures plastiques », lorsque Cudworth entreprend de distinguer une force vitale ignorante de ses propres fins (celle qui forme les organismes) de la force qui dirige les actions animales. À cette occasion Cudworth insère également une référence critique au cartésianisme : le dualisme des deux substances, étendue et pensée, n'est pas moins incapable de rendre compte de la production de la vie, et en général de la finalité dans la nature que ne l'est le matérialisme[77].

Le concept de la *consciousness* chez Cudworth, doté d'une signification à la fois éthique, ontologique et cosmologique, cristallise donc la conjonction de naturalisme et de spiritualisme que nous avons déjà relevée. On pourrait se contenter de dire que la *consciousness* est la marque d'un certain type d'êtres naturels, situés vers le haut de l'échelle des êtres. Mais ce qui est plus intéressant est de relever que la conscience en ce sens n'est pas un trait proprement humain, bien qu'elle caractérise en particulier les actions humaines : elle « commence » avec le sentiment vital ou sentiment de soi des vivants inférieurs à l'homme, et elle s'étend aux intelligences supérieures, en particulier à Dieu, qui est éminemment « conscient ». Dans ce cas, elle ne se limite pas à informer les actions ou comportements, mais elle devient le principe même de la création, car l'Intelligence supérieure (le *Noûs*) ne se contente pas de poursuivre des fins extérieures, si rationnelles soient-elles, mais elle se « pense elle-même », se « veut elle-même » et « jouit d'elle-même ».

De cet usage extensif résulte aussitôt que la conscience est *susceptible de degré* (ce qui est une différence essentielle par rapport à la définition réflexive introduite au même moment par les cartésiens français, dont Cudworth veut se démarquer : ici la réflexion est un degré supérieur de la conscience, mais parmi d'autres). Plus intéressant encore, cela le conduit à user

---

H.-R. Schwyzer, « *Bewusst* » *und* « *Unbewusst* » *bei Plotin*, Entretiens de la Fondation Hardt sur l'Antiquité classique, Tome V, *Les sources de Plotin*, Vandœuvres-Genève, 1957.

77. Cf. notre Dossier (texte extrait de la « Digression » sur les natures plastiques).

du terme *inconscious*, généralement pris dans le doublet : *senseless and inconscious*, qui caractérise la « matière »[78]. L'inconscience et la conscience sont des contraires ; cependant, en vertu du principe de continuité hiérarchique qui organise tout le système, cette contrariété n'a qu'un sens relatif : elle se reproduit au fond à chaque niveau de l'échelle, selon qu'on le compare à celui, plus primitif, qui le précède, ou à celui, plus parfait, qui le suit. Seul Dieu est parfaitement « conscient », son Intelligence se perçoit parfaitement elle-même, son Esprit se meut lui-même (*self-active Mind*). Inversement, Cudworth dit expressément que l'esprit inconscient est une « pensée endormie » (ou engourdie, frappée de stupeur : *drowsy, unawakened, or astonished cogitation*). Il se donne ainsi la possibilité, tantôt d'expliquer que *la conscience émerge de la vie*, tantôt d'expliquer que *la vie, et même la matière simple, sont des « énergies inconscientes »*, ou des formes inconscientes de l'intelligence, aveugle à ses propres fins[79].

On comprend alors que la référence à la conscience joue un rôle décisif dans l'économie du système de Cudworth, et dans la partie serrée qu'il joue contre le matérialisme, en allant le chercher sur son propre terrain naturaliste. C'est elle qui permet d'éviter que la hiérarchie soit réversible. Attribuer une « pensée » aux formes les plus élémentaires de la nature, dès lors qu'elles sont douées de la capacité de formation ou d'individuation, est possible dès lors que la pensée peut être, soit « consciente » soit « inconsciente » d'elle-même. La nature est une montée de la matière vers la pensée, parce qu'elle est une montée de l'énergie inconsciente vers l'énergie

78. « The *Hylozoists* never able neither, to produce *Animal Sense*, and *Consciousness*, out of what *Sensless* and *Inconscious* », R. Cudworth, *The True*..., 1678, reprint cit. 1964, The Contents, ad Chap. V, pp. 666-667.
79. La différence est donc totale avec Malebranche, comme elle l'est en général entre les théories de la *méconnaissance de soi* et les théories de l'*inconscient*, qui ne se rencontreront qu'avec les développements contemporains de la psychanalyse. Bien loin que, chez Malebranche, la méconnaissance caractérise des êtres inférieurs à l'homme ou l'animalité de celui-ci, elle représente la forme aliénée de ce qu'il y a en lui de plus élevé : l'âme, image du créateur que la chute a détournée de lui. Inversement, l'optimisme panthéisant de Cudworth laisse peu de place aux conséquences morales et théologiques du péché originel. Aussi est-il partisan déclaré du « libre arbitre », adversaire de la prédestination et généralement de l'augustinisme.

consciente (ou des formes latentes de la conscience vers ses formes actuelles et réfléchies). On a ici le point de départ de la doctrine leibnizienne de la perception, et plus généralement de toutes les tentatives de relier la vie, le sentiment et la conscience par une progression, et d'inscrire ainsi cette dernière dans une évolution qui exprime l'ordre de la nature elle-même, en tant qu'elle a pour fin l'esprit.

On notera enfin que, dans cet élargissement de l'idée de conscience, on a aussi totalement abandonné une référence directe à la formule et la question du « je ». En revanche le thème de la « *sunaisthèsis*, Con-sense and consciousness » est étroitement associé avec l'ensemble des termes qui connotent la réflexion, l'autonomie et l'autoréférence. Ce déplacement est décisif pour la formation de la notion de *conscience de soi*, qui devra — par une conceptualisation explicite du « soi » — s'arracher à la redondance. Cudworth n'a pas, semble-t-il, forgé *self-consciousness*[80], mais il emploie *self-conscious* à côté de nombreux autres termes de même facture. Son insistance (et généralement celle des platoniciens de Cambridge) sur le préfixe *self*, au moyen duquel ils forment de nombreux composés d'après le modèle réel ou fictif des termes grecs en *auto-*, n'est pas sans intérêt pour qui veut expliquer la façon dont Locke isolera l'idée *du* « self »[81]. On peut aussi penser que la thèse selon laquelle la « conscience » et le « soi » ne sont pas liés à une différence substantielle de l'âme et du corps, mais à leur intégration « plastique » dans une forme unique, explicitement dirigée contre le dualisme cartésien, a facilité chez Locke la *neutralisation* de la question de la substance, et l'autonomisation des fonctions du *mind* par rapport à l'« âme » et au « corps ».

80. Dont l'*Oxford English Dictionary* donne une première référence, avant Locke, chez un autre Platonicien de Cambridge, John Smith, en 1675, dans un sens proche d'égoïsme. Cf. notre Glossaire (SELF-CONSCIOUSNESS).

81. Cf. J.-L. Breteau, art. cit. La prédilection des Cambridgiens pour l'idée de la réflexivité, ainsi que pour les néologismes hellénisants ou latinisants qui peuvent l'exprimer, apparaît bien dans le livre de Henry More, *The Immortality of the Soul* (1659, réd. en 1662). Nous aurons l'occasion d'en souligner l'importance pour la genèse des formulations lockienne sur la personnalité et le « soi » (cf. ci-dessous Glossaire : PERSONALITY, SELF).

Il est frappant de voir que les brouillons (*drafts*) de l'*Essay* de Locke, datant du tout début des années 1670, ne contiennent aucun usage du mot *consciousness*, qui occupe au contraire une place centrale dans la version finale, dès la première édition (1690) et à plus forte raison dans la seconde (1694). Mais ce mot apparaît sous sa plume dans une note de son Journal, datée du 20 février 1682, où, discutant précisément le livre de Cudworth et ses positions concernant l'immortalité de l'âme des bêtes, il anticipe sa conception de l'identité personnelle qui ne sera pas développée avant 1694. En un sens tout y était dit :

> « Identity of persons lies not in having the same numerical body made up of the same particles, nor if the mind consists of incorporeal spirits in their being the same. But in the memory and knowledge of one's past self and actions continued on under the consciousness of being the same person, whereby every man own's himself[82]. »

III. *Mind, Consciousness, Identity* : l'isolement du « mental » dans l'*Essay concerning Human Understanding*

La rédaction de l'*Essay concerning Human Understanding* s'est étendue sur une longue période à travers plusieurs lieux de l'Europe savante, religieuse et politique. Les premiers manuscrits datent de 1671, alors que Locke vient d'être élu membre de la *Royal Society* sur la recommandation de Boyle, et d'entrer comme médecin, conseiller et secrétaire au service du Comte de Shaftesbury, chef du parti des libéraux (*Whigs*). Dans les années suivantes, il voyage longuement en France (Montpellier, Paris) où il fréquente à la fois les cartésiens

---

82. « L'identité des personnes ne réside pas dans le fait d'avoir numériquement le même corps fait des mêmes corpuscules, ni, si l'esprit est constitué d'esprits incorporels, dans leur conservation. Mais dans la mémoire et la connaissance du soi passé et de ses propres actions qui est continûment soumise à la conscience d'être la même personne : par où tout homme se possède et s'avoue lui-même. » Cf. Rogers 1997 ; Ayers 1991, vol. II. pp. 254-255 et note 45 ; et surtout Marshall 1994, p. 153, qui détaille le contexte.

(Arnauld et Nicole) et les épicuriens disciples de Gassendi, lisant et traduisant certains de leurs textes, réagissant aux idées de Malebranche. En 1683 sa liberté, sinon sa vie, est menacée en raison de sa participation à la conspiration dirigée contre Charles II, et il doit se réfugier en Hollande où il achève la rédaction des *Deux traités sur le Gouvernement civil* et de l'*Essai*[83]. Il y noue des relations étroites avec des théologiens humanistes (« arminiens » ou « remontrants ») comme Philipp van Limborch, adversaires de la prédestination calviniste et partisans d'une interprétation rationnelle des Écritures, et avec les protestants français du « refuge », fondateurs de la République des Lettres[84]. En 1688, après la « Glorious Revolution »,

83. Cf. Ashcraft 1986 ; Marshall 1994.

84. L'un des proches amis de Locke à Amsterdam était Jean Le Clerc, né à Genève en 1657, mort en 1736, philosophe et philologue lié à l'Église arminienne et très actif dans les débats du temps. Il édita à partir de 1686 la *Bibliothèque Universelle et Historique*, continuée après 1703 par la *Bibliothèque Choisie* [Cf. A. Barnes, *Jean Le Clerc (1657-1736) et la République des Lettres*, Droz, 1938]. On trouve dans le tome VIII (1688) de la *Bibliothèque...* la traduction française — sur manuscrit — d'un Abrégé de l'*Essai Philosophique concernant l'Entendement* [*Humain*], rédigé par Locke lui-même et qui se termine par le développement suivant : « C'est là l'extrait d'un ouvrage anglais que l'auteur a bien voulu publier, pour satisfaire quelques-uns de ses amis particuliers, et pour leur donner un abrégé de ses sentiments. Si quelqu'un de ceux qui prendront la peine de les examiner, croit y remarquer quelque endroit, où l'auteur se soit trompé, ou quelque chose d'obscur et de défectueux dans ce système, il n'a qu'à envoyer ses doutes, ou ses objections à Amsterdam aux marchands libraires chez qui s'imprime la *Bibliothèque Universelle*. Encore que l'auteur n'ait pas une grande envie de voir son ouvrage imprimé (*sic*), et qu'il croie qu'on doive avoir plus de respect pour le public que de lui offrir d'abord ce qu'on croit être véritable, avant que de savoir si les autres l'agréeront, ou le jugeront utile ; néanmoins il n'est pas si réservé, qu'on ne puisse espérer qu'il se disposera à donner au public son traité entier, lorsque la manière dont cet abrégé aura été reçu, lui donnera occasion de croire qu'il ne publiera pas mal à propos son ouvrage. Le lecteur pourra remarquer dans cette version quelques termes, dont on s'est servi dans un nouveau sens, ou qui n'avaient peut-être jamais paru en aucun livre français. Mais il aurait été trop long de les exprimer par des périphrases, et on a cru qu'en matière de philosophie il était bien permis de prendre en notre langue la même liberté, que l'on prend en cette occasion dans toutes les autres, c'est de former des mots analogiques quand l'usage commun ne fournit pas ceux dont on a besoin. L'auteur l'a fait en son anglais, et on le peut faire en cette langue, sans qu'il soit nécessaire d'en demander permission au lecteur. Il serait bien à souhaiter

il rentre en Angleterre et publie simultanément trois ouvrages : l'*Essai* (en anglais, sous son nom), les *Deux Traités* (en anglais, anonymement) et la *Lettre sur la Tolérance* (en latin, anonymement) qui sont restés ses livres les plus célèbres.

Du vivant de Locke, l'*Essai* connaîtra plusieurs rééditions, accompagnées de transformations : les plus importantes sont les changements de formulation dans le chapitre xxi du Livre II (*On Power*) sur la question de la liberté et de la volonté, l'ajout du chapitre xxvii dans ce même livre (*Of Identity and Diversity*) et celui du chapitre xxxiii (*Of the Association of Ideas*) comme conclusion du Livre II, enfin celui du chapitre xix du Livre IV (*Of enthusiasm*) dirigé contre les conceptions illuministes et mystiques de la religion, au nom d'un « christianisme raisonnable », permettant à chacun de ne « tyranniser » ni son propre esprit ni celui des autres [85].

---

qu'on en en pût autant faire en français, et que nous pussions égaler dans l'abondance des termes une langue, que la nôtre surpasse dans l'exactitude de l'exposition. » (ouvr. cit., p. 140-142).

On voit par ce texte destiné à servir d'amorce auprès des savants de toute l'Europe, que la philosophie de Locke fut présentée en français avant de l'être en langue originale (non sans quelques quiproquos de personne : cf. *Bibliothèque choisie*, Année 1705, Tome VI, « Éloge de feu M. Locke »). C'est Le Clerc qui proposa ensuite comme traducteur de l'*Essay* Pierre Coste (1668-1747), jeune protestant languedocien, son protégé et collaborateur. En 1696 Coste s'installa en Angleterre pour pouvoir travailler avec l'auteur, et fut engagé comme précepteur du fils de Lady Masham, Francis Cudworth Masham (Cf. *The Correspondence of John Locke*, Oxford 1978, vol. III et suivants, ainsi que Jean Le Clerc, *Epistolario*, cit., vol. II). Plus tard il traduisit notamment (1720) l'*Optique* de Newton. Il ne semble pas, en revanche, que Locke ait fréquenté Bayle, dont ses conceptions sont profondément éloignées, même si la postérité a rapproché leurs plaidoyers pour la tolérance.

85. Sur lequel il publiera en 1695 un ouvrage entier, à nouveau de façon anonyme, mais dont il assumera les positions dans sa controverse avec l'évêque de Worcester, Edward Stillingfleet, qui s'achève par une magnifique profession de foi en faveur de la liberté de conscience : « ... c'est, me semble-t-il, la loi de mon Maître [= le Christ] de n'appeler personne sur terre ni d'y être appelé par personne du nom de Maître. Aucun homme, voici ce que je pense, n'a le droit de me prescrire ma foi, ou de faire le maître pour m'imposer ses interprétations ou ses opinions ; pas plus que les miennes ne peuvent importer à quiconque, au-delà de ce qu'elles emportent d'évidence... » (*A Second Vindication of the Reasonableness of Christianity*, in *The Works of John Locke*, Londres 1823, vol. VII, p. 359).

L'*Essai* est le premier des grands traités modernes de théorie de la connaissance. Son objectif, exposé dans l'*Avant-Propos* (numéroté chapitre I du Livre I dans les éditions anglaises), est de procéder à un examen critique des différentes *facultés de connaissance* qui forment *l'entendement humain*, du double point de vue de leur « accord » (*agreement*) ou « proportion » à leurs objets (de façon à dégager des critères de certitude et de vérité) et de leurs limites de validité (de façon à fixer les bornes de leur exercice, en particulier les frontières de la raison et de la foi). Les propositions essentielles concernant la conscience (*consciousness*) sont contenues dans quatre groupes de textes qui jalonnent la progression :

1. La réfutation de la théorie des « idées innées », exposée dans le *Livre Premier*. Locke y montre la possibilité de *dissocier le principe « cartésien » selon lequel l'esprit ne peut penser sans savoir qu'il pense* de la représentation d'une « substance pensante », et a fortiori de la thèse selon laquelle « l'âme pense toujours ».

2. La description de l'origine ou provenance (*original*) des idées dans la *sensation* et dans la *réflexion*, qui sont comme une perception du « sens externe » et une perception du « sens interne » (*Livre Second*, chapitre I). En introduisant cette dernière notion, Locke ouvre la possibilité d'une analyse par l'esprit (*mind*) de son propre fonctionnement. La *consciousness* est alors définie comme « la perception par un homme de ce qui se passe dans son propre esprit » (Essai, II.i.19).

3. La définition d'un critère de l'*identité personnelle*, qui n'est autre que la conscience elle-même, au chapitre xxvii du Livre II. Ce chapitre a été ajouté en 1694 autant, sans doute, pour compléter son argumentation que pour parer aux objections des théologiens, inquiets d'une dissolution de la substantialité de l'âme (base des preuves de son immortalité)[86]. Locke réplique en montrant que la personne, avec ses attributions morales, juridiques et religieuses (la responsabilité de nos actes, dont nous aurons à répondre au jour du « jugement »), est bien plus rigoureusement identifiée par une

---

86. Voir M. AYERS, ouvr. cit., vol. II, pp. 254-259 : « Personal identity before the Essay ».

théorie de la conscience que par une métaphysique de la sub-stance. Ayant ainsi refondé sa théorie, Locke a profité de la 2ᵉ édition de l'*Essai* pour introduire dans toutes ses analyses précédentes des références à la conscience qui, d'abord, n'y figuraient pas.

4. Enfin l'analyse de la relation entre les « opérations inté-rieures de l'esprit » et leur « expression » par le moyen de signes du langage (*Livre III*, chap. I et II), qui conduit à la dis-tinction des « vérités mentales » et des « vérités verbales » (*Livre IV*, chap. V). C'est là une bifurcation fondamentale pour toute l'histoire de la philosophie, marquant le triomphe du point de vue de la conception ou représentation sur celui de l'énonciation. Locke la discute au terme de son ouvrage, mais on peut penser que, dès le début, elle commande tous les res-sorts de son argumentation. Nous procéderons donc dans l'ordre suivant : d'abord nous montrerons comment Locke a *isolé le mental* (*Mind, Thought*) *du verbal* (*Language, Words*) et comment cette séparation lui a permis de reformuler le prin-cipe d'identité dans l'élément de la conscience ; ensuite nous montrerons qu'elle coïncide avec une refonte de la notion tra-ditionnelle du « sens interne ». Pour finir, nous esquisserons l'unité des concepts de *conscience*, de *soi* et d'*identité* dans une théorie de la « Personne » qui est la première grande doc-trine moderne du sujet individuel, et nous rassemblerons les caractéristiques de l'intériorité et de l'extériorité du *Mind* en une « topique », avant de laisser la place à l'auteur.

1. Le mental et le verbal

Au chapitre I du Livre III, Locke prend parti contre l'idée que les mots du langage soient les *signes des choses*, en faveur de l'idée qu'ils sont les *signes des idées de choses*. L'idée de faire des mots une simple nomenclature des choses est absurde, car les mots dénotent aussi des *relations*, donc des opérations intellectuelles. Il faut qu'ils puissent signifier une « multitude d'existences particulières » (ou la généralité, ce qui est le cas de tous les *noms communs*[87]), la présence et

---

87. Les premières idées (génétiquement et logiquement) étant sensibles, nous sommes reconduits non pas aux « choses mêmes », mais à leurs impressions ou représentations dans l'esprit. Le mot ou nom par excellence

l'absence (ou l'affirmation et la négation), enfin les notions de « choses qui ne tombent pas sous les sens » (même si elles ont leur origine dans l'expérience). Ceci veut dire que seules des idées présentes dans l'esprit peuvent conférer un sens au langage.

Est-ce à dire que, selon Locke, les mots ne se rapportent pas aux choses ? Bien sûr que non, mais il faut admettre que ce rapport est le résultat d'une « supposition » de l'esprit. Le rapport qui s'établit entre les idées et leurs signes verbaux ou écrits est d'abord strictement individuel : « les Mots ne signifient autre chose dans leur première et immédiate signification, que les idées qui sont dans l'esprit de celui qui s'en sert » (III.ii.2), ils sont pour chacun les « signes de [ses] conceptions intérieures » et « les marques des idées que nous avons dans l'esprit » (*marks for the Ideas within his own Mind*) (III.i.2), et « par conséquent c'est des idées de celui qui parle que les Mots sont des signes, et personne ne peut les appliquer immédiatement comme signes à aucune autre chose qu'aux idées qu'il a lui-même dans l'esprit » (III.ii.2). Il en résulte que tout individu doit avoir *acquis des idées* pour pouvoir faire usage des mots correspondants. Et que les individus attribuent aux mots un rapport univoque avec les choses en conséquence de l'intention qu'ils ont d'établir un « secret rapport » avec d'autres hommes : « ils supposent que les mots dont ils se servent, sont signes des idées qui se trouvent aussi dans l'esprit (*in the Minds*) des autres Hommes avec qui ils s'entretiennent » (III.ii.4).

Au chapitre IV. v (« De la Vérité en général »), Locke étend la correspondance des mots et des idées à celle des *propositions verbales et des propositions mentales*. Celle-ci, à son tour, permet de distinguer *la vérité mentale et la vérité verbale* (« Truth of Thought » ou « Mental Truth » vs « Truth of Words » ou « Verbal Truth » : ici la traduction française permet d'emblée d'unifier la terminologie et de faire ressortir la nouvelle conception de la pensée comme « activité mentale »).

----

est alors le terme général désignant une classe d'objets d'expérience sensible : cf. Geneviève Brykman, « Philosophie des ressemblances contre philosophie des universaux chez Locke », *Revue de Métaphysique et de Morale*, octobre-décembre 1995, pp. 439-454.

Parler de « propositions mentales » permet de conserver formellement la thèse classique qui dit que « la Vérité n'appartient proprement qu'aux Propositions » (IV.v.2), puisque celles-ci ne sont autre chose que les opérations de la pensée. Il faut remonter à ces opérations pour établir si les énoncés constituent des « vérités réelles » (*sic*), ou des « vérités nominales », c'est-à-dire des présomptions de vérités, qui peuvent s'avérer trompeuses. On a ici *l'acte de naissance du psychologisme*, lequel ne résulte pas tant d'une critique de l'idée d'une vérité nécessaire existant en soi, que de la disqualification du langage comme élément originaire de la pensée (un *anti-linguistic turn*, en quelque sorte)[88]. On voit aussi que le psychologisme n'est pas l'effet de la naissance d'une psychologie : il en serait plutôt la condition, le programme qu'elle s'efforcera de remplir.

« Mais pour revenir à considérer en quoi consiste la Vérité, je dis qu'il faut distinguer deux sortes de Propositions que nous sommes capables de former. Premièrement, les Mentales, où les Idées sont jointes ou séparées dans notre entendement, sans l'intervention des mots, par l'esprit, qui apercevant leur convenance ou leur disconvenance en juge actuellement (*by the Mind, perceiving, or judging of their Agreement, or Disagreement*). Il y a, en second

88. Bien entendu, cette disqualification sera immédiatement suivie d'une requalification, comme instrument indispensable du progrès de la connaissance. Mais l'important est la position du fondement sémantique. Il ne s'agit donc pas tant d'une antériorité chronologique que d'une priorité logique, même si elle comporte une dimension génétique. Locke n'a pas voulu dire que nous pouvions connaître le monde sans disposer du langage ; au contraire : le Livre III de l'*Essai* est entièrement consacré à développer sa fonction nécessaire, donc l'effet en retour de la communication sociale sur la constitution de l'entendement. Mais il a voulu montrer que l'usage des mots et leur relation aux idées sont toujours, en dernière analyse, fondés sur une norme de signification qui appartient exclusivement à l'intériorité de la conscience, ou à la façon dont la conscience perçoit ses propres opérations. C'est — pour ne prendre qu'une seule référence — exactement ce que Frege entreprendra d'écarter en opposant les questions subjectives de « représentation » *(Vorstellung)*, qui relèvent à ses yeux de la psychologie, aux questions objectives de « sens » *(Sinn)* et de « dénotation » *(Bedeutung)* qui relèvent de la logique (cf. *Écrits logiques et philosophiques*, trad. et introduction de Claude Imbert, Seuil, 1971, p. 102 sq.).

lieu, des Propositions Verbales, qui sont des mots, signes de nos idées, joints ou séparés en des sentences affirmatives ou négatives. Et par cette manière d'affirmer ou de nier, ces signes formés par des sons, sont, pour ainsi dire, joints ensemble ou séparés l'un de l'autre [...] » (IV.v.5)

Locke montre alors comment les opérations de l'esprit (c'est-à-dire de la conscience) doublent « tacitement » celles du langage et en constituent la norme de vérité :

« Chacun peut être convaincu par sa propre expérience, que l'Esprit venant à apercevoir ou à supposer la convenance ou la disconvenance de quelqu'une de ses idées, les réduit tacitement en lui-même à une espèce de Propositions affirmative ou négative [...] Mais cette action de l'Esprit (*Action of the Mind*) qui est si familière à tout homme qui pense et qui raisonne, est plus facile à concevoir en réfléchissant sur ce qui se passe en nous (*easier to be conceived by reflecting on what passes in us*), qu'il n'est aisé de l'expliquer par des paroles. Quand un homme a dans l'esprit l'idée de deux lignes [...] il joint ou sépare, pour ainsi dire, ces deux idées, je veux dire celle de cette ligne, et celle de cette espèce de divisibilité, et par là il forme une proposition mentale qui est vraie ou fausse, selon qu'une telle espèce de divisibilité, ou qu'une divisibilité en de telles parties aliquotes convient réellement ou non avec cette ligne. Et quand les idées sont ainsi jointes ou séparées dans l'esprit, selon que ces idées ou les choses qu'elles signifient, conviennent ou disconviennent, c'est là, si j'ose ainsi parler, *une Vérité mentale*. Mais la *Vérité verbale* est quelque chose de plus. C'est une Proposition où des mots sont affirmés ou niés l'un de l'autre, selon que les idées qu'ils signifient, conviennent ou disconviennent [...] » (IV.v.6)

Et plus loin, il indique que le passage des propositions mentales aux propositions verbales comporte un risque spécifique de perte du rapport à la réalité :

« Quoique nos mots ne signifient autre chose que nos idées, cependant, comme ils sont destinés à signifier des choses, la vérité qu'ils contiennent, lorsqu'ils viennent à signifier des Propositions, ne saurait être que verbale, quand

ils désignent dans l'esprit des idées qui ne conviennent point avec la réalité des choses. C'est pourquoi la Vérité, aussi bien que la Connaissance, peut être fort bien distinguée en *verbale* et en *réelle* (*come under the distinction of Verbal and Real*) ; celle-là étant seulement *verbale* (*being only verbal Truth*), où les termes sont joints selon la convenance ou la disconvenance des idées qu'ils signifient, sans considérer si nos idées sont telles qu'elles existent ou peuvent exister dans la Nature. Mais au contraire les Propositions renferment une vérité réelle, lorsque les signes dont elles sont composées, sont joints selon que nos idées conviennent, et que ces idées sont telles que nous les connaissons capables d'exister dans la Nature [...] » (IV.v.8) [trad. de Coste]

Le langage est donc à la fois plus (un vêtement) et moins (une présomption) que la pensée. La situation initiale (où nous avions besoin des mots pour exprimer des idées complexes) alors se renverse. C'est à la pensée pure qu'il faut revenir, pour établir ce qu'il en est « réellement » de la vérité sous ses deux aspects : cohérence interne et correspondance avec les choses. Mais ceci suppose que la pensée comporte *en elle-même* un critère de certitude, et qu'elle soit capable de se comparer avec elle-même et avec son extérieur.

2. *Le principe d'identité*

Avant même d'en venir à l'énoncé d'un critère d'identité pour la *personne* humaine, Locke a inscrit dans la constitution de la conscience un énoncé qui fait de celle-ci une « identité à soi ». Sans ce préalable il ne pourrait être question de *fonder* quoi que ce soit. La conscience ne saurait garantir l'identité de la personne si elle ne contenait en elle-même le principe de l'identité. Observons que, de cette façon, Locke va retrouver les fonctions de *certitude* qui caractérisaient le « cogito » cartésien : mais en les distribuant le long d'une constitution théorique du sujet, au lieu de les concentrer dans le pur énoncé du « je », autrement dit dans le paradoxe d'une autoréférence. Du même coup il lui sera possible de conférer à son analyse un caractère général. La singularité du sujet (qu'il appellera *le soi, the Self*) peut y être décrite sans qu'il lui soit nécessaire de *s'énoncer immédiatement elle-même* en première personne

comme dans la méditation cartésienne. En contrepartie —
selon un schéma dialectique classique — l'énoncé de l'identité à soi, par lequel commence cette constitution, fait corps
avec la *réfutation d'une erreur*, qui est la « doctrine des idées
innées ». Nous assistons ainsi à la production d'une vérité
nécessaire à partir de son contraire, ce qui confirme qu'il
s'agit bien d'un fondement[89].

La réfutation de l'innéisme occupe l'ensemble du Livre I.
Nous laisserons ici de côté la discussion constamment relancée, sur le point de savoir qui est visé par l'argumentation de
Locke parmi les philosophes anciens ou contemporains[90]. Il
suffit d'admettre que, même si Descartes ne peut être reconnu
dans toutes les formulations critiquées par Locke, l'argumentation développée par celui-ci aboutit à dissocier deux parts
de l'héritage cartésien. D'un côté l'idée « fausse » que certaines notions puissent devoir leur universalité à une insémi-
nation divine dans l'esprit de l'homme. De l'autre l'idée
« vraie » que la pensée est immédiatement présente à elle-
même ou qu'elle est intrinsèquement réflexive. Entre les deux
la proposition « l'âme pense toujours », interprétée comme
l'idée d'une permanence substantielle, est mise en contradiction avec l'expérience. Mais sa réfutation prépare une autre
thèse, essentielle à la théorie de la conscience : *l'esprit se souvient toujours d'avoir pensé*.

Le premier moment de la critique de l'innéisme consiste à
montrer que les principes généraux de la logique et de la
morale (ce que la tradition appelait les « notions communes »)
ne sont ni originaires ni universels :

> « Il n'y a effectivement aucun Principe sur lequel tous les
> hommes s'accordent généralement. Et pour commencer par
> les notions spéculatives, voici deux de ces Principes
> célèbres, auxquels on donne, préférablement à tout autre, la
> qualité de Principes Innés : *Tout ce qui est, est* ; et *Il est*

---

89. Nous ne discuterons pas de l'« empirisme » attribué à Locke par la
tradition philosophique. Pour ce qui nous concerne ici, c'est bien plutôt son
rationalisme qui est éclatant.

90. Sur ce point, cf. John W. Yolton, *John Locke and the Way of Ideas*,
Oxford 1968, chap. 2, et Jean-Michel Vienne, *Expérience et raison. Les fondements de la morale selon Locke*, Vrin, 1991, chap. 1, p. 18 sq.

impossible qu'une chose soit et ne soit pas en même temps [...] tant s'en faut qu'on donne un consentement général à ces deux Propositions, qu'il y a une grande partie du Genre Humain à qui elles ne sont même pas connues. Car premièrement, il est clair que les Enfants et les Idiots n'ont pas la moindre idée de ces Principes, et qu'ils n'y pensent en aucune manière » (I.i.4-5).

Le deuxième moment surgit de l'objection que les vérités innées pourraient se trouver *imprimées dans l'âme sans qu'elle le sache*, ou sans qu'elle ait ce savoir à sa disposition, « actuellement ». C'est cette objection — au moyen de laquelle Leibniz, par exemple, opère le sauvetage de la notion d'innéité — que Locke déclare absurde :

« Car de dire qu'il y a des vérités imprimées dans l'Âme que l'Âme n'aperçoit ou n'entend point, c'est, ce me semble, une espèce de contradiction, l'action d'*imprimer* ne pouvant marquer autre chose (supposé qu'elle signifie quelque chose de réel en cette rencontre) que *faire apercevoir* certaines vérités. Car imprimer quoi que ce soit dans l'Âme, sans que l'Âme l'aperçoive (*without the Mind's perceiving it*), c'est, à mon sens, une chose à peine intelligible [...] Dire qu'une Notion est gravée dans l'âme (*imprinted on the Mind*), et soutenir en même temps que l'âme ne la connaît point (*that the mind is ignorant of it*), et qu'elle n'en a eu encore aucune connaissance (*and never yet took notice of it*), c'est faire de cette impression un pur néant. On ne peut point assurer qu'une certaine proposition soit dans l'Esprit, lorsque l'Esprit ne l'a point encore aperçue, et qu'il n'en a découvert aucune idée en lui-même (*which it never yet knew, which it was never conscious of*) [...] Car si ces mots, *être dans l'Entendement*, emportent quelque chose de positif, ils signifient *être aperçu et compris par l'Entendement*. De sorte que soutenir qu'une chose est dans l'Entendement, et qu'elle n'est pas conçue par l'Entendement (*to be in the Understanding, and, not to be understood*), qu'elle est dans l'Esprit sans que l'Esprit l'aperçoive, c'est autant que si on disait qu'une chose est et n'est pas dans l'Esprit ou dans l'Entendement. Si donc ces deux Propositions : *Ce qui est, est*, et, *Il est impossible*

qu'une chose soit et ne soit pas en même temps, étaient gravées dans l'âme des Hommes par la Nature [...] tous ceux qui ont une Ame devraient les avoir nécessairement dans l'esprit, en reconnaître la vérité et y donner leur consentement » (I.i.5)[91].

Locke ne cessera de répéter cette formulation, non seulement dans le même chapitre (§9), mais dans tout l'ouvrage, chaque fois qu'il s'agira de revenir au fondement de la théorie. Ainsi au Livre II, chap. I, § 10. Et surtout au § 19 :

« Or l'Âme peut-elle penser, sans que l'Homme pense ? ou bien, l'Homme peut-il penser, sans en être convaincu en lui-même (*a Man think, and not be conscious of it*) ? [...] ils peuvent tout aussi bien dire, que le Corps est étendu, sans avoir des parties. Car dire que le Corps est étendu, sans avoir des parties, et qu'une Chose pense, sans connaître et sans apercevoir qu'elle pense (*that a Body is extended without parts, as that any thing thinks without being conscious of it, or perceiving, that it does so*), ce sont deux assertions également inintelligibles. Et ceux qui parlent ainsi seront tout aussi bien fondés à soutenir [...] que l'Homme a toujours faim, mais qu'il n'a pas toujours un sentiment de faim ; puisque la Faim ne saurait être sans ce sentiment-là, non plus que la Pensée sans une conviction qui nous assure intérieurement que nous pensons (*as thinking consists in being conscious that one thinks*). S'ils disent, que l'Homme a toujours cette conviction (*That a Man is always conscious to himself of thinking*), je demande d'où ils le savent, puisque cette conviction (*Consciousness*) n'est autre chose que la perception de ce qui se passe dans l'âme (*Mind*) de l'Homme. Or un autre Homme peut-il s'assurer que je sens en moi ce que je n'aperçois pas moi-même (*Can another Man perceive, that I am conscious of any thing, when I perceive it not myself*) ? C'est ici que la connaissance de l'Homme ne saurait s'étendre au-delà de sa propre expérience... »

91. Notons que Coste n'a aucune rigueur dans la traduction des mots *Soul* et *Mind*, ce qui prouve que cette distinction est nouvelle ou impraticable pour lui. Cf. Glossaire : MIND.

On mesure le retournement de situation opéré par Locke. Le principe d'identité et le principe de contradiction ont été relativisés, en tant que croyances ou connaissances acquises, c'est-à-dire qu'on a constaté leur non-universalité de fait (tous les hommes, dont les enfants, les sauvages, les idiots, n'en ont pas connaissance en tant qu'*énoncés*). Mais c'est pour se retrouver inscrits dans la structure même de l'esprit, sous forme de la thèse : *il est impossible que l'homme ne pense pas qu'il pense*, ou qu'il *pense sans penser*. Et par une fulgurante contre-attaque cette contradiction est imputée à ceux (cartésiens ou supposés tels) qui posent que l'âme pense toujours, c'est-à-dire continûment. Ce qui est universel, ce ne sont pas tels énoncés, ce ne sont même pas les « propositions mentales » correspondantes, mais c'est *la non-contradiction de l'esprit*, et par conséquent l'*identité de l'esprit à lui-même*, en tant qu'activité ou opération de pensée. Enfin, Locke renvoie cette affirmation à *l'expérience de chacun*, ce qui ne veut pas dire qu'elle soit relativisée, mais au contraire qu'au sein de toute expérience s'éprouve la même butée d'impossible et par conséquent le même point de certitude universelle. Le nom de cette nécessité où la pensée se trouve de ne pas penser sans penser, est précisément *consciousness*.

Évidemment ce nom produit par lui-même un effet. On peut le résumer en reformulant ainsi la double négation, inhérente à l'articulation du logique et du psychologique : *la pensée, c'est la conscience, parce qu'une pensée non consciente est une contradiction dans les termes*, une non-pensée. Mais cette nouvelle formulation, équivalente aux yeux de Locke, fait aussi ressortir le *postulat* sous-jacent à toute l'argumentation : *que penser et connaître sont deux notions fondamentalement identiques*. Elles le sont en fait parce qu'identiques à une même troisième : la *perception*. C'est pourquoi il est équivalent de dire : il serait contradictoire que l'esprit *pense sans savoir* qu'il pense, ou : il serait contradictoire que l'esprit *pense sans penser* qu'il pense, ou pense et ne pense pas en même temps.

Dans ce qui précède, on a eu l'application directe de cette équivalence ; dans ce qui suit, on en aura la réciproque : dès lors que la pensée sait ou pense (*i.e.* perçoit) qu'elle pense, par définition, elle peut entreprendre de connaître elle-même

tous ses modes, toutes ses opérations. À bien meilleur titre
que les cartésiens, Locke sera ainsi le *vrai* fondateur de la
psychologie rationnelle, nominalement référée à l'expérience,
mais faite de toutes les réflexions de l'esprit sur lui-même. Et
qui précède en ce sens, en droit comme en fait, toute constitution de « science »[92].

3. *L'origine des idées et le sens interne*

Lorsque Locke introduit le substantif *consciousness*
(II.i.19), il est déjà passé à la construction positive. Nous
n'avons plus affaire à l'âme (en dépit de quelques flottements
de terminologie), mais à la structure du *Mind* ou « esprit »[93].
Il s'agit de montrer d'où provient le matériau de toute pensée,
à savoir les *idées*, mais aussi pourquoi il est possible à l'esprit
d'analyser la logique des opérations mentales. Or ces deux
explications n'en font qu'une, ce qui veut dire que la possibilité de la connaissance de soi est *originairement* inscrite dans
la structure de l'esprit.

Sa thèse est que *les idées ont une double origine* : elles proviennent soit de la *sensation* des qualités des objets du monde
extérieur, soit de la *réflexion* de l'esprit ou de l'entendement
sur ses propres opérations. Locke précise bien (II.i.3-5) que
ces deux sources (*Fountains*) peuvent l'une et l'autre être
considérées comme des espèces de « perception », c'est-à-
dire qu'il s'agit de *recevoir* des idées ; mais dans un cas elles
sont reçues par le canal des organes des sens, tandis que dans
le second elles se forment par une faculté analogue, « à
laquelle ne conviendrait pas mal le nom de *Sens intérieur*
(*might properly enough be call'd internal Sense*) ». D'autre
part il attire notre attention sur le fait que les idées de
réflexion ne sont pas simplement des idées au second degré
ou des « idées d'idées », comme si l'esprit observait en
quelque sorte les idées premières qui lui viennent de la sensa-

---

92. Suggérons simplement ici que l'introducteur du terme en philosophie, Christian Wolff, en bon leibnizien qu'il était, a appelé *psychologia empirica* la psychologie rationnelle de Locke, pour pouvoir réserver
à son école la « vraie » *psychologia rationalis*. Ce point de vue est toujours vivace au XXᵉ siècle, ainsi dans les commentaires de Cassirer.

93. Sur la traduction ou non-traduction de *Mind* par *esprit*, cf. Glossaire : MIND.

tion, mais sont les perceptions des *opérations ou actions* de l'esprit, ou de la façon dont l'esprit *opère sur* (et *avec*) les idées premières qui lui viennent de la sensation.

La conscience est-elle alors purement et simplement identique au *sens interne* ou *sens intérieur*? Ici encore il y a des nuances qui tiennent en partie à la nécessité de tenir compte d'usages historiques des mêmes termes. Le paradoxe est que cette expression de « sens interne » destinée à tant d'avenir[94] n'apparaît en réalité qu'*une fois* dans le texte de Locke. Nous l'expliquerions ainsi pour notre part : l'expression de « sens interne » n'a pas été inventée par Locke; elle a une origine aristotélicienne et médiévale, désignant la perception par l'âme de phénomènes localisés à l'intérieur de l'organisme[95]. D'autre part Descartes avait parlé des « sens intérieurs » par lesquels j'éprouve les sensations internes (faim et soif) et les sentiments de plaisir, de douleur, de joie, de tristesse[96]... Locke nous dit en somme : *s'il y a un sens interne*, ce sens ne peut être rien d'autre que *la réflexion*, par laquelle l'esprit perçoit ses propres opérations. Le terme est donc, en un sens, inutile. Mais d'un autre côté il a l'avantage de souligner le parallélisme de la « perception intérieure » et de la « perception extérieure », c'est-à-dire de montrer que *la réflexion est aussi immédiate qu'une sensation*, et qu'elle engendre des idées aussi « simples » qu'elle, à commencer par l'idée de la pensée, qui caractérise originairement la conscience. Dès lors une autre conséquence en découle : en restant implicitement un « sens intérieur » la réflexion n'apparaît pas seulement comme prise de conscience de l'expérience, mais comme *étant elle-même une expérience*, précisément une expérience

94. En particulier chez Kant (*via* Tetens). Sur la « dette » de Kant envers Locke, cf. les appréciations de Béatrice Longuenesse, *Kant et le pouvoir de juger. Sensibilité et discursivité dans l'*Analytique transcendantale *de la* Critique de la raison pure, PUF, 1993, p. 263 sq., et de Jocelyn Benoist, *Kant et les limites de la synthèse. Le sujet sensible*, PUF, 1996, p. 119 sq.

95. Cf. E. Ruth Harvey, *The Inward Wits. Psychological theory in the Middle Ages and the Renaissance*, London, The Warburg Institute, 1975; H.A. Wolfson, « The Internal Senses in Latin, Arabic, and Hebrew Philosophical Texts », *Harvard Theological Review*, XXVIII (1935), 69-133.

96. *Principes*, IV, § 190. Cf. D. Kambouchner, *L'Homme des passions*, ouvr. cit., vol. I, p. 269 sq.

des phénomènes « intérieurs », une expérience *de l'intério-rité*.

Mais cette expérience, si elle est immédiate, n'est pas pour autant simple. Cela tient à la structure de ce que Locke appelle perception. Descartes, dans la IIIe Méditation, avait commencé par distinguer les pensées en deux genres : d'un côté les volontés, les affections et les jugements, de l'autre les idées qui sont « comme les images des choses ». Puis il avait classé les idées d'après leur origine en trois catégories : « innées », ou contemporaines de la formation même de mon esprit, « adventices », ou reçues de l'extérieur (qu'il s'agisse d'objets sensibles, d'autres hommes ou de Dieu), enfin « factices », c'est-à-dire forgées par mon propre esprit. Dès lors que, comme vient de le faire Locke, on élimine la catégorie des idées innées (ce qui revient à dire qu'il n'y a pas d'universalité *donnée* de la raison, mais seulement une universalité *construite*, dans la science comme dans la morale), restent les idées adventices et les idées factices : celles que je reçois et celles que je forme. Mais précisément leur corrélation suffit à reconstituer tout le champ de l'entendement, rendant effectivement *analysable* tout ce que Descartes avait déclaré inanalysable, y compris la clarté et la distinction de certaines « natures simples ». Qui plus est, elle permet de réintégrer dans le champ des idées les *opérations* que Descartes avait placées à part (en particulier le jugement, à nouveau analysé selon ses modalités de « réunion » et de « séparation »).

Sans doute la conception lockienne présente-t-elle plusieurs énigmes. D'abord en ce qui concerne le rapport de la sensation et de la réflexion. On relira ici les §§ II.i.3 sq. Il y a une *antériorité* des idées de sensation, ce qui veut dire que la matière première de toute connaissance et de toute pensée est fournie par le monde extérieur, ou plutôt par sa représentation, dont les éléments sont des idées de « qualités ». Mais cette matière première nécessaire est clairement insuffisante : aucune pensée ne serait possible s'il n'y avait pas *aussi* des idées de réflexion, si donc une *première réflexion* ne constituait pas à côté des idées d'origine sensible d'autres idées tout aussi élémentaires, d'origine intellectuelle ou intérieure, qui sont en fait originaires au même titre que les autres. Cette première réflexion est donc le prototype d'un *décalage dans l'origine elle-même* qui se

retrouvera tout au long de la constitution de l'entendement (ou si l'on veut, de l'expérience)[97].

Locke, on l'a vu, insiste sur le fait que les idées de réflexion ne sont pas les *perceptions d'autres idées* (à commencer par les idées de sensation), mais les *perceptions d'opérations mentales* (*Operations of our own Minds*) portant sur d'autres idées. Ceci veut dire que nous n'avons pas affaire à une superposition de niveaux de représentation formellement identiques, dont chacun constituerait l'objet des précédents, et qui pourrait s'étendre à l'infini, comme dans la conception spinoziste, d'origine cartésienne, de *l'idée de l'idée*. Mais nous n'avons pas affaire non plus à un moyen de ramener ou de *réduire*, de proche en proche, toutes les idées ou représentations intellectuelles à un prototype *sensible*, dont elles ne feraient qu'extraire les caractères généraux. Car, entre la *perception première* (la sensation) et la *perception seconde* (la réflexion), doit toujours déjà s'interposer le moyen terme d'une « opération » même élémentaire. C'est pourquoi, ce que l'esprit perçoit par réflexion, ce ne sont pas des idées qui seraient simplement déposées en lui, mais ce sont ses propres opérations, et en ce sens c'est *lui-même, en tant qu'il est essentiellement une activité*. Paradoxalement, ce que la « réflexion » lockienne perçoit est *plus immédiat*, ou plus originaire, bien que *plus différencié* que s'il s'agissait d'une « idée d'idée »[98].

Locke n'en propose pas moins une énumération à beaucoup d'égards semblable à celle de Descartes, lorsqu'il décrivait les modes de la *cogitatio* ; mais cette fois il s'agit des premiers éléments de l'entendement, fournis par la réflexion :

« opérations qui devenant l'objet des réflexions de l'âme (*when the Soul comes to reflect on*), produisent dans

97. Sur la façon dont ce décalage est repensé par Condillac, de façon à pouvoir y lire la production de l'entendement lui-même (toujours présupposé par Locke comme un ensemble de « facultés » données), cf. J. Mosconi, « Sur la théorie du devenir de l'entendement », *Cahiers pour l'Analyse*, n° 4, sept.-oct. 1966.

98. Cette distinction suffit, nous semble-t-il, à invalider l'idée d'une continuité essentielle entre Descartes et Locke dans l'invention du *mind*, placée par R. Rorty au départ de son ouvrage *Philosophy and the Mirror of Nature* (1979 ; tr. fr. 1990).

l'Entendement une autre espèce d'idées, que les Objets extérieurs n'auraient pu lui fournir : telles que sont les idées de ce qu'on appelle *apercevoir, penser, douter, croire, raisonner, connaître, vouloir*, et toutes les différentes actions de notre âme *(the different actings of our own Minds)*, de l'existence desquelles étant pleinement convaincus, parce que nous les trouvons en nous-mêmes *(which we being conscious of, and observing in our selves)*, nous recevons par leur moyen des idées aussi distinctes, que celles que les Corps produisent en nous, lorsqu'ils viennent à frapper nos sens. » (II.i.4)

La difficulté se concentre finalement dans la notion de perception, qui est la cheville ouvrière de toutes les définitions et classifications de Locke. Non pas tant pour la signification extensive qu'il lui confère, pratiquement synonyme de représentation sensible ou intellectuelle[99]. Mais en raison de la signification tantôt *passive* tantôt *active* qu'elle revêt. Ainsi la sensation est fondamentalement passive, puisqu'elle nous transmet les qualités des objets extérieurs, mais elle peut être aussi désignée comme un tout premier niveau d'activité de l'esprit. De même la réflexion est d'abord la simple perception des opérations internes de l'esprit, mais cette perception à son tour est désignée comme une « opération » (et Locke dit que la *première* des « idées de réflexion » est justement *l'idée de perception*, qui est quasiment l'idée élémentaire de l'esprit — II. ix.2).

Tout se passe en fait comme si la conception lockienne était fondée sur un dualisme fondamental : celui des représentations et des opérations, qui sont comme les deux faces de la perception, ou qui alternent dans sa genèse. Ainsi s'explique que l'esprit puisse être tantôt décrit comme une tablette vierge *(tabula rasa)* sans inscription préalable, tantôt comme un dynamisme caractérisé par ses *pouvoirs* ou facultés *(powers of the Mind)*, constamment animé d'un mouvement que Locke appellera plus loin « inquiétude »

---

99. Le traducteur Coste a voulu rendre cette extension en traduisant souvent l'anglais *perception* par le français *aperception*, ce qui permet de dire que l'esprit « s'aperçoit de ce qui se passe en lui-même ».

(*uneasiness*)[100]. Le *Mind* dont nous parle Locke est en ce sens une machine logico-psychologique qui, en permanence, engendre de nouvelles représentations en « opérant » sur le matériau constitué par les idées simples de sensation et de réflexion (ou si l'on préfère : à partir de la différence initiale entre idées de sensation et idées de réflexion). Travaillant ainsi à étendre sa perception du monde et à en accroître la diversité.

Ce qui fonde les analyses de Locke est même un *double dualisme*, dont les termes ne cessent de se superposer : d'un côté nous avons la distinction de la sensation et de la réflexion, qui renvoie à l'hétérogénéité de l'extérieur et de l'intérieur, des éléments sensibles et des éléments ayant leur origine dans l'entendement lui-même ; de l'autre nous avons la distinction du côté passif (la perception proprement dite) et du côté actif (les opérations qui la rendent possible et la prennent pour objet). Or ces deux distinctions ne sont pas synonymes. On peut parfaitement concevoir un entendement passif, et toute une tradition philosophique y voit une sorte de perfection (par exemple sous le nom d'« intuition intellectuelle »). Inversement il n'est pas nécessaire de considérer la sensation comme purement passive, comme une « réception » des qualités des objets sans intervention du pouvoir ou de l'énergie de l'esprit : au contraire, une partie de la postérité psychologique de Locke ne cessera de majorer ce pouvoir. *L'empirisme*, ou ce qu'on appelle ainsi, ne serait-il pas en permanence travaillé par cette superposition ? Elle est patente, en tout cas, chez Locke. Mais elle retentit directement, aussi, sur la définition de la *conscience* : car celle-ci, au fond, est

100. Dans le grand chapitre II.xxi : « De la Puissance ». Mais dès le § II.i.4 on avait la phrase essentielle : « The term *Operations* here, I use in a large sense, as comprehending not barely the Actions of the Mind about its *Ideas*, but some sort of Passions arising sometimes from them, such as is the satisfaction or uneasiness arising from any thought. » Nous reviendrons plus bas sur les rapports entre le problème de la *consciousness* et celui de l'*uneasiness* (pour laquelle Coste a dû également forger un néologisme, en s'en expliquant : cf. *Essai philosophique... Traduit de l'anglois par M. Coste*, éd. citée, p. 177). Sur la formation de la notion et l'histoire de sa traduction, voir Jean Deprun, *La Philosophie de l'inquiétude en France*, cit., p. 192 sq., qui souligne à nouveau l'importance de la confrontation avec Malebranche.

d'abord *le moment même de la différence* entre sensation et réflexion, ou entre passivité et activité de l'esprit.

La conscience est-elle donc la réflexion dans le « sens interne » ? On voit que Locke se dirige vers une conception plus complexe : *la conscience est présente dès la première réflexion*, puisqu'elle est « la perception de ce qui se passe dans notre propre esprit », c'est-à-dire des sensations qui y introduisent des idées, et des opérations auxquelles elles donnent lieu. On pourrait dire que le concept de la conscience « double » celui de la réflexion, englobant sous un nom unique ce qui la rend possible (la différence initiale de sensation et d'opération intellectuelle, de passivité et d'activité de l'esprit), et ce qu'elle va rendre possible : le travail ou le développement de l'entendement, au cours duquel la réciprocité du point de vue des « idées » et du point de vue des « opérations » ne cessera de s'exercer. Dès lors il faut dire aussi que *la conscience est toujours présente au cours du progrès de l'entendement* : à mesure que se développe l'expérience, la conscience en réfléchit les actions ou les formes successives. Elle est donc l'instance de totalisation du savoir, sous la forme d'une connaissance de soi de l'esprit coextensive à l'expérience elle-même. Par où nous retrouvons le principe d'identité. *La conscience est une identité à soi qui se maintient*, ou mieux, qui se réitère *au sein des différences* : différence ou inégalité de la première réflexion, différenciation progressive de l'expérience et de l'esprit qui se forme par elle.

Une telle identité, à la fois différentielle et totalisatrice, doit toujours être pensée comme une *intériorité*. Dès le § 8 du livre II, chap. I, Locke écrit de façon remarquable :

> « Nous voyons pourquoi il se passe bien du temps avant que la plupart des Enfants aient des idées des opérations de leur propre esprit, et pourquoi certaines personnes n'en connaissent ni fort clairement, ni fort parfaitement, la plus grande partie pendant tout le cours de leur vie. La raison de cela est que, quoique ces opérations soient continuellement excitées dans l'âme (*they pass there continually*), elles n'y paraissent que comme des visions flottantes, et n'y font pas d'assez fortes impressions pour en laisser dans l'âme (*Mind*) des idées claires, distinctes et durables, jusqu'à ce

que l'entendement vienne à se replier pour ainsi dire sur soi-même (*till the Understanding turns inwards upon itself*), à réfléchir sur ses propres opérations, et à se proposer lui-même pour l'objet de ses propres contemplations![101]... »

Jusqu'à présent l'intériorité de l'esprit n'avait été posée que de façon négative : par opposition à l'extériorité de la sensation, ou mieux, à l'extériorité que *dénote la sensation*, puisque celle-ci « place » spontanément les qualités qu'elle enregistre à l'extérieur d'elle-même (dans des « objets » ou des « corps »), et par différence se place elle-même à l'intérieur. On peut supposer aussi que l'intériorité des opérations mentales se pense par différence avec leur *expression verbale*, avec la « sortie » du for intérieur que représentent la traduction des idées en mots et la communication des pensées. Mais nous avons maintenant, si l'on peut dire, une marque intérieure de l'intériorité, laquelle, à nouveau, ne fait qu'un avec la conscience. Celle-ci est, à chaque instant, la voie d'accès à cette intériorité qui la constitue déjà. Ou elle *peut* l'être (témoins les enfants et les adultes irréfléchis), parce que le pli est déjà là, qu'on peut replier à volonté.

Comme l'impression sur une tablette, la réflexion est bien entendu déjà une métaphore, aussi ancienne que les comparaisons entre la pensée et la vision (ou l'idée d'un « œil de l'esprit », présente chez Platon). *Réflexion* et *repli* ont une racine sémantique commune, mais ne sont pas des notions strictement équivalentes. On peut aller jusqu'à suggérer qu'elles tirent en sens inverse : tandis que le repli intériorise une extériorité initiale, la réflexion permet de déployer une quasi-extériorité au sein de l'intériorité. La représentation métaphorique de l'esprit comme une *scène* sur laquelle « passent » des pensées (et « se passent » des événements intellectuels ou affectifs) que l'esprit observe lui-même est présente aussi, naturellement, chez Locke. Elle est traditionnellement en butte à des objections qui portent contre le dédoublement de l'esprit en observateur et observé et le caractère fantomatique de la scène intérieure. Locke réduit ou contourne ces objections par le recours à la métaphore plus profonde du

101. On voit que Coste a trouvé la métaphore hardie, mais il l'a bien rendue.

repli, qui sera bien souvent retrouvée dans l'histoire des débats sur la conscience et le sujet.

IV. La conscience sujet : le Soi ou la Responsabilité

L'expression de *self-consciousness*, nous l'avons dit, n'apparaît pas avant le chapitre II. xxvii ajouté en 1694 (§ 16). Elle ne figurera d'ailleurs qu'une seule fois dans tout l'*Essai*. Mais elle est essentiellement liée à l'idée que la continuité de la conscience est le critère de l'identité personnelle, pour laquelle Locke forge ou systématise l'expression nominale *the Self*. Le sujet lockien, à qui vont s'attacher aussi bien les fonctions de vigilance intellectuelle que les fonctions de responsabilité et de « propriété de soi-même », est donc essentiellement une conscience de soi, mieux : une conscience *du* « soi »[102].

Locke ne considère pas la notion d'identité comme univoque : elle doit se différencier selon les domaines où elle s'applique[103]. Le premier est celui des « substances », et notamment des corps, qui sont identiques ou différents selon qu'ils conservent la même composition « matérielle », c'est-à-dire corpusculaire. Le second est celui des organismes vivants qui conservent leur forme typique en dépit des transformations qu'ils subissent, ce que Locke appelle « identité individuelle ». Il en va ainsi notamment pour les individus humains, qui peuvent être *nommés* (Adam, Socrate, Pierre, Paul). Mais Locke s'attache à distinguer cette identité individuelle (qu'on pourrait aussi appeler *invariance*) de l'identité *de personne*, qui repose uniquement sur la continuité de la conscience dans le temps. Il ne craint pas d'affronter les paradoxes au moins apparents qui peuvent résulter d'une stricte application de ce critère, ainsi les fusions et les dédoublements de personnalité : si deux individus (Socrate, Platon) ont ou avaient les mêmes pensées, les mêmes souvenirs, la même conscience, ils sont ou seraient une seule personne ; inversement si un même individu a ou avait deux consciences distinctes, ainsi « l'Homme du jour » et « l'Homme de la nuit »

102. Sur les questions d'histoire des idées posées par l'emploi de *self-consciousness*, cf. Glossaire : SELF-CONSCIOUSNESS.
103. Sur la question de l'analogie et de l'équivocité dans la conception lockienne de l'*Identity*, cf. Glossaire : IDENTITY, SAMENESS.

évoqués de façon saisissante au § 23, ils sont ou seraient deux personnes (et deux sujets d'imputation distincts).

Il s'agit donc exactement du même « principe d'identité » logico-psychologique qui se dégageait de la critique des idées innées :

> « Pour trouver en quoi consiste l'*identité personnelle*, il faut voir ce qu'emporte le mot de *personne*. C'est, à ce que je crois, un être pensant [...] qui se peut consulter soi-même comme *le même* (*consider it self as it self*), comme une même chose qui pense en différents temps et en différents lieux ; ce qu'il fait uniquement par le sentiment qu'il a de ses propres actions (*consciousness*), lequel est inséparable de la pensée, et lui est, ce me semble, entièrement essentiel, étant impossible à quelque Être que ce soit d'apercevoir sans apercevoir qu'il aperçoit (*to perceive, without perceiving, that he does perceive*) [...] Cette connaissance accompagne toujours nos sensations et nos perceptions présentes ; et c'est par là que chacun est à lui-même ce qu'il appelle soi-même (*everyone is to himself, that which he calls* SELF). On ne considère pas dans ce cas si le même *Soi* est continué dans la même Substance, ou dans diverses Substances... » (II. xxvii.9)

Un tel critère est cependant exposé à l'objection que nous *oublions* une bonne part de nos actions sans pour autant croire que nous changeons d'identité. À quoi Locke répond par une articulation plus profonde de la conscience et de la mémoire, qui fait de l'oubli (*forgetfulness*) une marque d'imperfection et de finitude, sur le fond de la *temporalité intérieure*, essentielle à la subjectivité de la pensée :

> « La *con-science*, aussi loin qu'elle peut s'étendre, quand ce serait jusqu'aux siècles passés, réunit dans une même personne les *existences* et les actions les plus éloignées par le temps, tout de même qu'elle unit l'existence et les actions du moment immédiatement précédent ; de sorte que quiconque a une *con-science*, un sentiment intérieur (*consciousness*) de quelques actions précédentes et passées, est la même personne à qui ces actions appartiennent. Si par exemple je sentais également en moi-même (*Had I the*

same consciousness) que j'ai vu l'Arche et le Déluge de Noé, comme je sens que j'ai vu l'hiver passé l'inondation de la Tamise, ou que j'écris présentement, je ne pourrais non plus douter que le *moi* qui écrit dans ce moment *(thàt I, that write this now),* qui a vu l'hiver passé inonder la Tamise, et qui a été présent au Déluge Universel, ne fût le même *soi* [...] que je suis certain que moi qui écris ceci suis, à présent que j'écris, le même *moi* que j'étais hier *(that I that write this am the same MY SELF now whilst I write... that I was Yesterday),* soit que je sois tout composé ou non de la même substance matérielle ou immatérielle. Car pour être le même *soi,* il est indifférent que ce même *soi* soit composé de la même Substance, ou de différentes Substances ; car je suis autant intéressé *(concerned)* et aussi justement responsable *(accountable)* pour une action faite il y a mille ans, qui m'est présentement adjugée *(appropriated)* par cette *con-science* que j'en ai *(self-consciousness)* comme ayant été faite par moi-même que je le suis pour ce que je viens de faire dans le moment précédent » (II. xxvii. 16).

Tel est au fond le vrai « cogito » lockien, à la fois formellement semblable à celui de Descartes, en ce qu'il combine dans une même certitude le fait de l'existence et l'expérience de la pensée, et foncièrement différent, en ce qu'il replace toute cette expérience dans l'élément « historique » de la mémoire. *Ego sum quis sum,* je suis qui je suis, en tant que j'ai la certitude d'être toujours celui que j'ai été, parce que je suis conscient de penser ce que j'ai pensé (et sans doute aussi : je suis à chaque instant conscient que *j'aurai pensé* ce qu'actuellement je pense).

Ainsi les objections que Descartes avait écartées, notamment l'idée qu'*il faut du temps pour la réflexion,* et qu'il ne saurait y avoir une « conscience », une idée de l'idée ou une pensée de ce que je pense, sans une *durée* dont on peut se demander si elle altère ou non la représentation initiale, deviennent-elles chez Locke des thèses positives, incorporées au concept même de la conscience, et le moyen d'une reformulation du *cogito*[104].

104. Notons la persistance du rapport étroit avec la thématique du *scepticisme,* qui ressurgira au cœur du problème de la conscience de soi chez Hume et chez Hegel. Locke prend exactement le contre-pied des

On voit que cette mémoire est tout entière placée dans la perspective de la *responsabilité*, ce qui veut dire qu'elle ne porte pas sur le passé sans anticiper en permanence le futur, mieux, sans « venir » en quelque sorte *du futur* : ce qui est une manière fondamentale de totaliser subjectivement le temps, dans le présent de la conscience. Elle est ainsi étroitement liée à une notion d'*appropriation* de la pensée par elle-même.

Si nous rassemblons ces indications, nous pouvons ajouter ceci : chez Locke la pensée en tant que conscience et la conscience de soi en tant qu'activité de penser, bref, *le sujet*, ont essentiellement affaire avec l'alternance de deux modes d'être pour les idées : non pas le possible et le réel, mais plutôt *l'existence virtuelle et l'existence actuelle*. Ou bien les idées me sont présentes, comme des perceptions, ou bien elles sont absentes, non pas au sens d'une annihilation, mais au sens d'une mise en réserve dans un « lieu » temporel, qui lie le passé et l'avenir dans la possibilité même du présent [105]. Et chacun de ces deux modes d'existence *est présupposé par l'autre*, ce qui veut dire que la conscience est dans la mémoire, et la mémoire dans la conscience. Telle est précisément la signification complète de la notion du *Mind*, d'ailleurs conforme à son étymologie. Mais ceci veut dire encore que nous retrouvons une fois de plus la figure de *l'identité dans la différence*, sous la forme d'une identité qui « passe » de l'existence virtuelle à l'existence actuelle, ou de la virtualité à l'actualité de la pensée. N'est-elle pas, au fond, très proche des dualismes que nous avions déjà rencontrés ? Si on pouvait le montrer, on aurait un aperçu décisif sur la façon dont Locke a noué la problématique de la conscience avec celle du temps intérieur, et donc sur son rôle de fondateur de la philosophie moderne.

Les différences qui font la structure même de la conscience (sensation et réflexion, passivité et activité, présence actuelle

---

formulations de Montaigne : « Moy à cette heure et mòy tantôt sommes bien deux » (mais « Mon livre est toujours un ») (*Essais*, III, ix) (on se reportera au commentaire de Jean Starobinski, *Montaigne en mouvement*, Folio Gallimard, 1993).

105. On pourrait développer cette indication en se reportant au chapitre (II.x : De la Rétention), dans lequel Locke avait esquissé sa phénoménologie de la mémoire : cf. Glossaire : MEMORY.

et présence virtuelle) doivent toujours être pensées dans la modalité du *passage*, et par conséquent d'une *durée* même évanouissante, d'un « moment du temps » (ce qu'on est tenté d'appeler avec le contemporain et l'ami de Locke, Isaac Newton, une *fluxion*). Réciproquement, tout passage ou mouvement de la pensée a pour essence un jeu de différences, qui se creusent dès l'origine et se conservent tout au long de l'expérience de la conscience. Non seulement la *consciousness* contient toujours déjà une différentielle temporelle (ce qu'exprime admirablement la formule déjà citée : « *the perception of what passes in a Man's own Mind* » : la conscience est la présence à soi, comme « perception », d'une action qui se passe, qui est donc en train de passer)[106], mais elle contient un nexus des trois instances temporelles. Car, de cette « action » déjà passante dont je suis présentement conscient, j'aurai à répondre dans l'avenir (soit un avenir ultime, celui du Jugement Dernier, soit l'avenir immédiat qui se dessine par la vigilance que j'exerce sur mes pensées). Et ce que montre en somme Locke, c'est que la rétention du passé fait un avec la conscience présente en raison de l'horizon du Jugement à venir dans lequel, toujours déjà, elle s'inscrit. On pourrait encore l'exprimer en disant que, dans la constitution du *Mind* lockien, les trois instances du passé, du présent et de l'avenir sont d'autres noms pour *la mémoire, la conscience et le jugement*, dont il s'agit justement de penser l'interdépendance, la co-appartenance en intériorité, en les référant à un terme commun qui est l'action.

Mais ceci veut dire aussi que cette forme d'identité à soi que nomme la « conscience de soi » (ce *Je suis Je* ou *Je = Je* dont Hegel, plus tard, critiquera le « formalisme » en l'attribuant à une tradition allant de Descartes à Kant et Fichte) est en réalité une *égalisation* plutôt qu'une égalité donnée : c'est

---

106. On trouve la réciproque de cette proposition dans le chapitre consacré à la Durée en tant que « mode de la pensée », qui ne contient pas le mot *consciousness* mais en reproduit exactement la définition (II.xiv.3). De là partiront plus tard des théoriciens pour maintenir le « flux de conscience » *sans la conscience*, désignée comme une hypostase : cf. William James, « Does consciousness really exist ? » (1905), in *Essays in Radical Empiricism*, 1976. Cette fuite en avant est caractéristique de toute l'histoire philosophique du thème de la subjectivité.

un mouvement de retour à soi qui passe par la rétention (plus ou moins complète) du passé en fonction de l'avenir qui, toujours déjà, le juge et l'attend. Et par conséquent c'est le mouvement même d'une *appropriation de soi* qui s'effectue dans le champ de l'expérience de la conscience :

« Je regarde le mot de *Personne* comme un mot qui a été employé pour désigner précisément ce qu'on entend par *soi-même* (*is the name for this self*). Partout où un Homme trouve ce qu'il appelle *soi-même*, je crois qu'un autre peut dire que là réside la même personne. Le mot de *Personne* est un terme de Barreau qui *approprie* des actions, et le mérite ou le démérite de ces actions (*appropriating Actions and their Merit*) […] Ainsi toute action passée qu'il ne saurait adopter ou *approprier* (*reconcile or appropriate*) par la *con-science* à ce présent *soi*, ne peut non plus l'intéresser que s'il ne l'avait jamais faite, de sorte que s'il venait à recevoir du plaisir ou de la douleur, c'est-à-dire, des récompenses ou des peines en conséquence d'une telle action, ce serait autant que s'il devenait heureux ou malheureux dès le premier moment de son existence sans l'avoir mérité en aucune manière […] C'est pourquoi St. *Paul* nous dit, qu'au Jour du Jugement où *Dieu rendra à chacun selon ses œuvres, les secrets de tous les cœurs seront manifestés*. La sentence sera justifiée par la conviction même où seront tous les Hommes (*by the consciousness all Persons shall have*), que dans quelque Corps qu'ils paraissent, ou à quelque Substance que ce sentiment intérieur (*consciousness*) soit attaché, ils ont *eux-mêmes* commis telles ou telles actions, et qu'ils méritent le châtiment qui leur est infligé pour les avoir commises. » (II. xxvii.26) [107]

---

107. Le passage correspondant de saint Paul est 1. Cor. 14, 25 : « Mais si tous prophétisent et qu'il entre un infidèle ou un non initié, le voilà repris par tous, jugé par tous ; les secrets de son cœur sont mis à nu (*ta krupta tês kardias autou phanera ginetai*). Alors, tombant la face contre terre, il adorera Dieu, en proclamant que Dieu est réellement parmi vous. » Il est intéressant de remarquer ici que le contexte de la lettre de Paul évoque la *disparition du voile des mots (des « langues ») au moment où la clarté se fait*, dans le « face à face » : on rejoint ainsi, mais par la voie théologique, l'idée que la « vérité de la pensée » et l'essence de l'esprit se révèlent en faisant abstraction du langage. Cf. Glossaire : RESURRECTION.

Et c'est sans doute par cette unité de la réflexion, de la mémoire, de la responsabilité et de l'appropriation, unies dans une seule phénoménologie de la « perception intérieure », que la *consciousness* lockienne est encore et toujours, au moins par sa structure formelle, une *conscience* morale. Dès lors, le fait qu'elle constitue le critère de l'identité personnelle, elle-même requise par la responsabilité juridique, n'est jamais que l'envers de sa propre constitution. Cette unité que nous appelons (depuis Kant) le sujet, et que Locke — le premier — appelle la conscience de soi, est indissolublement logique (identité à soi), morale et juridique (responsabilité, appropriation) et psychologique (intériorité et temporalité). Elle s'appelle elle-même en secret *My Self*. Et même s'il appartient à une discipline rationnelle, quasi expérimentale, d'en faire l'« histoire »[108], elle a bel et bien la constitution d'une Idée de la raison. Celle-ci, toutefois, bien loin de reposer sur un substantialisme métaphysique, résulte entièrement de sa déconstruction. Il est vrai que cette déconstruction s'effectue au nom d'une *autre* conception métaphysique, peut-être beaucoup plus originaire que celle de la substance : celle du *propre* et de l'*appropriation*.

En inscrivant le temps de la mémoire et du jugement dans l'intériorité de la conscience, Locke opère un retour à la conception augustinienne de « l'homme intérieur », incomparablement plus profond que celui que nous avions observé chez les « cartésiens » (Arnauld, La Forge). Mais c'est au fond pour la subvertir : car la *mémoire*, constitutive du sujet et de son mode d'accès à la vérité chez saint Augustin, n'était pas *subjective* en ce sens. Elle représentait plutôt la trace, au « plus profond » de chaque âme humaine, d'une transcendance et d'une éternité absentes. C'est pourquoi elle avait partie liée, non pas à une expérience de la « propriété de soi-même » et de l'appropriation (même limitée par les possibilités

---

108. Le terme est employé par Locke qui, dans son chapitre introductif (§ 2), parle de la « méthode historique toute simple » de l'*Essai* (*Historical, plain Method*). Il sera repris par Voltaire dans les *Lettres philosophiques* de 1734 pour opposer la méthode empirique de Locke au « roman de l'âme » de Descartes et Malebranche (Voltaire, *Mélanges*, Bibliothèque de la Pléiade, 1961, p. 38). Sur la rareté du terme de « conscience » en ce sens chez Voltaire, en dehors de ce passage où il est en somme un anglicisme, cf. C. Glyn-Davies, ouvr. cit., p. 68-69.

empiriques de l'esprit), mais au contraire à une expérience de mon insuffisance ontologique et à mon désir de rejoindre Dieu dans l'au-delà. L'invention lockienne de la conscience — c'est ce qui fera sa force, mais aussi ne cessera d'en relancer la critique — ne sacrifie aucune des significations symboliques associées traditionnellement à l'interrogation de l'individu sur les origines et les fins de ses propres pensées, et donc à la destination de l'homme. Mais elle en donne une formulation qui, selon ses propres termes, historise intégralement les marques de la transcendance, ou les inscrit comme autant de représentations régulatrices dans le rapport à soi et l'immanence de l'esprit, autant de façons pour la pensée de se percevoir elle-même à l'œuvre, ou de se voir « opérer », « acquérir », « enquêter », « progresser » et « passer ».

V. Intérieur/Extérieur : la « topique » lockienne de la conscience

Pour conclure, essayons de localiser dans une « topique » unique les rapports de l'intériorité et de l'extériorité qui nous sont apparus comme caractéristiques des opérations de la *consciousness* lockienne, et en ce sens constitutifs de la nouvelle conception de la réalité « mentale » dont elle est l'aspect déterminant. Ils permettent tout à la fois de comprendre sa très longue portée, à la charnière des problématiques du sujet « psychologique », « physiologique » et « transcendantal », et sa constante exposition aux questionnements critiques.

Nous avons vu que Locke, au début du IIe Livre de l'*Essai*, appelle « réflexion » une *perception seconde* (mais *originairement* possible, ce que désigne l'expression de « sens interne ») par laquelle le *mind* aperçoit ses propre opérations, à commencer par la sensation qui est la source de toutes nos informations sur le monde. La structure de l'espace intérieur est déterminée d'une façon immanente par ce redoublement ou ce repli originaire qu'engendre la superposition des « idées de sensation » et des « idées de réflexion ». Disons mieux : la différence ontologique de l'extérieur (le monde et ses objets, faits de qualités, de modes, de substances, de relations…) et de l'intérieur (les idées, les opérations sur ces idées, puis leur enchaînement en pensées de plus en plus complexes) est reproduite ou projetée au

sein du *mind*, donc dans l'intériorité, comme repli de la sensation et de la réflexion, ou d'une idée de l'extériorité et d'une
idée de l'intériorité. L'intérieur contient ainsi idéalement et lui-
même et son autre. Ce qu'on pourra interpréter — et ces interprétations domineront alternativement la postérité de Locke —
soit comme trace ineffaçable de l'extériorité (de la matière) au
sein de l'intériorité (de l'esprit), soit comme anticipation et
condition de possibilité du rapport à l'extériorité du monde dans
la structure même de l'intériorité. Condillac ou Kant.

Cependant, et nous espérons l'avoir montré, une telle structure de repli ou de renvoi à l'extériorité au sein de l'intériorité ne
se soutient pas théoriquement si elle n'est pas mise en correspondance avec une série d'autres démarcations, qui sont immédiatement autant d'articulations problématiques. La *topique* des
rapports entre intérieur et extérieur, au double sens de disposition imaginaire des « espaces » théoriques, et de localisation
réciproque des problèmes, acquiert ainsi une complexité que la
tradition philosophique ne cessera de chercher à démêler, soit en
en reprenant les termes tels quels, soit en procédant à des renversements, des soustractions et des adjonctions. La première et
la plus importante de ces articulations, on s'en souvient, est la
séparation des idées et des mots, ou de la *pensée et du langage*.

Les mots constituent aussi par rapport aux idées et à leur
intériorité propre *une extériorité*, bien que certainement pas
exactement dans le même sens que les objets d'expérience en
général : le fait qu'ils soient perceptibles comme objets, modes
ou qualités sensibles est une condition nécessaire à la fonction
du langage, mais qui ne suffit pas à la caractériser. À tout le
moins faut-il ajouter que les mots, en tant que *signes*, appartiennent au monde de la communication sociale (ce que, dans
un autre contexte, celui du *Second Treatise of Government*,
Locke appelle la *civil society*)[109]. C'est sur cette nouvelle
limite (ou si l'on veut sur ce front) de l'intérieur mental et de

___

109. L'articulation est explicitée — en termes finalistes — dès les premières lignes du Livre III : « Dieu ayant fait l'homme pour être une créature sociable (*a sociable Creature*), non seulement lui a inspiré le désir, et
l'a mis dans la nécessité de vivre avec ceux de son espèce, mais de plus lui
a donné la faculté de parler (*furnished him also with Language*), pour que
ce fût le grand instrument et le lien de cette société (*the great Instrument,
and common Tye of Society*) » (III.i.1, trad. Coste).

l'extérieur social et verbal que le sujet lockien (ou la « personne ») découvre la possibilité d'observer en lui-même les conditions de la *vérité* première de ses connaissances (qui résident dans la nature de ses opérations mentales) et celle de travailler à leur *progrès* (qui réside dans l'acquisition de nouvelles idées, le développement de la correspondance entre les idées et les choses, par le moyen des signes du langage communs à tous, enfin le passage des *propositions mentales* aux *propositions verbales*, avec les formes de vérité correspondante). La position défendue par Locke quant à la nature du signe repose sur une stricte hiérarchisation de la pensée et du langage, car les mots n'acquièrent une signification univoque, dans un espace public de communication, qu'à la condition d'être d'abord signes des idées, pour devenir ensuite signes des choses, dans un mouvement qui va de l'intérieur vers l'extérieur, mais demeure ancré dans l'intériorité — condition même du *sens*. Il faut bien, cependant, pour que la séparation du mental et du verbal ne se transforme pas en barrière solipsiste (idée rien moins que lockienne), que le passage à l'extériorité — comme la communication elle-même, et donc la société civile — soit d'une certaine façon anticipée au sein de l'esprit. Ne serait-ce que sous la forme de cette « responsabilité » ou capacité de répondre (et de répondre de soi), dont nous avons vu qu'elle constitue aussi une dimension originaire de la conscience, inséparable de sa temporalité propre.

On a ici le point de départ des « puzzles » modernes concernant le rapport entre langage et subjectivité, qui procèdent de l'affrontement récurrent entre les hypothèses d'une pensée pure *précédant* la dimension transindividuelle de la communication, et d'une structure linguistique, ou quasi linguistique (sémiotique) commandant les opérations de la pensée. Certes, en dissociant le mental et le verbal, Locke s'est donné le moyen de résoudre les questions qui embarrassaient son prédécesseur Hobbes : comment, si le langage est l'élément de la vérité, et si ce qui le caractérise est une puissance infinie de métaphore ou de fiction, garantir un *usage vrai*, purement « référentiel », des mots[110] ? Mais d'un autre côté, il lui faut

110. Cf. E. Balibar, « L'institution de la vérité. Hobbes et Spinoza », in *Lieux et noms de la vérité*, Ed. de l'Aube, 1994.

maintenant montrer que la traduction des pensées en mots, qui constitue comme une anticipation de la société au sein de la pensée individuelle (un « secret rapport » du *mind* avec les autres *minds*), a ses conditions dans la conscience elle-même. Cela tient à ce que chaque individu ou personne responsable imagine dans l'esprit des autres une conscience analogue à la sienne (*Essai*, III.ii.4), autrement dit que la conscience est déjà la forme d'un rapport *virtuel* à autrui en même temps qu'elle est *actuellement* la forme du rapport à soi. Or cette conception peut aisément conduire à une aporie. Lorsqu'il quitte le pur terrain d'une phénoménologie de la conscience pour aborder la question de la vérité des propositions mentales en tant qu'adéquation à une certaine réalité, Locke est alors tenté de poser que *les idées sont elles-mêmes des signes*, en un sens plus général — et par conséquent les mots sont des signes de signes. Allant jusqu'à évoquer, dans les ultimes lignes du livre, une *semeiôtikè* ou science (*doctrine*) générale des signes, qui inclurait à la fois la connaissance des idées et celle du langage (la *logique* proprement dite) [111].

La définition du langage présupposerait alors tendanciellement une représentation de la pensée comme *langage intérieur* ou langage d'idées [112]. D'autre part le raisonnement par lequel nous établissons secrètement la référence objective des mots ne peut anticiper le résultat de la communication dans son intention sans susciter la difficile question d'un « langage privé », qui est presque une contradiction dans les termes. *Language of thought* et *Private language* sont aujourd'hui des

111. *Essai*, IV.v.2 : « De sorte que la vérité n'appartient proprement qu'aux propositions ; dont il y en a de deux sortes, l'une *mentale*, et l'autre *verbale*, ainsi que les signes (*Signs*) dont on se sert communément sont de deux sortes, savoir les *idées* et les *mots* » ; et IV.xxi.4 : « Car puisqu'entre les choses que l'esprit considère il n'y en a aucune, excepté lui-même, qui soit présente à l'entendement, il est nécessaire que quelque autre chose se présente à lui comme signe ou représentation de la chose qu'il considère, et ce sont les idées (*it is necessary that something else, as a Sign or Representation of the thing it considers, should be present to it : and these are Ideas*) ». On lira avec intérêt l'interprétation de Michael Ayers, ouvr. cit., I, chap. 7, p. 60 sq. : « Ideas as natural signs ».

112. Aujourd'hui défendue, à nouveau, par certains philosophes de l'esprit — au sens de la *Philosophy of Mind* : Cf. Jerry Fodor, *The Language of Thought*, M.I.T. Press, 1975.

problèmes pour la philosophie analytique et les sciences cognitives. Wittgenstein en avait par avance récusé la pertinence en rassemblant leurs présupposés dans sa critique du « mythe de l'intériorité »[113]. Mais cette critique ne fait que mieux ressortir l'importance du nouveau *point de vue de l'intériorité* inauguré par Locke en philosophie : sans l'*isolement préalable* de la conscience par rapport au moment transindividuel de la communication, quitte à réinscrire celui-ci *après-coup* dans l'intériorité de la personne, le sujet ne pourrait être identifié à la conscience et il n'y aurait pas de psychologie.

De notre point de vue, cette structure théorique appelle encore une autre remarque. Il est aisé de voir que l'intériorité lockienne (intériorité du mental, replié sur lui-même en tant que conscience, et trouvant ainsi par ses propres moyens le critère de son « identité ») est profondément différente d'une intériorité spirituelle (d'ailleurs ouverte en abîme sur la transcendance, comme chez saint Augustin), aussi bien que d'une intériorité organique (fondée sur la hiérarchisation et l'intégration des « âmes » ou principes de vie, comme chez Aristote), pour ne rien dire des tentatives de compromis entre ces différentes traditions (comme chez Cudworth et les platoniciens de Cambridge, plus tard chez Leibniz). Il est moins aisé, mais plus décisif peut-être, d'observer l'élément d'*équivocité* intrinsèque que comporte l'intériorité lockienne. Cette équivocité résulte de la topique même que nous venons d'esquisser. En effet l'immanence du champ de la conscience fait l'objet de deux modes d'exposition concurrents, mais qui ne sont jamais complètement isolés dans les passages que nous avons analysés. D'un côté, *positivement*, elle est présentée comme identité à soi de l'esprit, ou mieux, comme l'expérience vécue

113. Cf. Jacques Bouveresse, *Le mythe de l'intériorité. Expérience, signification et langage privé chez Wittgenstein*, Nouvelle édition, Ed. de Minuit, Paris 1987 ; Geneviève Brykman : « Le mythe de l'intériorité chez Locke », *Archives de Philosophie* n° 55, 1992, p. 575-586. Également V. Descombes, *La denrée mentale*, ouvr. cit., p. 186 sq. (Descombes suggère à juste titre que l'amphibologie de l'intérieur et de l'extérieur peut être levée seulement par la prise en compte d'un concept *moderne* d'organisme, tel qu'il se forme définitivement chez Cl. Bernard : précisément ce que *court-circuite* le point de vue lockien. Mais l'autoréférence impliquée dans un tel concept ne renvoie nécessairement ni à la *conscience*, ni au *soi*).

qui correspond pour chaque sujet au fait que « je suis moi-même » ou que « je suis mon propre soi » (*I am My self*), tout au long du flux (*train, succession, continuation*) des états de conscience (aux troubles de la mémoire et de la personnalité près)[114]. La conscience est alors la perception qui se perçoit elle-même, ou qui devient pour elle-même immédiatement objet de réflexion. Mais d'un autre côté l'immanence ne cesse d'être exposée *négativement* (et même, nous l'avons vu, comme négation de la négation, selon la forme classique de l'*elenchos*) : elle est alors l'autre d'une extériorité, ou son envers. Or il se trouve que cette extériorité *se dit en plusieurs sens*, et selon plusieurs logiques, qui ne coïncident jamais totalement.

Elle est extériorité du monde sensible, objet de la perception (celle qu'a privilégiée la lecture « empiriste » classique de Locke), mais aussi extériorité du monde des signes, et à travers lui de l'ensemble des liens ou relations (*ties, bonds*) qui constituent le « commun » ou la « communauté » des hommes. C'est au voisinage de ces différentes extériorités, ou si l'on veut aux diverses frontières sur lesquelles, tout en continuant de marquer une ouverture et une altérité (serait-ce sous la forme d'une pure différentielle de passivité et d'activité), elles se transposent au sein de l'intériorité elle-même, que celle-ci se définit ou se reconnaît comme telle. L'intériorité est donc ce paradoxe (Kant dira plus tard : amphibologie) d'une immanence ou d'une autonomie qui ne peut être déterminée qu'en se pensant comme négation, ou comme ce « lieu » qui est originairement, toujours déjà, soustrait à l'extériorité. Et elle est ce paradoxe d'une univocité (référée au principe d'identité) que revient constamment surdéterminer l'équivocité de son autre — ou si l'on veut l'équivocité du monde[115]. Peut-être même la multiplicité des noms qu'elle se donne, et qu'elle inscrit dans une série ouverte (le *mind* ou

114. Cf. Glossaire : MEMORY, PERSONALITY.
115. Nous n'explorons pas ici l'hypothèse réciproque : que l'équivocité du « monde » tel qu'il apparaît dans la cosmologie lockienne : monde *naturel* perçu, monde *social* signifiant (alors qu'un Spinoza ou un Leibniz, par exemple, s'efforcent toujours de les penser dans les mêmes catégories, comme les moments d'une même nature ou d'un même tout), soit elle-même le corrélat du surgissement du sujet comme « conscience de soi ».

esprit, la *conscience*, le *soi*, la *personne*, avant que ne surgisse le *sujet*), a-t-elle pour fonction de conjurer ce retour équivoque de l'extériorité sur l'idée même de l'intériorité. On se demandera à partir de là ce que devient la surdétermination lorsque, ultérieurement, l'intériorité et l'identité du sujet sont remises en question par l'émergence de questions « critiques » telles que : Y a-t-il de la conscience non-subjective, qui peut exister hors de la présence du Je ? Y a-t-il de la subjectivité non consciente ? « Je » lui-même désigne-t-il un Soi, une mêmeté ou ipséité, ou bien n'est-il que le mirage de la réflexion, l'artifice de la langue, ou inversement, l'effet de surface d'une altérité plus originaire ?

Plutôt cependant que de nous engager dans ces perspectives, qui toutes, ne serait-ce qu'à titre d'antithèse, héritent de la référence lockienne à l'intériorité du soi et de la conscience, et par conséquent des équivocités qu'elle dissimule, il nous faut une dernière fois compliquer notre représentation topique. Car l'extériorité de la perception et celle de la nomination ne suffisent pas, semble-t-il, à épuiser le champ de ce qui, pour la conscience, est son extérieur. Peut-être y a-t-il encore un troisième type d'extériorité (et ainsi un degré supplémentaire d'équivocité du rapport intérieur/extérieur) qui est lié à la façon dont Locke pose le problème de l'*affect*.

La difficulté qui n'est certes pas mince provient ici du fait que lorsque Locke s'engage dans ce qu'il appelle lui-même l'esquisse d'un « traité des passions »[116], dont le pivot est constitué par l'analyse du rapport entre *désir et inquiétude* (*Desire*, *Uneasiness*), l'exposé oscille entre une référence implicite au « corps propre » de l'individu, dont les affections permettraient d'expliquer l'association des sensations, d'un côté avec des idées, de l'autre avec des sentiments de plaisir et de douleur, et une neutralité phénoménologique dans laquelle les affects sont purement décrits en tant que modes de l'expérience, ou « idées » de l'esprit. C'est le second point de vue qui domine incontestablement, et ce choix théorique doit être mis en rapport avec l'attitude sceptique que Locke entend conserver face à toutes les suppositions de rapports

---

116. *Essai*, Livre II, chap. xx (*Des modes du plaisir et de la douleur*) et xxi (*De la puissance* : *Of Power*).

substantiels sous-jacents aux opérations de l'esprit et à ses relations avec le corps dans une unité individuelle [117]. Il doit surtout être rapporté à l'émergence dans l'analyse de la puissance — à l'horizon de la critique par Locke des théories du Bien comme « cause finale » du Désir et de la Volonté (II. xxi.38, etc.) — d'un concept d'objet ou de cause du désir qui, pour nécessairement *extérieur à l'esprit* qu'il apparaisse, n'en est pas moins irréductible aussi bien à l'objet de la perception qu'au signe communicatif, et qui doit englober dans sa généralité *tous* les biens (*goods*) de nature corporelle, spirituelle ou sociale que nous nous représentons (dont nous avons l'idée) et dont nous ressentons l'absence comme un « désir inquiet » — belle trouvaille de traduction de Coste pour *the successive uneasiness of our desires* (II.xxi.31-34).

Tous ces concepts, qui mériteraient une longue discussion propre, sont en réalité des *concepts-limite*, et les concepts d'une limite : entre ce qu'on appellerait aujourd'hui le *cognitif* (que Locke appelle « perception », au sens général) et l'*affectif* (qu'il dérive de l'« inquiétude » ou « malaise » : autre traduction possible de l'*uneasiness*), mais surtout entre *la passivité et l'activité*, dont le couple de l'inquiétude et du désir représente justement le principe de renversement. L'*uneasiness* est définie comme l'expression immédiate du désir, ou la différence du plaisir et de la peine en tant qu'elle met en mouvement (« émeut ») la volonté. Il n'y a donc pas d'action qui soit exempte d'inquiétude, car toute action est aussi une émotion de l'individu, ou comporte une dimension affective irréductible. Mais l'*uneasiness* est plus généralement le ressort de *l'activité mentale* ou de la succession des opérations du *mind* : ce qui fait que l'esprit est tantôt passif (sensation), tantôt actif (réflexion), mais ne reste jamais en repos dans la contemplation d'une idée, ou encore fluctuant d'une perception à une autre au hasard des objets rencontrés [118].

----

117. Sur la possibilité de considérer les correspondances entre la problématique de la conscience (*consciousness*) et celle de l'inquiétude (*uneasiness*) dans le texte de Locke comme l'effet du « retrait » de l'âme, cf. Glossaire : CONCERN.

118. Cf. *Essai*, II. xiv.13, sur l'impossibilité pour l'esprit de s'en tenir indéfiniment, et même longtemps, à une seule et même (*self-same single*)

Leibniz, approuvant la traduction française par « inquiétude », proposera de rendre cette idée en allemand par *Unruhe*, en se fondant sur l'analogie du balancier d'une horloge en mouvement « perpétuel »[119]. Cela revient à dire que l'enchaînement des idées tient à leur qualité affective et aux effets d'émotion ou affects qu'elles ne peuvent pas ne pas produire, même si en tant que telles elles ne sont que des représentations ou des percepts. L'*uneasiness* est comme le moteur dynamique du processus dont la *consciousness* est la forme cognitive. Mais en quel lieu, à la fois extérieur à la conscience et donc à l'esprit (*mind*) proprement dit (puisqu'il n'est aucune opération de la pensée qui ne se perçoive comme telle) et immédiatement voisin de leur unité, assigner l'énergie de ce moteur ? Locke est ici aux prises avec sa propre critique de l'idée de substance, et nous laisse entre plusieurs suppositions incompatibles : que l'*uneasiness* soit la trace, au sein du *mind*, du rapport latent que l'esprit entretient avec le corps propre de l'individu, ou qu'elle soit, comme le « fond de l'âme » malebranchiste, un rapport essentiellement caché de l'esprit à lui-même, d'où procéderait son mouvement de perpétuelle fuite en avant.

Comme celle de « signe », ces notions-limite de l'affectivité débouchent probablement sur des apories : parce que l'*uneasiness*, qui est un malaise de la conscience, de même que toute conscience est essentiellement inquiète, est à la fois indissociable d'elle et théoriquement distincte, il semble que la limite du perceptif et de l'affectif, représentant ou symbolisant à la fois dans le *mind* son rapport passif au corps propre et son rapport actif à lui-même, ne puisse jamais être fixée en un point précis. Elle régresse indéfiniment vers une unité des contraires énigmatiquement visée par Locke à travers le terme

---

idée. J. Deprun (*La philosophie de l'inquiétude en France*, ouvr. cit., p. 192-195), tout en nuançant ce jugement et en en montrant les difficultés, décrit l'*Uneasiness* lockienne comme essentiellement passive, ce qui lui permet d'y voir le renversement terme à terme de la conception de Malebranche. Il nous paraît au contraire que toute la phénoménologie du « désir inquiet » et de l'« inquiétude du désir » chez Locke, où abondent les unités de contraires, va dans le sens d'une pensée de la différentielle de passivité et d'activité, ou d'une transition continue de l'une à l'autre.

119. *Nouveaux Essais sur l'entendement humain*, éd. cit., p. 139-141.

de « puissance » (*power*). Mais on peut bien se dire aussi que
la question toujours relancée de cette unité n'est que l'ombre
portée de la distinction théorique initiale[120]. On peut même
aller jusqu'à suggérer que c'est en *séparant dans le théorique*
les deux exposés fondamentaux respectivement consacrés à
l'inquiétude (et donc à la différenciation perpétuelle de l'esprit) et à la conscience de soi (donc à l'identité personnelle),
que Locke a symbolisé l'énigme d'une intériorité qui induit
en son propre sein la question de l'extériorité, puisque le chapitre xxi du Livre II ne contient jamais le mot *consciousness*,
pas plus que le chapitre xxvii ne contient le mot *uneasiness*,
alors que leurs analyses sont rigoureusement corrélatives[121].

Au bout du compte, chacune des caractéristiques de l'intériorité qui, chez Locke, forme l'essence de la conscience (ou
de l'esprit en tant que système d'opérations conscientes)
apparaît donc comme l'envers d'une extériorité spécifique,
dont l'assignation en un lieu propre est aussi problématique

120. Il vaudrait la peine — mais ce serait l'objet d'une autre étude — de
se demander si une telle difficulté n'est pas plus que jamais présente — à la
« conscience » près — dans la définition par Freud des « pulsions » inconscientes, avec leur double statut de traces psychiques d'une excitation soma-
tique et de fixation d'un nœud refoulé entre « représentations »
(*Vorstellungen*) et « affects » (*Affekte*). Cf. S. Freud, *Das Unbewusste.
Schriften zur Psychoanalyse*, S. Fischer Verlag, Frankfurt a. M. 1960 (l'article de 1915 « L'inconscient » est traduit dans *Métapsychologie*, Gallimard
1952).

121. Cet « extérieur inséparable » que représente l'affect par rapport à la
conscience essentiellement définie en termes de perception (de soi) est
d'autant plus embarrassant et énigmatique qu'il est possible de se le représenter aussi comme un second degré de l'intériorité, un « intérieur de l'intérieur », c'est-à-dire une *intimité* dont la source est cachée en elle (par
analogie avec la formule augustinienne : *interior intimo meo*). Il est inévitable alors — toujours l'amphibologie — que l'intériorité de la conscience,
en tant que « scène » sur laquelle « passent » les idées et se déploient les
opérations du *mind*, *partes extra partes*, se présente à son tour comme une
sorte d'extériorité, ou une extériorité métaphorique. Ainsi l'intériorité
régresse à l'infini, et les « lieux » contraires se convertissent l'un dans
l'autre. Mais ne pourrait-on se poser une question analogue à propos des
autres « extériorités » que nous avons situées au regard du mental ? C'est
l'intérêt d'une topique, même élémentaire, de guider ainsi l'interrogation.
Dans l'histoire de la « science de l'esprit », l'*affect*, la *sensation pure*, le
signe (ou le signifiant) ne cesseront de figurer les abîmes de l'intériorité,
qui la retournent virtuellement en son contraire.

que l'unité qu'elle doit former avec les autres : qu'il s'agisse de l'articulation de sensation et de réflexion, de celle du mot et de l'idée, ou de celle de l'affect et du percept. On peut ainsi s'expliquer que Locke, en construisant cette topique, ait prescrit par avance les emplacements théoriques où se présenteront tous les problèmes caractéristiques de la discipline centrée sur le phénomène de la conscience, qu'elle se conçoive comme un exercice d'introspection, comme une analyse critique et transcendantale, ou comme une science expérimentale articulée à la physiologie. La phénoménologie de la conscience devra toujours se reconstituer ou se reconquérir en assignant et conceptualisant ses limites. Mais Locke prescrit aussi par avance les modalités selon lesquelles pourra se faire jour, contre le « primat de la conscience » (et plus fondamentalement contre l'organisation du champ de la subjectivité à partir de la notion de conscience), l'hypothèse d'une pensée ou d'un psychisme « inconscient ». Dans bien des développements contemporains auxquels nous pourrions faire référence, c'est ainsi, encore et toujours, la conceptualité lockienne qui travaille, lors même qu'il s'agit d'engendrer ses renversements. C'est aussi par là que l'invention de la conscience s'avère interminable.

TEXTES

Nous donnons les textes dans l'ordre suivant : d'abord la traduction de Coste, qui a passé dans l'histoire et forme le point de départ de notre enquête ; ensuite, en vis-à-vis, le texte anglais original de Locke et notre propre essai de retraduction.

*Ce que c'est qu'*Identité, *et* Diversité.

Chapitre xxvii du Livre II
de l'*Essai philosophique concernant l'entendement humain* par M. LOCKE.

§. 1. [En quoi consiste l'*Identité*]
Une autre source de comparaisons dont nous faisons un assez fréquent usage, c'est l'existence même des choses, lorsque venant à considérer une chose comme existant dans un tel temps et dans un tel lieu déterminé, nous la comparons avec elle-même existant dans un autre temps, par où nous formons les idées d'*Identité* et de *Diversité*. Quand nous voyons une chose dans une telle place durant un certain moment, nous sommes assurés (quoi que ce puisse être) que c'est la chose même que nous voyons, et non une autre qui dans le même temps existe dans un autre lieu, quelques semblables et difficiles à distinguer qu'elles soient à tout autre égard. Et c'est en cela que consiste l'*identité*, je veux dire en ce que les idées auxquelles on l'attribue, ne sont en rien différentes de ce qu'elles étaient dans le moment que nous considérons leur première

---

1. Nous modernisons l'orthographe, mais non la ponctuation, qui fait évidemment partie de la syntaxe de Coste, et ne saurait donc être détachée des solutions qu'il a trouvées pour rendre, dans le français universel de la fin du xviiᵉ siècle — celui de la République des Lettres — les effets de sens recherchés par Locke. Pour les mêmes raisons, nous conservons soigneusement les *italiques* et les *lettres majuscules* du texte. En ce qui concerne les *sous-titres* inscrits dans les marges pour chaque paragraphe (ou parfois pour un groupe de paragraphes) à partir de la 2ᵉ édition anglaise et correspondant à la *Table analytique* des matières, que Coste avait reproduits à l'identique, nous les insérons dans le texte même pour la commodité typographique.

existence, et à quoi nous comparons leur existence présente. Car ne trouvant jamais et ne pouvant même concevoir qu'il soit possible, que deux choses de la même espèce existent en même temps dans le même lieu, nous avons droit de conclure que tout ce qui existe quelque part dans un certain temps, en exclut toute autre chose de la même espèce, et existe-là tout seul. Lors donc que nous demandons, *si une chose est la même, ou non*, cela se rapporte toujours à une chose qui dans un tel temps existait dans une telle place, et qui dans cet instant était certainement la même avec elle-même, et non avec une autre. D'où il s'ensuit, qu'une chose ne peut avoir deux commencements d'existence, ni deux choses un seul commencement, étant impossible que deux choses de la même espèce soient ou existent, dans le même instant, dans un seul et même lieu, ou qu'une seule et même chose existe en différents lieux. Par conséquent, ce qui a un même commencement par rapport au temps et au lieu, est la même chose ; et ce qui à ces deux égards a un commencement différent de celle-là, n'est pas la même chose qu'elle, mais en est actuellement différent. L'embarras qu'on a trouvé dans cette espèce de relation, n'est venu que du peu de soin qu'on a pris de se faire des notions précises des choses auxquelles on l'attribue.

§. 2. [Identité des *Substances*]

Nous n'avons d'idée que de trois sortes de Substances, qui sont, 1. DIEU ; 2. les *Intelligences Finies* ; 3. les *Corps*.

Premièrement, Dieu est sans commencement, éternel, inaltérable, et présent partout, c'est pourquoi l'on ne peut former aucun doute sur son *identité*.

En second lieu, les Esprits finis ayant eu chacun un certain temps et un certain lieu qui a déterminé le commencement de leur existence, la relation à ce temps et à ce lieu déterminera toujours l'*identité* de chacun d'eux, aussi longtemps qu'elle subsistera.

En troisième lieu, on peut dire de même à l'égard de chaque particule de matière, que, tandis qu'elle n'est ni augmentée ni diminuée par l'addition ou la soustraction d'aucune matière, elle est la même. Car quoique ces trois sortes de *Substances*, comme nous les nommons, ne s'excluent pas l'une l'autre du

même lieu, cependant nous ne pouvons nous empêcher de concevoir, que chacune d'elles doit nécessairement exclure du même lieu toute autre qui est de la même espèce. Autrement les notions et les noms d'*identité* et de *diversité* seraient inutiles ; et il ne pourrait y avoir aucune distinction de Substances ni d'aucunes choses différentes l'une de l'autre. Par exemple, si deux Corps pouvaient être dans un même lieu tout à la fois, deux particules de matière seraient une seule et même particule, soit que vous les supposiez grandes ou petites ; ou plutôt, tous les Corps ne seraient qu'un seul et même corps. Car par la même raison que deux particules de matière peuvent être dans un seul lieu, tous les Corps peuvent être aussi dans un seul lieu : supposition qui étant une fois admise détruit toute distinction entre l'*identité* et la *diversité*, entre un et plusieurs, et la rend tout à fait ridicule. Or comme c'est une contradiction, que deux ou plus ne soient qu'un, l'*identité* et la *diversité* sont des rapports et des moyens de comparaison très bien fondés, et de grand usage à l'entendement.

[Identité des *Modes*]

Toutes les autres choses n'étant, après les Substances, que des *Modes* ou des *Relations* qui se terminent aux Substances, on peut déterminer encore par la même voie l'*identité* et la *diversité* de chaque existence particulière qui leur convient. Seulement à l'égard des choses dont l'existence consiste dans une perpétuelle succession, comme sont les actions des Êtres finis, le *mouvement* et la *Pensée*, qui consistent l'un et l'autre dans une continuelle succession, on ne peut douter de leur *diversité* ; car chacune périssant dans le même moment qu'elle commence, elles ne sauraient exister en différents temps, ou en différents lieux, ainsi que des Êtres permanents peuvent en divers temps exister dans des lieux différents ; et par conséquent, aucun mouvement ni aucune pensée qu'on considère comme dans différents temps, ne peuvent être les mêmes, puisque chacune de leurs parties a un différent commencement d'existence.

§. 3. [Ce que c'est qu'on nomme dans les Écoles *Principium Individuationis*]

Par tout ce que nous venons de dire il est aisé de voir ce que c'est qui constitue un *Individu* et le distingue de tout autre

Être, (ce qu'on nomme *Principium Individuationis* dans les Écoles, où l'on se tourmente si fort pour savoir ce que c'est) il est, dis-je, évident que ce *Principe* consiste dans l'existence même qui fixe chaque Être, de quelque sorte qu'il soit, à un temps particulier, et à un lieu incommunicable à deux Êtres de la même espèce. Quoique cela paraisse plus aisé à concevoir dans les *Substances* ou dans les *Modes* les plus simples, on trouvera pourtant, si l'on y fait réflexion, qu'il n'est pas plus difficile de le comprendre dans les Substances, ou dans les Modes les plus complexes, si l'on prend la peine de considérer à quoi ce Principe est précisément appliqué. Supposons, par exemple, un *Atome*, c'est-à-dire, un Corps continu sous une surface immuable, qui existe dans un temps et dans un lieu déterminé, il est évident que dans quelque instant de son existence qu'on le considère, il est dans cet instant le même avec lui-même. Car étant dans cet instant ce qu'il est effectivement et rien autre chose, il est le même et doit continuer d'être tel, aussi longtemps que son existence est continuée ; car pendant tout ce temps il sera le même, et non un autre. Et si deux, trois, quatre *Atomes*, et davantage, sont joints ensemble dans une même *masse*, chacun de ces Atomes sera le même, par la règle que je viens de poser ; et pendant qu'ils existent joints ensemble, la *masse* qui est composée des mêmes Atomes, doit être la même *masse*, ou le même *corps*, de quelque manière que les parties soient assemblées. Mais si l'on en ôte un de ces Atomes, ou qu'on[2] y en ajoute un nouveau, ce n'est plus la même *masse*, ni le même *corps*. Quant aux créatures vivantes, leur *identité* ne dépend pas d'une *masse composée des mêmes particules*, mais de quelque autre chose. Car en elles un changement de grandes parties de matière ne donne point d'atteinte à l'*identité*. Un *Chêne* qui d'une petite plante devient un grand arbre, et qu'on vient d'émonder, est toujours *le même Chêne* ; et un *Poulain* devenu *Cheval*, tantôt gras, et tantôt maigre, est durant tout ce temps-là *le même Cheval*, quoique dans ces deux cas il y ait un manifeste changement de parties : de sorte qu'en effet ni l'un ni l'autre n'est *une même masse* de matière, bien qu'ils soient véritablement, l'un *le même Chêne*, et l'autre, *le même*

---

2. *Erratum* dans l'édition Coste : qu'un.

Cheval. Et la raison de cette différence est fondée sur ce que dans ces deux cas concernant une masse de matière, et un Corps vivant, l'*identité* n'est pas appliquée à la même chose.

§. 4. [Identité des *Végétaux*]

Il reste donc de voir en quoi un *Chêne* diffère d'une masse de matière; et c'est, ce me semble, en ce que la dernière de ces choses n'est que la cohésion de certaines particules de matière, de quelque manière qu'elles soient unies; au lieu que l'autre est une disposition de ces particules telle qu'elle doit être pour constituer les parties d'un *Chêne*, et une telle *organisation* de ces parties qui soit propre à recevoir et à distribuer la nourriture nécessaire pour former le bois, l'écorce, les feuilles, etc. d'un *Chêne*, en quoi consiste la vie des *Végétaux*. Puis donc que ce qui constitue l'*unité* d'une Plante, c'est d'avoir une telle *organisation* de parties dans un seul Corps qui participe à une commune vie; une Plante continue d'être *la même Plante* aussi longtemps qu'elle a part à la même vie, quoique cette vie vienne à être communiquée à de nouvelles parties de matière, unies vitalement à la Plante déjà vivante, en vertu d'une pareille *organisation* continuée, laquelle convient à cette espèce de Plante. Car cette organisation étant en un certain moment dans un certain amas de matière, est distinguée dans ce composé particulier de toute autre organisation, et constitue cette vie *individuelle*, qui existe continuellement dans ce moment, tant avant qu'après, dans la même continuité de parties insensibles qui se succèdent les unes aux autres, unies au corps vivant de la *Plante*, par où la Plante a cette *identité* qui la fait être la même *Plante*, et qui fait que toutes ses parties sont les parties d'une même *Plante* pendant tout le temps qu'elles existent jointes à cette *organisation* continuée, qui est propre à transmettre cette commune vie à toutes les parties ainsi unies.

§. 5. [Identité des Animaux]

Le cas n'est pas si différent dans les Brutes que chacun ne puisse conclure de là, que leur *identité* consiste dans ce qui constitue un *Animal* et le fait continuer d'être *le même*. Il y a quelque chose de pareil dans les Machines artificielles, et qui peut servir à éclaircir cet article. Car, par exemple, qu'est-ce qu'une Montre? Il est évident que ce n'est autre chose qu'une

organisation ou construction de parties propre à une certaine fin, qu'elle est capable de remplir, lorsqu'elle reçoit l'impression d'une force suffisante pour cela. De sorte que si nous supposons que cette machine fût un seul corps continu, dont toutes les parties organisées fussent réparées, augmentées, ou diminuées par une constante addition ou séparation de parties insensibles par le moyen d'une commune vie qui entretînt toute la machine, nous aurions quelque chose de fort semblable au corps d'un *Animal*, avec cette différence, que dans un Animal la justesse de l'organisation et du mouvement, en quoi consiste la vie, commence tout à la fois, le mouvement venant de dedans, au lieu que dans les machines la force qui les fait agir, venant de dehors, manque souvent lorsque l'organe est en état et bien disposé à en recevoir les impressions.

§. 6. [Identité de l'Homme]

Cela montre encore en quoi consiste l'*identité* du même *Homme*, savoir, en cela seul qu'il jouit de la même vie, continuée par des particules de matière qui sont dans un flux perpétuel, mais qui dans cette succession sont *vitalement* unies au même corps organisé. Quiconque attachera l'*identité de l'Homme* à quelque autre chose qu'à ce qui constitue celle des autres Animaux, je veux dire à un corps bien organisé dans un certain instant, et qui dès lors continue dans cette *organisation vitale* par une succession de diverses particules de matière qui lui sont unies, aura de la peine à faire qu'un *Embryon*, un Homme âgé, un Fou et un Sage soient le même Homme en vertu d'une supposition, d'où il ne s'ensuive qu'il est possible que *Seth, Ismaël, Socrate, Pilate, St. Augustin*, et *César Borgia* sont un seul et *même Homme*. Car si l'*identité* de l'Âme fait toute seule qu'un Homme est *le même*, et qu'il n'y ait rien dans la nature de la matière qui empêche qu'un même Esprit *individuel* ne puisse être uni à différents corps, il sera fort possible que ces Hommes qui ont vécu en différents siècles et qui ont été d'un tempérament différent, aient été un seul et même homme : façon de parler qui serait fondée sur l'étrange usage qu'on ferait du mot *Homme*, en l'appliquant à une idée dont on exclurait le corps et la forme extérieure. Cette manière de parler s'accorderait encore plus mal avec les notions de ces Philosophes qui reconnaissant la *Transmigration*, croient que

les âmes des Hommes peuvent être envoyées pour punition de leurs dérèglements dans des corps de Bêtes, comme dans des habitations propres à l'assouvissement de leurs passions brutales. Car je ne crois pas qu'une personne qui serait assurée que l'âme d'*Héliogabale* existait dans l'un de ses *pourceaux*, voulût dire que ce *pourceau* était un *Homme*, ou le même Homme qu'*Héliogabale*.

§. 7. [L'Identité répond à l'idée qu'on se fait des choses]

Ce n'est donc pas l'identité de Substance qui comprend toute sorte d'*identité*, ou qui la peut déterminer dans chaque rencontre. Mais pour se faire une idée exacte de l'*identité*, et en juger sainement, il faut voir quelle idée est signifiée par le mot auquel on l'applique[3] ; car être la même *Substance*, le même *Homme*, et la même *Personne* sont trois choses différentes, s'il est vrai que ces trois termes, *Personne*, *Homme*, et *Substance*, emportent trois différentes idées ; parce que telle qu'est l'idée qui appartient à un certain nom, telle doit être l'*identité*. Cela considéré avec un peu plus d'attention et d'exactitude, aurait peut-être prévenu une bonne partie des embarras où l'on tombe souvent sur cette matière, et qui sont suivis de grandes difficultés apparentes, principalement à l'égard de l'*identité personnelle*, que nous allons examiner pour cet effet avec un peu d'application.

§. 8. [Ce qui fait *le même Homme*]

Un *Animal* est un Corps vivant organisé ; et par conséquent *le même Animal* est, comme nous l'avons déjà remarqué, la même vie continuée, qui est communiquée à différentes particules de matière, selon qu'elles viennent à être successivement unies à ce Corps organisé qui a de la vie : et quoi qu'on dise des autres définitions, une observation sincère nous fait voir certainement, que l'idée que nous avons dans l'esprit de ce dont le mot *Homme* est signe dans notre bouche, n'est autre chose que l'idée d'un Animal d'une certaine forme. C'est de quoi je ne doute en aucune manière ; car je crois pouvoir avancer hardiment, que qui de nous verrait une Créature

----

3. Ceci sert à expliquer la fin du premier paragraphe de ce chapitre [note de Coste].

faite et formée comme soi-même, quoi qu'elle n'eût jamais
fait paraître plus de raison qu'un *Chat* ou un *Perroquet*, ne
laisserait pas de l'appeler *Homme*; ou que, s'il entendait un
Perroquet discourir raisonnablement et en Philosophe, il ne
l'appellerait ou ne le croirait que *Perroquet*, et qu'il dirait du
premier de ces Animaux que c'est un *Homme* grossier, lourd
et destitué de raison, et du dernier que c'est un *Perroquet*
plein d'esprit et de bon sens. Un fameux Écrivain de ce
temps [4] nous raconte une histoire qui peut suffire pour autoriser la supposition que je viens de faire d'un Perroquet raisonnable. Voici ses paroles :

« J'avais toujours eu envie de savoir de la propre bouche du
prince *Maurice de Nassau*, ce qu'il y avait de vrai dans une
histoire que j'avais ouï dire plusieurs fois au sujet d'un Perroquet qu'il avait pendant qu'il était dans son Gouvernement du
Brésil. Comme je crus que vraisemblablement je ne le verrais
plus, je le priai de m'en éclaircir. On disait que ce Perroquet
faisait des questions et des réponses aussi justes qu'une créature raisonnable aurait pu faire, de sorte que l'on croyait dans
la Maison de ce Prince que ce Perroquet était possédé. On
ajoutait qu'un de ses Chapelains qui avait vécu depuis ce
temps-là en Hollande, avait pris une si forte aversion pour les
Perroquets à cause de celui-là, qu'il ne pouvait pas les souffrir, disant qu'ils avaient le Diable dans le corps. J'avais
appris toutes ces circonstances et plusieurs autres qu'on m'assurait être véritables ; ce qui m'obligea de prier le Prince
Maurice de me dire ce qu'il y avait de vrai en tout cela. Il me
répondit avec sa franchise ordinaire et en peu de mots, qu'il y
avait quelque chose de véritable, mais que la plus grande
partie de ce qu'on m'avait dit, était faux. Il me dit que lorsqu'il vint dans le Brésil, il avait ouï parler de ce Perroquet ; et
qu'encore qu'il crût qu'il n'y avait rien de vrai dans le récit
qu'on lui en faisait, il avait eu la curiosité de l'envoyer chercher, quoiqu'il fût fort loin du lieu où le Prince faisait sa résidence : que cet Oiseau était fort vieux et fort gros ; et que
lorsqu'il vint dans la Salle où le Prince était avec plusieurs
Hollandais auprès de lui, le Perroquet dit dès qu'il les vit,

---

4. Mr. le Chevalier Temple dans ses *Mémoires*, p. 66, Édit. de Hollande,
ann. 1692 [note de Coste].

Quelle compagnie d'Hommes blancs est celle-ci? On lui demanda en lui montrant le Prince, *qui il était?* Il répondit que c'était *quelque Général.* On le fit approcher, et le Prince lui demanda, *D'où venez-vous?* Il répondit, *de Marinan.* Le Prince, *A qui êtes-vous?* Le Perroquet, *A un Portugais.* Le Prince, *Que fais-tu là?* Le Perroquet, *Je garde les poules.* Le Prince se mit à rire, et dit, *Vous gardez les poules?* Le Perroquet répondit, *Oui, moi; et je sais bien faire chuc, chuc*; ce qu'on a accoutumé de faire quand on appelle les poules, et ce que le Perroquet répéta plusieurs fois. Je rapporte les paroles de ce beau dialogue en français, comme le Prince me les dit. Je lui demandai encore en quelle langue parlait le Perroquet. Il me répondit que c'était en brésilien. Je lui demandai s'il entendait cette Langue. Il me répondit que non, mais qu'il avait eu soin d'avoir deux interprètes, un Brésilien qui parlait Hollandais, et l'autre Hollandais qui parlait Brésilien, qu'il les avait interrogés séparément, et qu'ils lui avaient rapporté tous deux les mêmes paroles. Je n'ai pas voulu omettre cette histoire, parce qu'elle est fort singulière, et qu'elle peut passer pour certaine. J'ose dire au moins que ce Prince croyait ce qu'il me disait, ayant toujours passé pour un Homme de bien et d'honneur. Je laisse aux Naturalistes le soin de raisonner sur cette aventure, et aux autres Hommes la liberté d'en croire ce qu'il leur plaira. Quoi qu'il en soit, il n'est peut-être pas mal d'égayer quelquefois la scène par de telles digressions, à propos ou non. »

J'ai eu soin de faire voir à mon Lecteur cette histoire tout au long dans les propres termes de l'Auteur, parce qu'il me semble qu'il ne l'a pas jugée incroyable; car on ne saurait s'imaginer qu'un si habile Homme que lui, qui avait assez de capacité pour autoriser tous les témoignages qu'il nous donne de lui-même, eût pris tant de peine dans un endroit où cette histoire ne fait rien à son sujet, pour nous réciter sur la foi d'un Homme qui était non seulement son Ami, comme il nous l'apprend lui-même, mais encore un Prince qu'il reconnaît Homme de bien et d'honneur, un conte qu'il ne pouvait croire incroyable sans le regarder comme fort ridicule. Il est visible que le Prince qui garantit cette histoire, et que notre Auteur qui la rapporte après lui, appellent tous deux ce causeur, *un Perroquet*: et je demande à toute autre personne à qui cette

histoire paraît digne d'être racontée, si, supposé que ce Perroquet et tous ceux de son espèce eussent toujours parlé, comme
ce Prince nous assure que celui-là parlait, je demande, dis-je,
s'ils n'auraient pas passé pour une race d'*Animaux raison-
nables*; mais si malgré tout cela ils n'auraient pas été recon-
nus pour des Perroquets plutôt que pour des Hommes. Car je
m'imagine que ce qui constitue l'idée d'*un Homme* dans l'esprit de la plupart des gens, n'est pas seulement l'idée d'un
Être pensant et raisonnable, mais aussi celle d'un corps formé
de telle et telle manière qui est joint à cet Être. Or si c'est là
l'idée d'un *homme*, le même corps formé de parties successives qui ne se dissipent pas toutes à la fois, doit concourir
aussi bien qu'un même esprit immatériel à faire le *même
Homme*.

§. 9. [En quoi consiste l'*Identité personnelle*.]
Cela posé, pour trouver en quoi consiste l'*identité personnelle*, il faut voir ce qu'emporte le mot de *personne*. C'est, à
ce que je crois, un Être pensant et intelligent, capable de
raison et de réflexion, et qui se peut consulter soi-même
comme *le même*, comme une même chose qui pense en différents temps et en différents lieux; ce qu'il fait uniquement par
le sentiment qu'il a de ses propres actions, lequel est inséparable de la pensée, et lui est, ce me semble, entièrement essentiel, étant impossible à quelque Être que ce soit d'*apercevoir*
sans apercevoir qu'il *aperçoit*. Lorsque nous voyons, que
nous entendons, que nous *flairons*, que nous goûtons, que
nous sentons, que nous méditons, ou que nous voulons
quelque chose, nous le connaissons à mesure que nous le faisons. Cette connaissance accompagne toujours nos sensations
et nos perceptions présentes; et c'est par là que chacun est à
lui-même ce qu'il appelle *soi-même*. On ne considère pas
dans ce cas si le même *Soi*[5] est continué dans la même Substance, ou dans diverses Substances. Car puisque la *conscience*[6] accompagne toujours la pensée, et que c'est là ce qui

5. [Note de Coste sur la traduction de *self* par *soi* : voir ci-dessus notre
Introduction, p. 14.]
6. [Note de Coste sur la traduction de *consciousness* par *con-science* :
voir ci-dessus notre Introduction p. 14 sq.]

fait que chacun est ce qu'il nomme *soi-même*, et par où il se distingue de toute autre chose pensante : c'est aussi en cela seul que consiste l'*identité personnelle*, ou ce qui fait qu'un Être raisonnable est toujours *le même*. Et aussi loin que cette *con-science* peut s'étendre sur les actions ou les pensées déjà passées, aussi loin s'étend l'identité de cette personne : le *soi* est présentement le même qu'il était alors ; et cette action passée a été faite par le même *soi* que celui qui se la remet à présent dans l'esprit.

§. 10. [La *Con-science* fait l'identité personnelle.]

Mais on demande outre cela, si c'est précisément et absolument la même Substance. Peu de gens penseraient être en droit d'en douter, si les perceptions avec la *con-science* qu'on en a soi-même, se trouvaient toujours présentes à l'esprit, par où la même *chose pensante* serait toujours *sciemment* présente, et, comme on croirait, évidemment la même à elle-même. Mais ce qui semble faire de la peine dans ce point, c'est que cette *con-science* est toujours interrompue par l'oubli, n'y ayant aucun moment dans notre vie, auquel tout l'enchaînement des actions que nous avons jamais faites, soit présent à notre esprit ; c'est que ceux qui ont le plus de mémoire perdent de vue une partie de leurs actions, pendant qu'ils considèrent l'autre ; c'est que quelquefois, ou plutôt la plus grande partie de notre vie, au lieu de réfléchir sur notre *soi* passé, nous sommes occupés de nos pensées présentes, et qu'enfin dans un profond sommeil nous n'avons absolument aucune pensée, ou aucune du moins qui soit accompagnée de cette *con-science* qui est attachée aux pensées que nous avons en veillant. Comme, dis-je, dans tous ces cas le sentiment que nous avons de nous-mêmes est interrompu, et que nous nous perdons *nous-mêmes* de vue par rapport au passé, on peut douter si nous sommes toujours la même *chose pensante*, c'est-à-dire, la même Substance, ou non. Doute, quelque raisonnable ou déraisonnable qu'il soit, qui n'intéresse en aucune manière l'*identité personnelle*. Car il s'agit de savoir ce qui fait la *même personne*, et non si c'est précisément la même Substance qui pense toujours dans la même personne, ce qui ne fait rien dans ce cas ; parce que différentes Substances peuvent être unies dans une seule personne par le

moyen de la même *con-science* à laquelle ils ont part, tout ainsi que différents corps sont unis par la même vie dans un seul Animal, dont l'*identité* est conservée parmi le changement de Substances, à la faveur de l'unité d'une même vie continuée. En effet, comme c'est la même *con-science* qui fait qu'un Homme est *le même* à lui-même, l'*identité personnelle* ne dépend que de là, soit que cette *con-science* ne soit attachée qu'à une seule Substance individuelle, ou qu'elle puisse être continuée dans différentes Substances qui se succèdent l'une à l'autre. En effet, tant qu'un Être intelligent peut répéter en soi-même l'idée d'une action passée avec la même *con-science* qu'il en avait eue premièrement, et avec la même qu'il a d'une action présente, jusque-là il est le *même soi*. Car c'est par la *con-science* qu'il a en lui-même de ses pensées et de ses actions présentes qu'il est dans ce moment *le même* à lui-même; et par la même raison il sera le même *soi*, aussi longtemps que cette *con-science* peut s'étendre aux actions passées ou à venir : de sorte qu'il ne saurait non plus être deux personnes par la distance des temps, ou par le changement de Substance, qu'un Homme être deux Hommes, parce qu'il porte aujourd'hui un habit qu'il ne portait pas hier, après avoir dormi entre deux pendant un long ou un court espace de temps. Cette même *con-science* réunit dans la même personne ces actions qui ont existé en différents temps, quelles que soient les Substances qui ont contribué à leur production.

§. 11. [L'*identité personnelle* subsiste dans le changement des Substances.]

Que cela soit ainsi, nous en avons une espèce de démonstration dans notre propre corps, dont toutes les particules font partie de nous-mêmes, c'est-à-dire, de cet Être pensant qui se reconnaît intérieurement *le même*, tandis que ces particules sont vitalement unies à ce même *soi* pensant, de sorte que nous sentons le bien ou le mal qui leur arrive par l'attouchement ou par quelque autre voie que ce soit. Ainsi les membres du corps de chaque Homme sont une partie de *lui-même* : il prend part et est intéressé à ce qui les touche. Mais qu'une main vienne à être coupée, et par là séparée du sentiment du chaud, du froid, et des autres affections de cette main, dès ce moment elle n'est non plus une partie de ce que nous appelons *nous-mêmes*, que

la partie de matière qui est la plus éloignée de nous. Ainsi nous voyons que la Substance dans laquelle consistait le *soi personnel* en un temps, peut être changée dans un autre temps, sans qu'il arrive aucun changement à l'*identité personnelle* : car on ne doute point de la continuation de la même *personne*, quoique les membres qui en faisaient partie il n'y a qu'un moment, viennent à être retranchés.

§. 12. [Si elle subsiste dans le changement des Substances pensantes.]

Mais la Question est, *si la même Substance qui pense, étant changée, la personne peut être la même*, ou *si cette Substance demeurant la même, il peut y avoir différentes personnes*.

À quoi je réponds en premier lieu, que cela ne saurait être une question pour ceux qui font consister la pensée dans une *constitution animale*, purement matérielle, sans qu'une Substance immatérielle y ait aucune part. Car, que leur supposition soit vraie ou fausse, il est évident qu'ils conçoivent que l'identité personnelle est conservée dans quelque autre chose que dans l'identité de Substance, tout de même que l'identité de l'Animal est conservée dans l'identité de Vie et non de Substance. Et par conséquent, ceux qui n'attribuent la pensée qu'à une Substance immatérielle, doivent montrer, avant que de pouvoir attaquer ces premiers, pourquoi l'*identité personnelle* ne peut être conservée dans un changement de Substances immatérielles, ou dans une variété de Substances particulières immatérielles, aussi bien que l'*identité animale* se conserve dans un changement de Substances matérielles, ou dans une variété de corps particuliers ; à moins qu'ils ne veuillent dire qu'un seul esprit immatériel fait la même vie dans les Brutes, comme un seul esprit immatériel fait la même personne dans les Hommes, ce que les *Cartésiens* au moins n'admettront pas, de peur d'ériger aussi les Bêtes en Êtres pensants.

§. 13.

Mais, supposé qu'il n'y ait que des Substances immatérielles qui pensent, je dis sur la première partie de la question, qui est, *si la même Substance pensante étant changée, la personne peut être la même* ; je réponds, dis-je, qu'elle ne peut être résolue que par ceux qui savent quelle est l'espèce de

Substance qui [pense][7] en eux, et si la *con-science* qu'on a de ses actions passées, peut être transférée d'une Substance pensante à une autre Substance pensante. Je conviens que cela ne pourrait se faire, si cette *con-science* était une seule et même action individuelle. Mais comme ce n'est qu'une représentation actuelle d'une action passée, il reste à prouver comment il n'est pas possible que ce qui n'a jamais été réellement, puisse être représenté à l'esprit comme ayant été véritablement. C'est pourquoi nous aurons de la peine à déterminer jusques où le sentiment [*Consciousness*][8] des actions passées est attaché à quelque Agent individuel, en sorte qu'un autre Agent ne puisse l'avoir, il nous sera, dis-je, bien difficile de déterminer cela, jusqu'à ce que nous connaissions quelle espèce d'actions ne peuvent être faites sans un acte réfléchi de perception qui les accompagne, et comment ces sortes d'actions sont produites par des *Substances pensantes* qui ne sauraient penser sans en être convaincues en elles-mêmes. Mais parce que ce que nous appelons la *même con-science* n'est pas un même acte individuel, il n'est pas facile de s'assurer par la nature des choses, comment une Substance intellectuelle ne saurait recevoir la représentation d'une chose comme faite par elle-même, qu'elle n'aurait pas faite, mais qui peut-être aurait été faite par quelque autre Agent, tout aussi bien que plusieurs représentations en songe, que nous regardons comme véritables pendant que nous songeons. Et jusques à ce que nous connaissions plus clairement la nature des Substances pensantes, nous n'aurons point de meilleur moyen pour nous assurer que cela n'est point ainsi, que de nous en remettre à la Bonté de Dieu : car autant que la félicité ou la misère de quelqu'une de ses créatures capables de sentiment, se trouve intéressée en cela, il faut croire que cet Être suprême dont la Bonté est infinie, ne transportera pas de l'une à l'autre en conséquence de l'erreur où elles pourraient être, le sentiment de leurs bonnes ou de leurs mauvaises actions, qui entraîne après lui la peine ou la récompense. Je laisse à d'autres à juger jusqu'où ce raisonnement peut être pressé contre ceux qui font consister la Pensée dans

---

7. Dans le texte imprimé de Coste : pensée. Probablement erreur d'impression.

8. Note de Coste en marge.

un assemblage d'esprits animaux qui sont dans un flux continuel. Mais pour revenir à la question que nous avons en main, on doit reconnaître que si la même *con-science*, qui est une chose entièrement différente de la même figure ou du même mouvement numérique dans le corps, peut être transportée d'une Substance pensante à une autre Substance pensante, il se pourra faire que deux Substances pensantes ne constituent qu'une seule personne. Car l'*identité personnelle* est conservée, dès là que la même *con-science* est préservée dans la même Substance, ou dans différentes Substances.

§. 14.

Quant à la seconde partie de la question, qui est, *Si la même Substance immatérielle restant, il peut y avoir deux personnes distinctes* ; elle me paraît fondée sur ceci, *savoir*, si le même Être immatériel convaincu en lui-même de ses actions passées, peut être tout à fait dépouillé de tout sentiment de son existence passée, et le perdre entièrement, sans le pouvoir jamais recouvrer ; de sorte que commençant, pour ainsi dire, un nouveau compte depuis un nouveau période, il ait une *con-science* qui ne puisse s'étendre au-delà de ce nouvel état. Tous ceux qui croient la préexistence des Âmes, sont visiblement dans cette pensée, puisqu'ils reconnaissent que l'Âme n'a aucun reste de connaissance de ce qu'elle a fait dans l'état où elle a préexisté, ou entièrement séparée du Corps, ou dans un autre Corps. Et s'ils faisaient difficulté de l'avouer, l'expérience serait visiblement contre eux. Ainsi, l'*identité personnelle* ne s'étendant pas plus loin que le sentiment intérieur qu'on a de sa propre existence, un Esprit préexistant qui n'a pas passé tant de siècles dans une parfaite *insensibilité*, doit nécessairement constituer différentes personnes. Supposez un Chrétien *Platonicien* ou *Pythagoricien* qui se crût en droit de conclure de ce que Dieu aurait terminé le septième jour tous les ouvrage de la Création, que son âme a existé depuis ce temps-là, et qu'il vint à s'imaginer qu'elle aurait passé dans différents Corps Humains, comme un Homme que j'ai vu, qui était persuadé que son âme avait été l'âme de *Socrate* (je n'examinerai point si cette prétention était bien fondée ; mais ce que je puis assurer certainement, c'est que dans le poste qu'il a rempli, et qui n'était pas de petite importance, il a

passé pour un Homme fort raisonnable ; et il a paru par ses Ouvrages qui ont vu le jour, qu'il ne manquait ni d'esprit ni de savoir) cet Homme ou quelque autre qui crût la Transmigration des Âmes, dirait-il qu'il pourrait être la même personne que *Socrate*, quoiqu'il ne trouvât en lui-même aucun sentiment des actions ou des pensées de Socrate ? Qu'un Homme, après avoir réfléchi sur soi-même, conclue qu'il a en lui-même une âme immatérielle, qui est ce qui pense en lui, et le fait être le même, dans le changement continuel qui arrive à son corps, et que c'est là ce qu'il appelle *soi-même* : Qu'il suppose encore, que c'est la même âme qui était dans *Nestor* ou dans *Thersite* au siège de *Troie* ; car les Âmes étant indifférentes à quelque portion de matière que ce soit, autant que nous le pouvons connaître par leur nature, cette supposition ne renferme aucune absurdité apparente, et par conséquent cette Âme peut avoir été aussi bien celle de *Nestor* ou de *Thersite*, qu'elle est présentement celle de quelque autre Homme. Cependant si cet Homme n'a présentement aucun sentiment [ou *con-science*][9] de quoi que ce soit que *Nestor* ou *Thersite* ait jamais fait ou pensé, conçoit-il, ou peut-il concevoir qu'il est *la même personne* que *Nestor* ou *Thersite* ? Peutil prendre part aux actions de ces deux anciens Grecs ? Peut-il se les attribuer, ou penser qu'elles soient plutôt ses propres actions que celles de quelque autre Homme qui ait jamais existé ? Il est visible que le sentiment qu'il a de sa propre existence, ne s'étendant à aucune des actions de Nestor ou de Thersite, il n'est pas plus une même personne avec l'un des deux, que si l'âme ou l'esprit immatériel qui est présentement en lui, avait été créé, et avait commencé d'exister, lorsqu'il commença d'animer le corps qu'il a présentement ; quelque vrai qu'il fût d'ailleurs que le même esprit qui avait animé le corps de Nestor ou de Thersite, était le même en nombre que celui qui anime le sien présentement. Cela, dis-je, ne contribuerait pas davantage à le faire *la même personne* que Nestor, que si quelques-unes des particules de matière qui une fois ont fait partie de Nestor, étaient à présent une partie de cet Homme-là ; car la même Substance immatérielle sans la même *con-science*, ne fait non plus la même personne pour

9. Note de Coste en marge.

être unie à tel ou tel corps, que les mêmes particules de matière unies à quelque corps sans une *con-science* commune, peuvent faire la même personne. Mais que cet Homme vienne à trouver en lui-même que quelqu'une des actions de Nestor lui appartient comme émanée de lui-même, il se trouve alors la même personne que Nestor.

§. 15.

Et par là nous pouvons concevoir sans aucune peine ce qui à la Résurrection doit faire la même personne, quoique dans un corps qui n'ait pas exactement la même forme et les mêmes parties qu'il avait dans ce Monde, pourvu que la même *con-science* se trouve jointe à l'esprit qui l'anime. Cependant l'Âme toute seule, le Corps étant changé, peut à peine suffire pour faire *le même Homme*, hormis à l'égard de ceux qui attachent toute l'essence de l'Homme à l'âme qui est en lui. Car que l'âme d'un *Prince* accompagnée d'un sentiment intérieur de la vie de Prince qu'il a déjà menée dans le Monde, vint à entrer dans le corps d'un *Savetier*, aussitôt que l'âme de ce pauvre Homme aurait abandonné son corps, chacun voit que ce serait la même personne que le Prince, uniquement responsable des actions qu'elle aurait fait étant Prince. Mais qui voudrait dire que ce serait *le même Homme*? Le corps doit donc entrer aussi dans ce qui constitue l'Homme; et je m'imagine qu'en ce cas-là le corps déterminerait l'*Homme*, au jugement de tout le monde; et que l'âme accompagnée de toutes les pensées de Prince qu'elle avait autrefois, ne constituerait pas un autre Homme. Ce serait toujours le même Savetier, dans l'opinion de chacun, lui seul excepté[10]. Je sais que dans le langage ordinaire *la même personne*, et *le même homme* signifient une seule et même chose. À la vérité il sera toujours libre à chacun de parler comme il voudra, et d'attacher tels sons articulés à telles idées qu'il jugera à propos, et de les changer aussi souvent qu'il lui plaira. Mais lorsque nous voudrons rechercher ce que c'est qui fait le *même esprit*, le *même homme*, ou la *même*

10. Si lui seul doit être excepté, et qu'on convienne qu'il sait mieux que personne qu'il n'est pas *le même Savetier*, ce qu'on ne saurait nier, il semble qu'ici cet exemple est beaucoup plus propre à brouiller le point en question qu'à l'éclaircir. Car puisqu'en effet, et de l'aveu de Mr. Locke, cet Homme n'est point *le même Savetier*, c'est donc un autre Homme [note de Coste].

personne, nous ne saurions nous dispenser de fixer en nous-mêmes les idées d'*Esprit*, d'*Homme* et de *Personne* ; et après avoir ainsi établi ce que nous entendons par ces trois mots, il ne sera pas malaisé de déterminer à l'égard d'aucune de ces choses ou d'autres semblables, quand c'est qu'elle est, ou n'est pas *la même*.

§. 16. [La *Con-science* fait la *même personne*.]

Mais quoique la même Substance immatérielle ou la même Âme ne suffise pas toute seule pour constituer l'Homme, où qu'elle soit, et dans quelque état qu'elle existe ; il est pourtant visible que la *con-science*, aussi loin qu'elle peut s'étendre, quand ce serait jusqu'aux siècles passés, réunit dans une même personne les *existences* et les actions les plus éloignées par le temps, tout de même qu'elle unit l'existence et les actions du moment immédiatement précédent ; de sorte que quiconque a une *con-science*, un sentiment intérieur de quelques actions présentes et passées, est la même personne à qui ces actions appartiennent. Si, par exemple, je *sentais* également en moi-même que j'ai vu l'Arche et le Déluge de *Noé*, comme je *sens* que j'ai vu l'hiver passé l'inondation de la *Tamise*, ou que j'écris présentement, je ne pourrais non plus douter que le *moi* qui écrit dans ce moment, qui a vu l'hiver passé inonder la Tamise, et qui a été présent au Déluge Universel, ne fût le même *soi*, dans quelque Substance que vous mettiez ce *soi*, que je suis certain que moi qui écris ceci, suis, à présent que j'écris, le même *moi* que j'étais hier, soit que je sois tout composé ou non de la même Substance matérielle ou immatérielle. Car pour être le même *soi*, il est indifférent que ce même *soi* soit composé de la même Substance, ou de différentes Substances ; car je suis autant intéressé, et aussi justement responsable pour une action faite il y a mille ans, qui m'est présentement adjugée par cette *con-science*[11] que j'en ai comme ayant été faite par moi-même, que je le suis pour ce que je viens de faire dans le moment précédent.

---

11. *Self-consciousness* : mot expressif en anglais qu'on ne saurait rendre en français dans toute sa force. Je le mets ici en faveur de ceux qui entendent l'anglais [note de Coste].

§. 17. [Le *Soi* dépend de la *con-science*.]

Le *soi* est cette chose pensante, intérieurement convaincue de ses propres actions (de quelque Substance qu'elle soit formée, soit spirituelle ou matérielle, simple ou composée, il n'importe) qui sent du plaisir et de la douleur, qui est capable de bonheur ou de misère, et qui par là est intéressée pour soi-même, aussi loin que cette *con-science* peut s'étendre. Ainsi chacun éprouve tous les jours que, tandis que son petit doigt est compris sous cette *con-science*, il fait autant partie de *soi-même*, que ce qui y a le plus de part. Et si ce petit doigt venant à être séparé du reste du corps, cette *con-science* accompagnait le petit doigt, et abandonnait le reste du corps, il est évident que le petit doigt serait la *personne*, la *même personne* ; et qu'alors le *soi* n'aurait rien à démêler avec le reste du corps. Comme dans ce cas ce qui fait la même personne et qui constitue ce *soi* qui en est inséparable, c'est la *con-science* qui accompagne la Substance lorsqu'une partie vient à être séparée de l'autre ; il en est de même par rapport aux Substances qui sont éloignées par le temps. Ce à quoi la *con-science* de cette prétendue *chose pensante* se peut joindre, fait la même *personne* et le même *soi* avec elle, et non avec aucune autre chose ; et ainsi il reconnaît et s'attribue à lui-même toutes les actions de cette chose comme des actions qui lui sont propres, autant que cette *con-science* s'étend, et pas plus loin, comme l'apercevront tous ceux qui y feront quelque réflexion.

§. 18. [Ce qui est l'objet des Récompenses et des Châtiments.]

C'est sur cette *identité personnelle* qu'est fondé tout le droit et toute la justice des peines et des récompenses, du bonheur et de la misère ; puisque c'est sur cela que chacun est intéressé pour *lui-même*, sans se mettre en peine de ce qui arrive d'aucune Substance qui n'a aucune liaison avec cette *con-science*, ou qui n'y a point de part. Car comme il paraît nettement dans l'exemple que je viens de proposer, si la *con-science* suivait le petit doigt, lorsqu'il vient à être coupé, le même *soi* qui hier était intéressé pour tout le corps, comme faisant partie de *lui-même*, ne pourrait que regarder les actions qui furent faites hier, comme des actions qui lui appartiennent présentement. Et cependant, si le même corps continuait de vivre et d'avoir, immédiatement après

la séparation du petit doigt, sa *con-science* particulière à laquelle le petit doigt n'eût aucune part, le *soi* attaché au petit doigt n'aurait garde d'y prendre aucun intérêt comme à une partie de *lui-même*, il ne pourrait avouer aucune de ses actions, et l'on ne pourrait non plus lui en imputer aucune.

§. 19.

Nous pouvons voir par là en quoi consiste l'*identité person-nelle*, et qu'elle ne consiste pas en l'identité de Substance, mais, comme je l'ai dit, dans l'identité de *con-science* : de sorte que si *Socrate* et le présent Roi du *Mogol* participent à cette dernière identité, Socrate et le Roi du Mogol sont une même personne. Que si le même Socrate veillant et dormant ne participe pas à une seule et même *con-science*, Socrate veillant et dormant n'est pas la même personne. Et il n'y aurait pas plus de justice à punir Socrate veillant pour ce qu'aurait pensé Socrate dormant, et dont Socrate veillant n'aurait jamais eu aucun sentiment, qu'à punir un Jumeau pour ce qu'aurait fait son frère et dont il n'aurait aucun sentiment, parce que leur extérieur serait si semblable qu'on ne pourrait les distinguer l'un de l'autre ; car on a vu de tels Jumeaux.

§. 20.

Mais voici une Objection qu'on fera peut-être encore sur cet article : Supposé que je perde entièrement le souvenir de quelques parties de ma vie, sans qu'il soit possible de le rappeler, de sorte que je n'en aurai peut-être jamais aucune connaissance ; ne suis-je pourtant pas la même personne qui a fait ces actions, qui a eu ces pensées, desquelles j'ai eu une fois en moi-même un sentiment positif, quoique je les aie oubliées présentement ? Je réponds à cela, Que nous devons prendre garde à quoi ce mot JE est appliqué dans cette occasion. Il est visible que dans ce cas il ne désigne autre chose que l'Homme. Et comme on présume que le même Homme est la même personne, on suppose aisément qu'ici le mot JE signifie aussi la même personne. Mais s'il est possible à un même Homme d'avoir en différents temps une *con-science* distincte et incommunicable, il est hors de doute que le même Homme doit constituer différentes personnes en différents temps, et il paraît par des déclarations solennelles que c'est là le sentiment

du Genre Humain; car les Lois Humaines ne punissent pas l'*Homme fou* pour les actions que fait l'*Homme de sens rassis*, ni l'Homme de sens rassis pour ce qu'a fait l'Homme fou, par où elles en font deux personnes; ce qu'on peut expliquer en quelque sorte par une façon de parler dont on se sert communément en Français, quand on dit, *un tel n'est plus le même*, ou, *Il est hors de lui-même*[12] : expressions qui donnent à entendre en quelque manière que ceux qui s'en servent présentement, ou du moins qui s'en sont servis au commencement, ont cru que le *soi* était changé, que ce *soi*, dis-je, qui constitue la même personne, n'était plus dans cet Homme.

§. 21. [Différence entre l'identité d'*homme* et celle de *personne*.]

Il est pourtant bien difficile de concevoir que Socrate, le même Homme individuel, soit deux personnes. Pour nous aider un peu nous-mêmes à résoudre cette difficulté, nous devons considérer ce qu'on peut entendre par *Socrate*, ou par le même Homme individuel.

On ne peut entendre par là que ces trois choses.

Premièrement, la même Substance individuelle, immatérielle et pensante, en un mot, la même Âme en nombre, et rien autre chose.

Ou, en second lieu, le même Animal sans aucun rapport à l'Âme immatérielle.

Ou, en troisième lieu, le même Esprit immatériel uni au même Animal.

Qu'on prenne telle de ces suppositions qu'on voudra, il est impossible de faire consister l'*identité personnelle* dans autre chose que dans la *con-science*, ou même de la porter au delà.

Car par la première de ces suppositions on doit reconnaître qu'un Homme né de différentes femmes en divers temps, soit le même Homme. Façon de parler qu'on ne saurait admettre sans avouer qu'il est possible qu'un même Homme soit aussi bien deux personnes distinctes, que deux Hommes qui ont vécu en différents siècles sans avoir eu aucune connaissance mutuelle de leurs pensées.

---

12. Ce sont des expressions plus populaires que philosophiques, comme il paraît par l'usage qu'on en a toujours fait. *Tu fac apud te ut stes*, dit *Térence* dans *l'Andrienne*, Act. II, Sc. IV. [Note de Coste]

Par la seconde et la troisième supposition, Socrate dans cette vie, et après, ne peut être en aucune manière le même Homme qu'à la faveur de la même *con-science*; et ainsi en faisant consister l'*identité humaine* dans la même chose à quoi nous attachons l'*identité personnelle*, il n'y aura point d'inconvénient à reconnaître que le même Homme est la même personne. Mais en ce cas-là, ceux qui ne placent l'*identité humaine* que dans la *con-science*, et non dans aucune autre chose, s'engagent dans un fâcheux défilé; car il leur reste à voir comment ils pourront faire que Socrate enfant soit le même Homme que Socrate après la résurrection. Mais quoi que ce soit qui, selon certaines gens, constitue l'*Homme*, et par conséquent le même Homme individuel, sur quoi peut-être il y en a peu qui soient d'un même avis, il est certain qu'on ne saurait placer l'identité personnelle dans aucune autre chose que dans la *con-science*, qui seule fait ce qu'on appelle *soi-même*, sans s'embarrasser dans de grandes absurdités.

§. 22.
Mais si un Homme qui est ivre, et qui ensuite ne l'est plus, n'est pas la même personne, pourquoi le punit-on pour ce qu'il a fait étant ivre, quoiqu'il n'en ait plus aucun sentiment? Il est tout autant la même personne qu'un Homme qui pendant son sommeil marche et fait plusieurs autres choses, et qui est responsable de tout le mal qu'il vient à faire dans cet état, les Lois Humaines punissant l'un et l'autre par une justice conforme à leur manière de connaître les choses. Comme dans ces cas-là elles ne peuvent pas distinguer clairement ce qui est réel, et ce qui est contrefait, l'ignorance n'est pas reçue pour excuse de ce qu'on a fait étant ivre ou endormi. Car quoique la punition soit attachée à la *personnalité*, et la personnalité à la *con-science*, et qu'un Homme ivre n'ait peut-être aucune *con-science* de ce qu'il fait, il est pourtant puni devant les Tribunaux Humains, parce que le fait est prouvé contre lui, et qu'on ne saurait prouver pour lui le défaut de *con-science*. Mais au grand et redoutable Jour du Jugement, où les secrets de tous les cœurs seront découverts, on a le droit de croire que personne ne sera responsable de ce qui lui est entièrement inconnu, mais que chacun recevra ce qui lui est dû, étant accusé ou excusé par sa propre conscience.

§. 23. [La *Con-science* seule constitue le *soi*.]

Il n'y a que la *con-science* qui puisse réunir dans une même personne des *existences* éloignées. L'identité de Substance ne peut le faire. Car quelle que soit la Substance, de quelque manière qu'elle soit formée, il n'y a point de *personnalité* sans *con-science*; et un Cadavre peut aussi bien être une personne, qu'aucune sorte de Substance peut l'être sans *con-science*.

Si nous pouvions supposer deux *con-sciences* distinctes et incommunicables, qui agiraient dans le même corps, l'une constamment pendant le jour et l'autre durant la nuit, et d'un autre côté la même *con-science* agissant par intervalle dans deux corps différents; je demande si dans le premier cas l'Homme de jour et l'Homme de nuit, si j'ose m'exprimer de la sorte, ne seraient pas deux personnes aussi distinctes que *Socrate* et *Platon*; et si dans le second cas ce ne serait pas une seule personne dans deux corps distincts, tout de même qu'un Homme est le même Homme dans deux différents habits? Et il n'importe en rien de dire, que cette même *con-science* qui affecte deux différents corps, et ces *con-sciences* distinctes qui affectent le même corps en différents temps, appartiennent l'une à la même Substance immatérielle, et les deux autres à deux distinctes Substances immatérielles qui introduisent ces diverses *con-sciences* dans ces corps-là. Car que cela soit vrai ou faux, le cas ne change en rien du tout, puisqu'il est évident que l'*identité personnelle* serait également déterminée par la *con-science*, soit que cette *con-science* fût attachée à quelque Substance individuelle immatérielle, ou non. Car après avoir accordé que la Substance pensante qui est dans l'Homme, doit être supposée nécessairement immatérielle, il est évidemment qu'une chose immatérielle qui pense, doit quelquefois perdre de vue sa *con-science* passée et la rappeler de nouveau, comme il paraît en ce que les Hommes oublient souvent leurs actions passées, et que plusieurs fois l'Esprit rappelle le souvenir de choses qu'il avait faites, mais dont il n'avait eu aucune réminiscence pendant vingt ans de suite. Supposez que ces intervalles de mémoire et d'oubli reviennent par tour, le jour et la nuit, dès là vous avez deux personnes avec le même Esprit immatériel, tout ainsi que dans l'exemple que je viens de proposer, on voit deux personnes dans un même corps. D'où il s'ensuit que le *soi* n'est pas déterminé par l'identité ou la diver-

sité de Substance, dont on ne peut être assuré, mais seulement par l'identité de *con-science*.

§. 24.

À la vérité le *soi* peut concevoir que la Substance dont il est présentement composé, a existé auparavant, uni au même Être qui se sent le même. Mais séparez-en la *con-science*, cette Substance ne constitue non plus le même *soi*, ou n'en fait non plus une partie, que quelque autre Substance que ce soit, comme il paraît par l'exemple que nous avons déjà donné, d'un membre retranché du reste du corps, dont la chaleur, la froideur, ou les autres affections, n'étant plus attachées au sentiment intérieur que l'Homme a de ce qui le touche, ce membre n'appartient pas plus au *soi* de l'Homme qu'aucune autre matière de l'Univers. Il en sera de même de toute Substance immatérielle qui est destituée de cette *con-science* par laquelle je suis *moi-même* à moi-même ; car s'il y a quelque partie de son existence dont je ne puisse rappeler le souvenir pour la joindre à cette *con-science* présente par laquelle je suis présentement *moi-même*, elle n'est non plus moi-même par rapport à cette partie de son existence, que quelque autre Être immatériel que ce soit. Car qu'une Substance ait pensé ou fait des choses que je ne puis rappeler en moi-même, ni en faire mes propres pensées et mes propres actions par ce que nous nommons *con-science*, tout cela, dis-je, a beau avoir été fait ou pensé par une partie de *moi*, il ne m'appartient pourtant pas plus, que si un autre Être immatériel qui eût existé en tout autre endroit, l'eût fait ou pensé.

§. 25.

Je tombe d'accord que l'opinion la plus probable, c'est que ce sentiment intérieur que nous avons de notre existence et de nos actions, est attaché à une seule Substance individuelle et immatérielle.

Mais que les Hommes décident ce point comme ils voudront selon leurs différentes hypothèses, chaque Être intelligent sensible au bonheur ou à la misère, doit reconnaître qu'il y a en lui quelque chose qui est *lui-même*, à quoi il s'intéresse, et dont il désire le bonheur, que ce *soi* a existé dans une durée continue plus d'un instant, qu'ainsi il est possible qu'à l'avenir il existe comme il a déjà fait des mois et des années, sans qu'on puisse

mettre des bornes précises à sa durée ; et qu'il peut être le même *soi*, à la faveur de la même *con-science*, continuée pour l'avenir. Et ainsi par le moyen de cette *con-science*, il se trouve être le même *soi* qui fit, il y a quelques années, telle ou telle action, par laquelle il est présentement heureux ou malheureux. Dans cette exposition de ce qui constitue le *soi*, on n'a point d'égard à la même Substance numérique comme constituant *le même soi*, mais à la même *con-science* continuée ; et quoique différentes Substances puissent avoir été unies à cette *con-science*, et en avoir été séparées dans la suite, elles ont pourtant fait partie de ce même *soi*, tandis qu'elles ont persisté dans une union vitale avec le Sujet où cette *con-science* résidait alors. Ainsi chaque partie de notre corps qui [est] vitalement unie à ce qui agit en nous avec *con-science* fait une partie de *nous-mêmes* ; mais dès qu'elle vient à être séparée de cette union vitale, par laquelle cette *con-science* lui est communiquée, ce qui était partie de nous-mêmes il n'y a qu'un moment, ne l'est non plus à présent, qu'une portion de matière unie vitalement au corps d'un autre Homme est une partie de *moi-même* ; et il n'est pas impossible qu'elle puisse devenir en peu de temps une partie réelle d'une autre personne. Voilà comment une même Substance numérique vient à faire partie de deux différentes personnes, et comment une même personne est conservée parmi le changement de différentes Substances. Si l'on pouvait supposer un Esprit entièrement privé de tout souvenir et de toute *con-science* de ses actions passées, comme nous éprouvons que les nôtres le sont à l'égard d'une grande partie, et quelquefois de toutes, l'union ou la séparation d'une telle Substance spirituelle ne ferait non plus de changement à l'*identité personnelle*, que celle que fait quelque particule de matière que ce puisse être. Toute Substance vitalement unie à ce présent Être pensant, est une partie de ce même *soi* qui existe présentement ; et toute Substance qui lui est unie par la *con-science* des actions passées, fait aussi partie de ce même *soi*, qui est le même tant à l'égard de ce temps passé qu'à l'égard du temps présent.

§. 26. [Le mot de *Personne* est un terme de Barreau.]

Je regarde le mot de *Personne* comme un mot qui a été employé pour désigner précisément ce qu'on entend par *soi-même*. Partout où un Homme trouve ce qu'il appelle *soi-*

même, je crois qu'un autre peut dire que là réside la même personne. Le mot de *Personne* est un terme de Barreau qui *approprie* des actions, et le mérite ou le démérite de ces actions ; et qui par conséquent n'appartient qu'à des Agents intelligents, capables de Loi, et de bonheur ou de misère. La *personnalité* ne s'étend au-delà de l'existence présente, jusqu'à ce qui est passé, que par le moyen de la *con-science*, qui fait que la personne prend intérêt à des actions passées, en devient responsable, les reconnaît pour siennes, et se les impute sur le même fondement et pour la même raison qu'elle s'attribue les actions présentes. Et tout cela est fondé sur l'intérêt qu'on prend au bonheur qui est inévitablement attaché à la *con-science* ; car ce qui a un sentiment de plaisir et de douleur, désire que ce *soi* en qui réside ce sentiment, soit heureux. Ainsi toute action passée qu'il ne saurait adopter ou *approprier* par la *con-science* à ce présent *soi*, ne peut non plus l'intéresser que s'il ne l'avait jamais faite, de sorte que s'il venait à recevoir du plaisir ou de la douleur, c'est-à-dire, des récompenses ou des peines en conséquence d'une telle action, ce serait autant que s'il devenait heureux ou malheureux dès le premier moment de son existence sans l'avoir mérité en aucune manière. Car supposé qu'un Homme fût puni présentement pour ce qu'il a fait dans une autre Vie, mais dont on ne saurait lui faire avoir absolument aucune *con-science*, il est tout visible qu'il n'y aurait aucune différence entre un tel traitement, et celui qu'on lui ferait en le créant misérable. C'est pourquoi St. *Paul* nous dit, qu'au Jour du Jugement où *Dieu rendra à chacun selon ses œuvres, les secrets de tous les cœurs seront manifestés*. La sentence sera justifiée par la conviction même où seront tous les Hommes, que dans quelque Corps qu'ils paraissent, ou à quelque Substance que ce sentiment intérieur soit attaché, ils ont *eux-mêmes* commis telles ou telles actions, et qu'ils méritent le châtiment qui leur est infligé pour les avoir commises.

§. 27.

Je n'ai pas de peine à croire que certaines suppositions que j'ai faites pour éclaircir cette matière, paraîtront étranges à quelques-uns de mes Lecteurs ; et peut-être le sont-elles effectivement. Il me semble pourtant qu'elles sont excusables,

vu l'ignorance où nous sommes concernant la nature de cette *Chose pensante* qui est en nous, et que nous regardons comme *nous-mêmes*. Si nous savions ce que c'est que cet Être, ou comment il est uni à un certain assemblage d'esprits animaux qui sont dans un flux continuel, ou s'il pourrait ou ne pourrait pas penser et se ressouvenir hors d'un corps organisé comme sont les nôtres ; et si Dieu a jugé à propos d'établir qu'un tel Esprit ne fût uni qu'à un tel corps, en sorte que sa faculté de retenir ou de rappeler les idées dépendît de la juste constitution des organes de ce corps, si, dis-je, nous étions une fois bien instruits de toutes ces choses, nous pourrions voir l'absurdité de quelques-unes des suppositions que je viens de faire. Mais si dans les ténèbres où nous sommes sur ce sujet, nous prenons l'Esprit de l'Homme, comme on a accoutumé de faire présentement, pour une Substance immatérielle, indépendante de la Matière, à l'égard de laquelle il est également indifférent, il ne peut y avoir aucune absurdité, fondée sur la nature des choses, à supposer que le même Esprit peut en divers temps être uni à divers corps, et composer avec eux un seul Homme durant un certain temps, tout ainsi que nous supposons que ce qui était hier une partie du corps d'une Brebis peut être demain une partie du corps d'un Homme, et faire dans cette union une partie vitale de *Mélibée*, aussi bien qu'il faisait auparavant une partie de son *Bélier*.

§. 28.

Enfin, toute Substance qui commence à exister, doit nécessairement être la même durant son existence : de même, quelque composition de Substances qui vienne à exister, le composé doit être le même pendant que ces substances sont ainsi jointes ensemble ; et tout *Mode* qui commence à exister, est aussi le même durant tout le temps de son existence. Enfin la même règle a lieu, soit que la composition renferme des Substances distinctes, ou différents *modes*. D'où il paraît que la difficulté ou l'obscurité qu'il y a dans cette matière, vient plutôt des mots mal appliqués, que de l'obscurité des choses mêmes. Car quelle que soit la chose qui constitue une idée spécifique, désignée par un certain nom, si cette idée est constamment attachée à ce nom, la distinction de l'identité ou

de la diversité d'une chose sera fort aisée à concevoir, sans qu'il puisse naître aucun doute sur ce sujet.

§. 29.

Supposons, par exemple, qu'un Esprit raisonnable constitue *l'idée d'un Homme*, il est aisé de savoir ce que c'est que le *même Homme*; car il est visible qu'en ce cas-là le même Esprit, séparé du corps, ou dans le corps, sera le *même Homme*. Que si l'on suppose qu'un Esprit raisonnable, vitalement uni à un corps d'une certaine configuration de parties constitue un Homme, l'Homme sera *le même*, tandis que cet Esprit raisonnable restera uni à cette configuration vitale des parties, quoique continuée dans un corps dont les particules se succèdent les unes aux autres dans un flux perpétuel. Mais si d'autres gens ne renferment dans leur idée de l'Homme que l'union vitale de ces parties avec une certaine forme extérieure, un Homme restera *le même* aussi longtemps que cette union vitale et cette forme resteront dans un composé, qui n'est le même qu'à la faveur d'une succession de particules, continuées dans un flux perpétuel. Car quelle que soit la composition dont une idée complexe est formée, tant que l'existence la fait une chose particulière sous une certaine dénomination, la même existence continuée fait qu'elle continue d'être le même individu sous la même dénomination.

John LOCKE

OF IDENTITY
AND DIVERSITY

An Essay concerning Human Understanding,
Book II, Chapter xxvii[1]

§ 1. *Wherein identity consists.* Another occasion, the mind often takes of comparing, is the very being of things, when considering any thing as existing at any determined time and place, we compare it with it self existing at another time, and thereon form the ideas of identity and diversity. When we see any thing to be in any place in any instant of time, we are sure, (be it what it will) that it is that very thing, and not another, which at that same time exists in another place, how like and undistinguishable soever it may be in all other respects : and in this consists identity, when the ideas it is attributed to vary not at all from what they were that moment, wherein we consider their former existence, and to which we compare the present. For we

1. Nous nous inspirons des éditions de John W. Yolton, *Everyman's Library*, J.M. Dent and Sons, London 1961 (révisée en 1965) et surtout de Peter H. Nidditch, Oxford University Press, 1975, qui prend pour base la quatrième édition publiée par Locke en 1700. L'orthographe est partiellement modernisée (initiales sans majuscules, abbréviations), ainsi que la graphie (mais nous conservons *self* en italiques en position de substantif) ; la ponctuation est respectée, de même que les séparations et les liaisons des expressions ou mots composés (*any thing* vs *anything*, *some body* vs *somebody*, *it self* vs *itself*, etc.). Les « marginal summaries » figurant également dans la table analytique des matières ont été incorporés dans le texte au début de chaque paragraphe. Les variantes ne sont pas prises en compte.

John LOCKE

IDENTITÉ
ET DIFFÉRENCE

Essai sur l'entendement humain,
Livre II, Chapitre xxvii[1]

§ 1. *En quoi consiste l'identité.* Une autre occasion pour l'esprit de faire des comparaisons lui est offerte par l'être même des choses, lorsque, considérant qu'une chose existe à un certain moment et à une certaine place, nous la comparons avec elle-même existant à un autre moment, et formons de là les idées de l'identique et du différent. Quand nous voyons que quelque chose est en quelque lieu à quelque moment du temps, nous pouvons être certains que c'est bien cette chose (quelle qu'en soit d'ailleurs la nature), et non une autre qui au même moment existe en un autre lieu, si semblables et indiscernables qu'elles puissent être pour tout le reste : en cela consiste la relation d'identité, que les idées auxquelles elle est attribuée ne changent en rien par rapport à ce qu'elles étaient au moment où nous considérons leur existence antérieure, et auquel nous comparons leur existence présente. De ce que

1. Mme Geneviève Brykman a bien voulu relire notre traduction. Nous la remercions vivement de ses observations et suggestions.

never finding, nor conceiving it possible, that two things of the same kind should exist in the same place at the same time, we rightly conclude, that whatever exists any where at any time, excludes all of the same kind, and is there it self alone. When therefore we demand, whether any thing be the same or no, it refers always to something that existed such a time in such a place, which it was certain, at that instant, was the same with it self and no other: from whence it follows, that one thing cannot have two beginnings of existence, nor two things one beginning, it being impossible for two things of the same kind, to be or exist in the same instant, in the very same place; or one and the same thing in different places. That therefore that had one beginning is the same thing, and that which had a different beginning in time and place from that, is not the same but divers. That which has made the difficulty about this relation, has been the little care and attention used in having precise notions of the things to which it is attributed.

§ 2. *Identity of substances. Identity of modes.* We have the ideas but of three sorts of substances; 1. God. 2. Finite intelligences. 3. Bodies. First, God is without beginning, eternal, unalterable, and every where; and therefore concerning his identity, there can be no doubt. Secondly, finite spirits having had each its determinate time and place of beginning to exist, the relation to that time and place will always determine to each of them its identity as long as it exists.

Thirdly, the same will hold of every particle of matter, to which no addition or substraction of matter being made, it is the same. For though these three sorts of substances, as we term them, do not exclude one another out of the same place; yet we cannot conceive but that they must necessarily each of them exclude any of the same kind out of the same place: or else the notions and names of identity and diversity would be in vain, and there could be no such

nous ne trouvons jamais ni ne pouvons concevoir que deux choses de même espèce puissent exister à la même place au même moment, nous concluons à bon droit que tout ce qui existe quelque part à un moment donné en exclut tout ce qui est de même espèce, et s'y trouve soi seul. Lorsque donc nous voulons savoir si une chose est ou non la même, la question porte toujours sur quelque chose qui a existé à tel moment en tel lieu, et dont il était assuré à ce moment qu'elle était la même qu'elle-même et non une autre : d'où il suit qu'une seule chose ne peut avoir eu deux commencements d'existence, pas plus que deux choses un seul commencement, puisqu'il est impossible que deux choses de même espèce soient ou existent au même instant à la même place ; ou une seule et même chose à des places différentes. Ce qui a eu un seul commencement est donc la même chose, et ce qui a commencé à exister à des moments et en des lieux différents n'est pas la même chose mais une chose différente. La difficulté qu'on trouve à penser cette relation-là vient du défaut de soin et d'attention apportés à préciser les notions des choses auxquelles on l'attribue.

§ 2. *Identité de substances et de modes.* Nous n'avons les idées que de trois sortes de substances : 1. Dieu ; 2. les intelligences finies ; 3. les corps. Dieu, d'abord, est sans commencement, éternel, inaltérable, et se trouve partout ; il ne peut donc y avoir aucun doute concernant son identité. Pour ce qui est des Esprits [2] finis, ensuite, chacun a commencé d'exister à un moment et en un lieu déterminés, son identité continuera donc d'être déterminée à chaque fois par son rapport à ce moment et à ce lieu aussi longtemps qu'il existera.

La même chose vaudra finalement pour tout corpuscule matériel qui reste le même pourvu qu'aucune matière ne lui soit ajoutée ou soustraite. Car, encore que ces trois sortes de substances, comme nous les appelons, ne s'excluent pas l'une l'autre de l'occupation d'une même place, nous ne pouvons les concevoir chacune pour son compte que comme excluant d'un même lieu toute substance de même espèce, si nous ne voulons

2. Usant à notre tour d'un expédient (faute de termes distincts disponibles en français : cf. ci-dessous Glossaire, MIND) nous mettons une majuscule à « Esprit » lorsqu'il s'agit de rendre *spirit*, et nous écrivons « esprit » pour *mind* (E.B.).

distinction of substances, or any thing else one from another. For example, could two bodies be in the same place at
the same time; then those two parcels of matter must be
one and the same, take them great or little; nay, all bodies
must be one and the same. For by the same reason that two
particles of matter may be in one place, all bodies may be
in one place : which, when it can be supposed, takes away
the distinction of identity and diversity, of one and more,
and renders it ridiculous. But it being a contradiction, that
two or more should be one, identity and diversity are relations and ways of comparing well founded, and of use to
the understanding. All other things being but modes or
relations ultimately terminated in substances, the identity
and diversity of each particular existence of them too will
be by the same way determined : only as to things whose
existence is in succession, such as are the actions of finite
beings, v.g. motion and thought, both which consist in a
continued train of succession, concerning their diversity
there can be no question : because each perishing the
moment it begins, they cannot exist in different times, or
in different places, as permanent beings can at different
times exist in distant places; and therefore no motion or
thought considered as at different times can be the same,
each part thereof having a different beginning of existence.

§ 3. *Principium individuationis*. From what has been said,
it is easy to discover, what is so much enquired after, the
principium individuationis, and that it is plain is existence it
self, which determines a being of any sort to a particular
time and place incommunicable to two beings of the same
kind. This though it seems easier to conceive in simple
substances or modes; yet when reflected on, is not more
difficult in compounded ones, if care be taken to what it is
applied; v.g. let us suppose an atom, i.e. a continued body
under one immutable superficies, existing in a determined
time and place : it is evident, that, considered in any instant

pas que les notions et les noms d'identité et de différence soient dénués de sens, ce qui interdirait de distinguer les unes des autres non seulement les substances, mais quoi que ce soit d'autre. C'est ainsi que si deux corps pouvaient être au même moment au même endroit, il faudrait que ces deux parcelles de matière, quelle que soit leur taille, soient une seule et même chose. En réalité tous les corps n'en formeraient qu'un seul. Car la même raison qui ferait que deux corpuscules matériels puissent se trouver au même endroit ferait aussi que tous les corps y soient : supposition qui, une fois admise, abolit toute distinction entre identité et différence, ou entre une chose et plusieurs, et la rend ridicule. Mais il est contradictoire de poser deux choses ou davantage comme une seule : identité et différence sont donc des relations et des manières de comparaison bien fondées, utiles à l'entendement. Toutes les autres choses n'étant que des modes ou des relations qui, en dernière analyse, renvoient à des substances, l'identité et la différence de leurs existences propres seront donc également déterminées de la même façon ; il n'y a que les choses qui existent comme successions, telles que les actions des êtres finis, par exemple le mouvement et la pensée, qui l'un et l'autre consistent dans un train continu de succession, dont la différence va de soi : puisque chacune d'entre elles meurt au moment où elle naît, elles ne peuvent exister à des moments et à des endroits différents, comme des êtres permanents peuvent exister en des lieux éloignés à des moments différents ; c'est pourquoi il n'y a pas de mouvement ou de pensée qui, considéré à des moments différents, puisse être le même, puisque chacune de ses parties possède un nouveau commencement dans l'existence.

§ 3. *Principium individuationis.* Ce qu'on vient de dire permet aisément de trouver en quoi consiste ce principe d'individuation qu'on a tant recherché : manifestement c'est l'existence elle-même qui pour toutes les sortes d'êtres assigne à chacun un temps et un lieu déterminés, qui ne peuvent être communs à deux êtres de même espèce. Il semble que ceci cependant soit plus facile à concevoir dans le cas des substances ou des modes simples ; mais à y bien réfléchir ce n'est pas plus difficile dans le cas des substances et des modes composés, si l'on fait attention à l'objet auquel on l'applique ; supposons par exemple qu'un atome, c'est-à-dire un corps persistant d'une surface

of its existence, it is, in that instant, the same with it self. For being, at that instant, what it is, and nothing else, it is the same, and so must continue, as long as its existence is continued : for so long it will be the same, and no other. In like manner, if two or more atoms be joined together into the same mass, every one of those atoms will be the same, by the foregoing rule : and whilst they exist united toge- ther, the mass, consisting of the same atoms, must be the same mass, or the same body, let the parts be never so dif- ferently jumbled : but if one of these atoms be taken away, or one new one added, it is no longer the same mass, or the same body. In the state of living creatures, their identity depends not on a mass of the same particles ; but on some- thing else. For in them the variation of great parcels of matter alters not the identity : an oak, growing from a plant to a great tree, and then lopped, is still the same oak : and a colt grown up to a horse, sometimes fat, some- times lean, is all the while the same horse : though, in both these cases, there may be a manifest change of the parts : so that truly they are not either of them the same masses of matter, though they be truly one of them the same oak, and the other the same horse. The reason whe- reof is, that in these two cases of a mass of matter, and a living body, identity is not applied to the same thing.

§ 4. *Identity of vegetables*. We must therefore consider wherein an oak differs from a mass of matter, and that seems to me to be in this ; that the one is only the cohesion of particles of matter any how united, the other such a dis- position of them as constitutes the parts of an oak ; and such an organization of those parts, as is fit to receive, and distribute nourishment, so as to continue, and frame the wood, bark, and leaves, etc. of an oak, in which consists the vegetable life. That being then one plant, which has such an organization of parts in one coherent body, parta- king of one common life, it continues to be the same plant, as long as it partakes of the same life, though that life be

invariable, existe à un certain moment et à un certain endroit : à l'évidence, considéré à un instant quelconque de son existence, il est en cet instant le même que soi-même. Car étant à cet instant ce qu'il est, et rien d'autre, il est le même et doit le rester aussi longtemps que son existence se continue : pour toute cette durée en effet il sera le même, et aucun autre. De la même manière, si deux atomes ou plus sont unis ensembles dans une même masse, par la règle précédente chacun de ces atomes sera le même, et tandis qu'ils existeront unis les uns aux autres, la masse qu'ils constituent, formée des mêmes atomes, sera nécessairement la même masse, ou le même corps, alors même que le mélange des parties ne cessera de changer de forme. En revanche, si l'un des atomes est ôté, ou si un nouveau est ajouté, ce ne sera plus la même masse, ou le même corps. Dans l'état des créatures vivantes, l'identité ne dépend pas de la masse de certains corpuscules, mais de quelque chose d'autre. Dans leur cas en effet la variation de parties même grandes de matière ne change pas l'identité : un chêne qui croît d'une petite pousse jusqu'à un grand arbre, puis qu'on taille, est toujours le même chêne. Et un poulain qui devient un cheval, qui tantôt engraisse et tantôt maigrit, n'en demeure pas moins le même cheval, bien que dans les deux cas il puisse y avoir une transformation manifeste dans les parties qui les constituent ; en sorte qu'en vérité aucun des deux n'est plus la même masse de matière, bien que l'un soit vraiment le même chêne, et l'autre vraiment le même cheval. Dont la raison est que, dans le cas d'une masse de matière et dans le cas d'un corps vivant, la notion d'identité ne s'applique pas à la même chose.

§ 4. *Identité des plantes.* Il nous faut donc considérer en quoi un chêne se distingue d'une masse de matière, et il me semble que c'est en ceci : l'une ne consiste que dans l'agrégation de corpuscules matériels quelle que soit la façon dont ils sont réunis, tandis que dans l'autre les corpuscules sont disposés de façon à former les parties d'un chêne ; et l'organisation de ces parties est propre à recevoir et à distribuer la nourriture qui lui permet de se maintenir, et de former le bois, l'écorce, les feuilles d'un chêne, etc., ce qui constitue la vie végétale. Si donc est une plante unique ce qui possède une telle organisation de ses parties en un corps d'un seul tenant, partageant une seule vie commune, elle continue d'être la

communicated to new particles of matter vitally united to the living plant, in a like continued organization, conformable to that sort of plants. For this organization being at any one instant in any one collection of matter, is in that particular concrete distinguished from all other, and is that individual life, which existing constantly from that moment both forwards and backwards in the same continuity of insensibly succeeding parts united to the living body of the plant, it has that identity, which makes the same plant, and all the parts of it, parts of the same plant, during all the time that they exist united in that continued organization, which is fit to convey that common life to all the parts so united.

§ 5. *Identity of animals.* The case is not so much different in brutes, but that any one may hence see what makes an animal, and continues it the same. Something we have like this in machines, and may serve to illustrate it. For example, what is a watch? It is plain it is nothing but a fit organization, or construction of parts, to a certain end, which, when a sufficient force is added to it, it is capable to attain. If we would suppose this machine one continued body, all whose organized parts were repaired, increased or diminished, by a constant addition or separation of insensible parts, with one common life, we should have something very much like the body of an animal, with this difference, That in an animal the fitness of the organization, and the motion wherein life consists, begin together, the motion coming from within; but in machines the force, coming sensibly from without, is often away, when the organ is in order, and well fitted to receive it.

§ 6. *Identity of man.* This also shows wherein the identity of the same man consists; viz. in nothing but a participation of the same continued life, by constantly fleeting particles of matter, in succession vitally united to the same organized body. He that shall place the identity of

même plante aussi longtemps qu'elle partage la même vie, bien que cette vie se communique à de nouveaux corpuscules de matière organiquement unis à la même plante vivante, dans une même organisation qui se maintient semblable, selon la forme caractéristique de cette espèce végétale. Car, puisque cette organisation demeure à chaque instant présente dans tel ensemble unique de matière, elle réside dans cet agrégat particulier qui diffère de tout autre, elle est cette vie individuelle ; et comme celle-ci existe en permanence aussi bien avant qu'après dans la même continuité de parties unies au corps vivant de la plante qui se remplacent insensiblement, elle possède cette identité qui fait la même plante, et que toutes ses parties soient parties de la même plante, tout le temps qu'elles restent unies dans cette organisation qui se conserve, propre à transférer cette vie commune à toutes les parties ainsi réunies.

§ 5. *Identité des animaux.* Le cas des bêtes n'est pas si différent, que chacun ne puisse voir de là ce qui fait un animal, et le maintient tel quel. Nous avons quelque chose du même genre dans les machines, qui peut servir à le faire voir. Par exemple, qu'est-ce qu'une montre ? À l'évidence, ce n'est rien d'autre qu'une certaine organisation, ou une structure de parties adaptée à une certaine fin qu'elle est en mesure d'atteindre quand une force suffisante s'y ajoute. Si nous supposions que cette machine soit un seul corps persistant dont toutes les parties organisées seraient réparées, augmentées ou diminuées par une permanente addition et soustraction de parties imperceptibles, avec une seule vie commune, nous aurions quelque chose qui ressemblerait beaucoup au corps d'un animal, avec cette différence que dans un animal l'adaptation de l'organisation et le mouvement en quoi consiste la vie commencent en même temps, le mouvement venant de l'intérieur ; tandis que dans les machines la force, dont on voit qu'elle vient de l'extérieur, fait souvent défaut, alors même que l'organe est en ordre de marche et propre à la recevoir.

§ 6. *Identité de l'homme.* Ceci montre également en quoi consiste l'identité d'un même homme : c'est tout simplement la participation ininterrompue à la même vie entretenue par un flux permanent de corpuscules matériels, entrant à tour de rôle dans une unité vivante avec le même corps organisé. Quiconque placerait l'identité de l'homme comme celle des

man in any thing else, but like that of other animals in one fitly organized body taken in any one instant, and from thence continued under one organization of life in several successively fleeting particles of matter, united to it, will find it hard, to make an embryo, one of years, mad, and sober, the same man, by any supposition, that will not make it possible for Seth, Ismael, Socrates, Pilate, St. Austin, and Caesar Borgia to be the same man. For if the identity of soul alone makes the same man, and there be nothing in the nature of matter, why the same individual spirit may not be united to different bodies, it will be possible, that those men, living in distant ages, and of different tempers, may have been the same man : which way of speaking must be of a very strange use of the word *man*, applied to an idea, out of which body and shape is excluded : and that way of speaking would agree yet worse with the notions of those philosophers, who allow of transmigration, and are of opinion that the souls of men may, for there miscarriages, be detruded into the bodies of beasts, as fit habitations with organs suited to the satisfaction of their brutal inclinations. But yet I think no body, could he be sure that the soul of Heliogabalus were in one of his hogs, would yet say that hog were a man or Heliogabalus.

§ 7. *Identity suited to the* idea. It is not therefore unity of substance that comprehends all sorts of identity, or will determine it in every case : but to conceive, and judge of it aright, we must consider what idea the word it is applied to stands for : it being one thing to be the same substance, another the same man, and a third the same person, if *person, man,* and *substance,* are three names standing for different ideas; for such as is the idea belonging to that name, such must be the identity : which if it had been a little more carefully attended to, would possibly have prevented a great deal of that confusion, which often occurs about this matter, with no small seeming difficulties; especially

autres animaux en quoi que ce soit d'autre qu'un corps organisé apte à remplir sa fonction à un moment donné, et ensuite maintenu en vie sous une seule organisation à travers un flux de corpuscules matériels s'unissant à lui et se substituant les uns aux autres, aurait du mal à faire qu'un embryon et un homme d'âge, un fou et un individu dans son bon sens soient le même homme, tout en évitant que par la même raison Seth, Ismaël, Socrate, Pilate, saint Augustin et César Borgia puissent être le même homme. Car si l'identité de l'âme à elle seule fait l'identité de l'homme, et qu'il n'y ait rien dans la nature de la matière qui empêche le même Esprit individuel d'être uni à divers corps, rien n'empêchera que ces hommes, ayant vécu à des époques éloignées et avec des caractères différents, puissent avoir été le même homme. Mais ce serait certainement faire un très étrange usage du mot homme que de l'appliquer à une idée dont le corps et la figure seraient exclus. Et cette façon de parler s'accorderait encore plus mal avec les conceptions de ces philosophes qui admettent la transmigration de l'âme, et sont d'avis que les âmes des hommes peuvent, pour punition de leurs fautes, être introduites dans des corps de bêtes comme étant la résidence qui leur convient, avec les organes propres à la satisfaction de leurs instincts bestiaux. Mais je ne pense pas pour autant que quiconque, même s'il était convaincu que l'âme d'Héliogabale résidait dans l'un de ses pourceaux, dirait que ce porc était un homme, ou était Héliogabale.

§ 7. *Que l'identité s'accorde avec l'idée.* Il est donc faux de penser que l'unité de substance inclut toutes les espèces d'identité, ou la détermine dans tous les cas. Mais pour la penser et en juger correctement, il faut considérer l'idée que représente le mot auquel on l'applique. Car c'est une chose d'être la même substance, une autre d'être le même homme, et une troisième d'être la même personne, si « personne », « homme » et « substance » sont trois noms qui représentent trois idées différentes ; telle est en effet l'idée qui appartient à ce nom, telle doit être l'identité correspondante. Et si on avait prêté un peu plus d'attention à ce fait, on aurait évité une bonne part de la confusion qui souvent règne en cette matière, et qui n'entraîne pas peu de difficultés apparentes, en particulier en ce qui concerne l'identité personnelle, à

concerning personal identity, which therefore we shall in the next place a little consider.

§ 8. *Same man.* An animal is a living organized body; and consequently, the same animal, as we have observed, is the same continued life communicated to different particles of matter, as they happen successively to be united to that organized living body. And whatever is talked of other definitions, ingenuous observation puts it past doubt, that the idea in our minds, of which the sound *man* in our mouths is the sign, is nothing else but of an animal of such a certain form : since I think I may be confident, that whoever should see a creature of his own shape and make, though it had no more reason all its life, than a cat or a parrot, would call him still a man; or whoever should hear a cat or a parrot discourse, reason, and philosophize, would call or think it nothing but a cat or a parrot; and say, the one was a dull irrational man, and the other a very intelligent rational parrot. A relation we have in an author of great note is sufficient to countenance the supposition of a rational parrot. His words[2] are,

« I had a mind to know from *Prince Maurice*'s own Mouth, the account of a common, but much credited Story, that I had heard so often from many others, of an old *Parrot* he had in *Brasil*, during his government there, that spoked, and asked, and answered common Questions like a reasonable Creature; so that those of his Train there, generally concluded it to be Witchery or Possession; and one of his Chaplains, who lived long afterwards in *Holland*, would never from that time endure a *Parrot*, but said, they all had a Devil in them. I had heard many particulars of this Story, and assevered by People hard to be discredited, which made me ask *Prince Maurice* what there was of it. He

2. *Memoires of what past in* Christendom *from 1672 to 1679*, p. 57/392 [*Memoirs of what past in Christendom from the war begun 1672 to the peace concluded 1679*, by Sir William Temple, London, R. Chiswell, 1692].

laquelle pour cette raison nous allons consacrer un peu d'examen.

§ 8. *Le même homme.* Un animal est un corps vivant organisé ; en conséquence le même animal, nous l'avons vu, est la même vie se conservant et se communiquant à différents corpuscules de matière qui se trouvent unis l'un après l'autre à ce corps vivant organisé. Et quoiqu'on invoque d'autres définitions, l'observation naïve ne permet pas de douter que l'idée dans notre esprit dont le son « homme » dans notre bouche est le signe ne se réfère à rien d'autre qu'à un animal d'une forme déterminée. Car je pense pouvoir m'assurer que quiconque verrait une créature de sa propre figure et structure l'appellerait un homme, même si de toute sa vie elle n'avait pas plus de raison qu'un chat ou un perroquet ; ou que quiconque entendrait un chat ou un perroquet discourir, raisonner et philosopher, ne l'en appellerait pas moins un chat ou un perroquet (ou ne penserait pas moins qu'il en soit un), considérant l'un comme un homme stupide et privé de raison, et l'autre comme un perroquet particulièrement intelligent et raisonnable. Un récit que nous tenons d'un auteur de grand renom peut ici suffire à étayer cette supposition d'un perroquet doué de raison. Voici ses propres mots :

« J'avais toujours eu envie de savoir de la propre bouche du prince *Maurice de Nassau*, ce qu'il y avait de vrai dans une histoire que j'avais ouï dire plusieurs fois au sujet d'un Perroquet qu'il avait pendant qu'il était dans son Gouvernement du Brésil. Comme je crus que vraisemblablement je ne le verrais plus, je le priai de m'en éclaircir. On disait que ce Perroquet faisait des questions et des réponses aussi justes qu'une créature raisonnable aurait pu faire, de sorte que l'on croyait dans la Maison de ce Prince que ce Perroquet était possédé. On ajoutait qu'un de ses Chapelains qui avait vécu depuis ce temps-là en Hollande, avait pris une si forte aversion pour les Perroquets à cause de celui-là, qu'il ne pouvait pas les souffrir, disant qu'ils avaient le Diable dans le corps. J'avais appris toutes ces circonstances et plusieurs autres qu'on m'assurait être véritables ; ce qui m'obligea de prier le Prince Maurice de me dire ce qu'il y avait de vrai en tout cela. Il me répondit avec sa franchise ordinaire et en peu de mots, qu'il y avait quelque

said, with his usual plainess, and dryness in talk, there was something true, but a great deal false, of what had been reported. I desired to know of him, what there was of the first; he told me short and coldly, that he had heard of such an old *Parrot*, when he came to *Brasil*, and though he believed nothing of it, and it was a good way off, yet he had so much Curiosity as to send for it, that it was a very great and a very old one; and when it came first into the Room where the Prince was, with a great many *Dutch-men* about him, it said presently, *What a company of white Men are here?* They asked it what he thought that Man was, pointing at the Prince? It answered, *Some General or other*; when they brought it close to him, he asked it, *D'où venez-vous?* it answered, *de Marinnan*. The prince, *A qui êtes-vous?* The Parrot, *A un Portugais*. Prince, *Que fais-tu là?* Parrot, *Je garde les poules*. The Prince laughed and said, *Vous gardez les poules?* The Parrot answered, *Oui, moi et je sais bien faire*; and made the Chuck four or five times that People use to make to Chickens when they call them. I set down the words of this worthy dialogue in *French*, just as Prince *Maurice* said them to me. I asked him in what language the *Parrot* spoke, and he said, in *Brasilian*; I asked whether he understood *Brasilian*; he said No, but he had taken care to have two Interpreters by him, the one a *Dutch-man*, that spoke *Brasilian*, and the other a *Brasilian*, that spoke *Dutch*; that he asked them separately and privately, and both of them agreed in telling him just the same thing that the *Parrot* said. I could not but tell this odd Story, because it is so much out of the way, and from the first hand, and what may pass for a good one; for I dare say this Prince, at least, believed himself in all he told me, having ever passed for a very honest and pious Man; I leave it to Naturalists to reason, and to other Men to believe as they please upon it; however, it is not, perhaps, amiss to relieve or enliven a busy Scene sometimes with such digressions, whether to the purpose or no. »

chose de véritable, mais que la plus grande partie de ce qu'on m'avait dit, était faux. Il me dit que lorsqu'il vint dans le Brésil, il avait ouï parler de ce Perroquet ; et qu'encore qu'il crût qu'il n'y avait rien de vrai dans le récit qu'on lui en faisait, il avait eu la curiosité de l'envoyer chercher, quoiqu'il fût fort loin du lieu où le Prince faisait sa résidence : que cet Oiseau était fort vieux et fort gros ; et que lorsqu'il vint dans la Salle où le Prince était avec plusieurs Hollandais auprès de lui, le Perroquet dit dès qu'il les vit, *Quelle compagnie d'Hommes blancs est celle-ci ?* On lui demanda en lui montrant le Prince, *qui il était ?* Il répondit que c'était *quelque Général.* On le fit approcher, et le Prince lui demanda, *D'où venez-vous ?* Il répondit, *de Marinan.* Le Prince, *À qui êtes-vous ?* Le Perroquet, *À un Portugais.* Le Prince, *Que fais-tu-là ?* Le Perroquet, *Je garde les poules.* Le Prince se mit à rire, et dit, *Vous gardez les poules ?* Le Perroquet répondit, *Oui, moi ; et je sais bien faire chuc, chuc* ; ce qu'on a accoutumé de faire quand on appelle les poules, et ce que le Perroquet répéta plusieurs fois. Je rapporte les paroles de ce beau dialogue en français, comme le Prince me les dit. Je lui demandai encore en quelle langue parlait le Perroquet. Il me répondit que c'était en Brésilien. Je lui demandai s'il entendait cette Langue. Il me répondit que non, mais qu'il avait eu soin d'avoir deux interprètes, un Brésilien qui parlait Hollandais, et l'autre Hollandais qui parlait Brésilien, qu'il les avait interrogés séparément, et qu'ils lui avaient rapporté tous deux les mêmes paroles. Je n'ai pas voulu omettre cette histoire, parce qu'elle est fort singulière, et qu'elle peut passer pour certaine. J'ose dire au moins que ce Prince croyait ce qu'il me disait, ayant toujours passé pour un Homme de bien et d'honneur. Je laisse aux Naturalistes le soin de raisonner sur cette aventure, et aux autres Hommes la liberté d'en croire ce qu'il leur plaira. Quoi qu'il en soit, il n'est peut-être pas mal d'égayer quelquefois la scène par de telles digressions, à propos ou non [3]. »

---

3. Mémoires des événements de 1672 à 1679, p. 57/392 [note de Locke]. Nous reprenons le texte donné par Coste à partir des *Mémoires de ce qui s'est passé dans la chrétienté depuis le commencement de la guerre en 1672 jusqu'à la paix conclue en 1679,* par M. le Chevalier Temple, traduit de l'anglais, 2ᵉ édition, La Haye, A. Moetjens, 1692.

I have taken care that the reader should have the story at large in the author's own words, because he seems to me not to have thought it incredible; for it cannot be imagined that so able a man as he, who had sufficiency enough to warrant all the testimonies he gives of himself, should take so much pains, in a place where it had nothing to do, to pin so close, not only on a man whom he mentions as his friend, but on a prince on whom he acknowledges very great honesty and piety, a story which if he himself thought incredible, he could not but also think ridiculous. The prince, it is plain, who vouches this story, and our author who relates it from him, both of them call this talker a parrot; and I ask any one else who thinks such a story fit to be told, whether if this parrot, and all of its kind, had always talked as we have a prince's word for it, this one did, whether, I say, they would not have passed for a race of rational animals, but yet whether for all that, they would have been allowed to be men and not parrots? For I presume it is not the idea of a thinking or rational being alone, that makes the idea of a man in most people's sense; but of a body so and so shaped joined to it; and if that be the idea of a man, the same successive body not shifted all at once, must as well as the same immaterial spirit go to the making of the same man.

§ 9. *Personal identity.* This being premised to find wherein personal identity consists, we must consider what person stands for; which, I think, is a thinking intelligent being, that has reason and reflection, and can consider it self as it self, the same thinking thing in different times and places; which it does only by that consciousness, which is inseparable from thinking, and as it seems to me essential to it: it being impossible for any one to perceive, without perceiving, that he does perceive. When we see, hear, smell, taste, feel, meditate, or will any thing, we know that we do so. Thus it is always as to our present sensations and perceptions: and by this every one is to himself, that which he calls *self*: it not being considered in this case, whether the

J'ai pris soin de rapporter l'histoire en entier au lecteur dans les mots mêmes de l'auteur, parce qu'il ne me semble pas l'avoir trouvée invraisemblable. Car on ne saurait imaginer qu'un homme aussi capable, ayant de quoi corroborer tous les témoignages qu'il donne de lui-même, se donnerait tant de mal, en un lieu où cela n'avait pas grand-chose à faire, pour épingler de la sorte sur un homme qu'il donne pour son ami, et qui plus est un prince en qui il reconnaît tant de distinction et de piété, une histoire qu'il ne pouvait tenir pour invraisemblable sans l'estimer également ridicule. À l'évidence le prince qui endosse cette histoire, et notre auteur qui dit la tenir de lui, appellent l'un et l'autre ce locuteur un perroquet ; et je le demande à quiconque estime qu'on peut raconter une telle histoire, si ce perroquet et tous les animaux de son espèce avaient jamais parlé comme un prince nous donne sa parole que celui-ci l'a fait, est-ce qu'on n'aurait pas vu en eux une race d'animaux doués de raison ? Mais en aurait-on fait pour autant des hommes et non des perroquets ? Car je ne crois pas que ce soit seulement l'idée d'un être pensant ou raisonnable qui fait l'idée de l'homme selon l'opinion de la plupart des gens : mais c'est l'idée d'un corps de telle et telle forme jointe à elle. Et si telle est l'idée d'un homme, le même corps se perpétuant lui-même, sans être renouvelé tout d'un coup, doit entrer dans la formation du même homme aussi bien que le même Esprit immatériel.

§ 9. *Identité personnelle.* Après ces préliminaires à la détermination de ce qui fait l'identité personnelle, il nous faut considérer ce que représente la personne ; c'est, je pense, un être pensant et intelligent, doué de raison et de réflexion, et qui peut se considérer soi-même comme soi-même, une même chose pensante en différents temps et lieux. Ce qui provient uniquement de cette conscience qui est inséparable de la pensée, et lui est essentielle à ce qu'il me semble : car il est impossible à quelqu'un de percevoir sans percevoir aussi qu'il perçoit. Quand nous voyons, entendons, sentons par l'odorat ou le toucher, éprouvons, méditons ou voulons quelque chose, nous savons que nous le faisons. Il en va toujours ainsi de nos sensations et de nos perceptions présentes : ce par quoi chacun est pour lui-même précisément ce qu'il appelle soi, laissant pour l'instant de côté la question de

same *self* be continued in the same, or divers substances. For since consciousness always accompanies thinking, and it is that, that makes every one to be, what he calls *self;* and thereby distinguishes himself from all other thinking things, in this alone consists personal identity, i.e. the sameness of a rational being : and as far as this consciousness can be extended backwards to any past action or thought, so far reaches the identity of that person; it is the same *self* now it was then; and it is by the same *self* with this present one that now reflects on it, that that action was done.

§ 10. *Consciousness makes personal identity.* But it is farther enquired whether it be the same identical substance. This few would think they had reason to doubt of, if these perceptions, with their consciousness, always remained present in the mind, whereby the same thinking thing would be always consciously present, and, as would be thought, evidently the same to it self. But that which seems to make the difficulty is this, that this consciousness, being interrupted always by forgetfulness, there being no moment of our lives wherein we have the whole train of our past actions before our eyes in one view : But even the best memories losing the sight of one part whilst they are viewing another; and we sometimes, and that the greatest part of our lives, not reflecting on our past selves, being intent on our present thoughts, and in sound sleep, having no thoughts at all, or at least none with that consciousness, which remarks our waking thoughts. I say, in all these cases, our consciousness being interrupted, and we losing the sight of our past *selves,* doubts are raised whether we are the same thinking thing; i.e. the same substance or no. Which however reasonable, or unreasonable, concerns not personal identity at all. The question being what makes the same person, and not whether it be the same identical substance, which always thinks in the same person, which in this case matters not at all. Different substances, by the same

savoir si le même soi continue d'exister dans la même substance ou dans plusieurs. Car la conscience accompagne toujours la pensée, elle est ce qui fait que chacun est ce qu'il appelle soi et qu'il se distingue de toutes les autres choses pensantes. Mais l'identité personnelle, autrement dit la mêmeté ou le fait pour un être rationnel d'être le même, ne consiste en rien d'autre que cela. L'identité de telle personne s'étend aussi loin que cette conscience peut atteindre rétrospectivement toute action ou pensée passée ; c'est le même soi maintenant qu'alors, et le soi qui a exécuté cette action est le même que celui qui, à présent, réfléchit sur elle.

§ 10. *C'est la conscience qui fait l'identité personnelle.* Mais on voudrait savoir aussi s'il s'agit de la même substance identique. Peu de gens penseraient avoir de motif pour en douter si ces perceptions, avec leur conscience, restaient toujours présentes dans l'esprit, par où la même chose pensante serait toujours consciemment présente et, du moins le penserait-on, évidemment la même pour elle-même. Mais ce qui semble faire la difficulté est ceci, que cette conscience étant constamment interrompue par l'oubli, il n'y a aucun moment de nos vies où nous puissions contempler devant nous, d'un seul coup d'œil, toute la suite de nos actions passées : les meilleures mémoires elles-mêmes en perdent une partie de vue tandis qu'elles en considèrent une autre ; nous-mêmes pendant la plus grande partie de notre vie ne réfléchissons pas sur notre soi passé, mais nous dirigeons notre attention vers nos pensées présentes, et lorsque nous dormons profondément, nous n'avons plus aucune pensée, du moins aucune dont nous ayons cette conscience qui caractérise nos pensées de l'état de veille. C'est pourquoi je dis que, dans tous ces cas, notre conscience étant interrompue, et nous-mêmes ayant perdu de vue notre soi passé, on peut se demander si nous sommes vraiment la même chose pensante, c'est-à-dire la même substance, ou non. Mais qu'il soit rationnel ou non de le supposer, cela ne change rien à l'identité personnelle. La question en effet est de savoir ce qui fait la même personne, et non pas si c'est la même substance identique qui pense toujours dans la même personne, ce qui en l'occurrence n'a aucune importance. Des substances différentes peuvent être unies en une seule personne par la même

consciousness (where they do partake in it) being united into one person; as well as different bodies, by the same life are united into one animal, whose identity is preserved, in that change of substances, by the continuity of one continued life. For it being the same consciousness that makes a man be himself to himself, personal identity depends on that only, whether it be annexed only to one individual substance, or can be continued in a succession of several substances. For as far as any intelligent being can repeat the idea of any past action with the same consciousness it has of its present thoughts and actions, that it is *self* to it self now, and so will be the same *self* as far as the same consciousness can extend to actions past or to come; and would be by distance of time, or change of substance, no more two persons than a man be two men, by wearing other cloths today than he did yesterday, with a long or short sleep between : the same consciousness uniting those distant actions into the same person, whatever substances contributed to their production.

§ 11. *Personal identity in change of substances*. That this is so, we have some kind of evidence in our very bodies, all whose particles, whilst vitally united to this same thinking conscious *self,* so that we feel when they are touched, and are affected by, and conscious of good or harm that happens to them, are a part of our *selves :* i.e. of our thinking conscious *self.* Thus the limbs of his body is to every one a part of himself : he sympathizes and is concerned for them. Cut off an hand, and thereby separate it from that consciousness, we had of its heat, cold, and other affections; and it is then no longer a part of that which is himself, any more than the remotest part of matter. Thus we see the substance, whereof personal *self* consisted at one time, may be varied at another, without the change of personal identity : there being no question about the same person, though the limbs, which but now were a part of it, be cut off.

conscience (lorsqu'elles y prennent part) exactement comme différents corps peuvent être réunis dans un seul animal dont l'identité est préservée par l'unité d'une même vie qui se conserve à travers le changement des substances. En effet, puisque c'est la même conscience qui fait qu'un homme est lui-même pour lui-même, l'identité personnelle ne dépend de rien d'autre, qu'elle soit rattachée à une seule substance individuelle ou qu'elle se préserve à travers la succession de plusieurs substances. Car si un être intelligent quelconque est capable de répéter l'idée d'une action passée avec la même conscience qu'il en a eue la première fois, et la même conscience que celle qu'il a d'une action présente, dans cette mesure même il est le même soi personnel. Car c'est par la conscience qu'il a de ses pensées et actions présentes qu'il est soi pour soi-même maintenant, et qu'ainsi il restera le même soi dans l'exacte mesure où la même conscience s'étendra à des actions passées ou à venir ; et il ne serait pas plus devenu deux personnes par l'écoulement du temps ou par la substitution d'une substance à une autre qu'un homme ne devient deux hommes quand il porte aujourd'hui d'autres vêtements qu'hier, en ayant dormi plus ou moins longuement entre temps. La même conscience réunit ces actions éloignées au sein de la même personne, quelles que soient les substances qui ont contribué à leur production.

§ 11. *L'identité personnelle dans le changement des substances.* Qu'il en soit bien ainsi, nous en avons une sorte de preuve dans le fait que notre propre corps est une partie de nous-mêmes (c'est-à-dire de notre soi conscient et pensant), tous les corpuscules qui le composent nous étant sensibles quand ils sont touchés, et nous affectant, en sorte que nous sommes conscients du bien et du mal qu'ils éprouvent, aussi longtemps qu'ils forment une unité vivante avec ce même soi conscient et pensant. Ainsi pour chacun les membres de son corps sont une partie de lui-même, avec laquelle il est en relation de sympathie et dont il se soucie. Mais si vous coupez une main, la séparant ainsi de la conscience que nous avions de son réchauffement, de son refroidissement et de ses autres affections, elle n'est pas plus, pour son propriétaire, une partie de lui-même que le corpuscule matériel le plus éloigné. Nous voyons ainsi que la substance qui formait le soi personnel à un

§ 12. *Whether in the change of thinking substances.* But the question is, whether if the same substance, which thinks, be changed, it can be the same person, or remaining the same, it can be different persons.

And to this I answer first, this can be no question at all to those, who place thought in a purely material, animal, constitution, void of an immaterial substance. For, whether their supposition be true or no, it is plain they conceive personal identity preserved in something else than identity of substance; as animal identity is preserved in identity of life, and not of substance. And therefore those, who place thinking in an immaterial substance only, before they can come to deal with these men, must show why personal identity cannot be preserved in the change of immaterial substances, or variety of particular immaterial substances, as well as animal identity is preserved in the change of material substances, or variety of particular bodies : unless they will say, it is one immaterial spirit, that makes the same life in brutes; as it is one immaterial spirit that makes the same person in men, which the cartesians at least will not admit, for fear of making brutes thinking things too.

§ 13. But next, as to the first part of the question, whether if the same thinking substance (supposing immaterial substances only to think) be changed, it can be the same person. I answer, that cannot be resolved, but by those, who know what kind of substances they are, that do think; and whether the consciousness of past actions can be transferred from one thinking substance to another. I grant, were the same consciousness the same individual action, it could not : but it being but a present representation of a past action, why it may not be possible, that that may be represented to the mind to have been, which really never was, will remain to be shown. And therefore how far the consciousness of past actions is annexed to any individual agent, so that another cannot possibly have it, will be hard

certain moment peut avoir changé à un autre sans que l'identité personnelle ait changé : car il n'y a pas de doute que c'est bien de la même personne qu'il s'agit, encore que les membres qui lui appartenaient auparavant en aient été retranchés.

§ 12. *Et dans le changement des substances pensantes.* Mais la question qui se pose est de savoir si, la substance qui pense ayant changé, il peut s'agir de la même personne, ou, celle-là demeurant la même, celle-ci peut être une autre.

À cette question je réponds pour commencer qu'il n'y a aucun problème pour tous ceux qui situent la pensée dans une constitution purement matérielle ou animale, vide de substance immatérielle. Car, que leur hypothèse soit vraie ou fausse, à l'évidence ils conçoivent l'identité personnelle se conservant en autre chose que dans l'identité de substance, de même que l'identité animale est conservée dans l'identité de la vie, et non dans celle de la substance. C'est pourquoi ceux qui situent au contraire la pensée dans une substance immatérielle doivent montrer, avant de confronter leur opinion à celle des premiers, pourquoi l'identité personnelle ne se conserverait pas dans le changement de substances immatérielles, ou dans la diversité de substances immatérielles particulières, aussi bien que l'identité animale se conserve dans le changement des substances matérielles, ou dans la diversité de corps particuliers. À moins qu'ils ne veuillent dire que c'est un seul Esprit immatériel qui fait la même vie dans les bêtes, comme c'est un seul Esprit immatériel qui fait la même personne dans les humains, ce que les Cartésiens du moins n'accorderont pas, de peur de faire des bêtes elles aussi des choses qui pensent.

§ 13. Pour ce qui est maintenant de la première partie de la question : la même substance pensante (à supposer que seules pensent des substances immatérielles) étant changée, peut-elle être la même personne ? Je réponds que le problème ne pourrait être résolu que par ceux qui sauraient quelle espèce de substance ils sont eux mêmes, et qui pense, et si la conscience des actions passées peut être transférée d'une substance pensante à une autre. J'accorde que si la même conscience était la même action individuelle, cela ne pourrait se faire ; mais comme il s'agit de la représentation présente d'une action passée, il resterait à montrer pourquoi il serait impossible que quelque chose qui n'a jamais existé en réalité soit représenté à l'esprit

for us to determine, till we know what kind of action it is, that cannot be done without a reflex act of perception accompanying it, and how performed by thinking substances, who cannot think without being conscious of it. But that which we call the same consciousness, not being the same individual act, why one intellectual substance may not have represented to it, as done by it self, what it never did, and was perhaps done by some other agent, why I say such a representation may not possibly be without reality of matter of fact, as well as several representations in dreams are, which yet, whilst dreaming, we take for true, will be difficult to conclude from the nature of things. And that it never is so, will by us, till we have clearer views of the nature of thinking substances, be best resolved into the goodness of God, who as far as the happiness or misery of any of his sensible creatures is concerned in it, will not by a fatal error of theirs transfer from one to another, that consciousness, which draws reward or punishment with it. How far this may be an argument against those who would place thinking in a system of fleeting animal spirits, I leave to be considered. But yet to return to the question before us, it must be allowed, that if the same consciousness (which, as has been shown, is quite a different thing from the same numerical figure or motion in body) can be transferred from one thinking substance to another, it will be possible, that two thinking substances may make but one person. For the same consciousness being preserved, whether in the same or different substances, the personal identity is preserved.

§ 14. As to the second part of the question, whether the same immaterial substance remaining, there may be two distinct persons; which question seems to me to be built on this, whether the same immaterial being, being conscious of the actions of its past duration, may be wholly

comme s'il avait existé. C'est pourquoi il nous sera toujours difficile de déterminer dans quelle mesure la conscience des actions passées est attachée à un agent individuel donné, de sorte qu'aucun autre ne puisse l'avoir, tant que nous ne saurons pas quelles espèces d'actions ne sauraient s'accomplir sans un acte réfléchi de perception qui les accompagne, et comment elles sont effectuées par des substances pensantes qui ne peuvent penser sans en être conscientes. Mais en réalité ce que nous appelons la même conscience n'est pas le même acte individuel; c'est pourquoi il sera difficile de conclure de la nature des choses qu'une seule et unique substance intellectuelle ne peut pas se représenter comme son propre fait ce qu'elle n'a jamais fait, mais que peut-être un autre agent a accompli : ce qui me fait dire qu'une telle représentation peut ne pas être dépourvue de réalité matérielle ou factuelle, tout comme diverses représentations que nous formons en rêve et que nous tenons alors pour vraies. Cette possibilité, aussi longtemps que nous n'aurons pas une vue plus claire de la nature des substances pensantes, nous n'aurons pas de meilleur moyen de l'exclure que d'invoquer la bonté de Dieu : dans la mesure où c'est le bonheur ou le malheur d'une de ses créatures sensibles qui est en jeu, il ne commettra pas la même fatale erreur qu'elles en transférant de l'une à l'autre cette conscience qui emporte avec elle la récompense et le châtiment. Je laisse à juger si ceci peut être un argument contre ceux qui situent la pensée dans un système de circulation des Esprits animaux. Mais pour en revenir à la question posée, il faut accorder que si la même conscience (dont on a montré qu'elle était quelque chose de tout à fait distinct d'une figure ou d'un mouvement numériquement identiques dans un corps) peut passer d'une substance pensante à une autre, il sera alors possible pour deux substances pensantes de ne former qu'une seule personne. Car si la même conscience est conservée, que ce soit dans la même substance ou dans des substances différentes, l'identité personnelle l'est aussi.

§ 14. Pour ce qui est de la seconde partie de la question : la même substance immatérielle demeurant inchangée, peut-il y avoir deux personnes différentes ? elle me semble reposer sur le point suivant : le même être immatériel, étant conscient des actions qu'il a accomplies dans son passé, peut-il être entiè-

stripped of all the consciousness of its past existence, and lose it beyond the power of ever retrieving again : and so as it were beginning a new account from a new period, have a consciousness that cannot reach beyond this new state. All those who hold preexistence, are evidently of this mind, since they allow the soul to have no remaining consciousness of what it did in that preexistent state, either wholly separate from body, or informing any other body; and if they should not, it is plain experience would be against them. So that personal identity reaching no farther than consciousness reaches, a pre-existent spirit not having continued so many ages in a state of silence, must needs make different persons. Suppose a Christian Platonist or Pythagorean, should upon God's having ended all his Works of creation the Seventh Day, think his soul has existed ever since; and should imagine it has revolved in several humane bodies, as I once met with one, who was persuaded his had been the soul of Socrates (how reasonably I will not dispute. This I know, that in the post he filled, which was no inconsiderable one, he passed for a very rational man, and the press has shown, that he wanted no parts or learning) would any one say, that he, being not conscious of any of Socrates' actions or thoughts, could be the same person with Socrates ? Let any one reflect upon himself, and conclude, that he has in himself an immaterial spirit, which is that which thinks in him, and in the constant change of his body keeps him the same; and is that which he calls himself : let him also suppose it to be the same soul, that was in Nestor or Thersites, at the siege of Troy, (for souls being, as far as we know any thing of them in their nature, indifferent to any parcel of matter, the supposition has no apparent absurdity in it) which it may have been, as well as it is now, the soul of any other man : but he, now having no consciousness of any of the actions either of Nestor or Thersites, does, or can he, conceive himself the same person with either of them ?

rement dépouillé de toute conscience de son existence passée, et perdre jusqu'au pouvoir de jamais la retrouver, comme s'il entamait une nouvelle comptabilité pour un nouvel exercice, avec une conscience qui ne s'étendrait pas plus loin que ce nouvel état ? Tous ceux qui croient à la préexistence des âmes sont évidemment de cet avis, puisqu'ils autorisent l'âme à ne conserver aucune conscience de ce qu'elle a fait dans cet état antérieur, que ce soit en étant séparée de tout corps ou en étant incorporée à un autre ; et s'ils ne l'étaient pas, l'expérience la plus ordinaire les réfuterait aussitôt. De telle sorte que, l'identité personnelle ne s'étendant pas plus loin que ne va la conscience, un Esprit préexistant qui n'a pas traversé tant de siècles dans un état de sommeil complet doit nécessairement faire des personnes distinctes. Supposons un Platonicien ou un Pythagoricien chrétiens, pour qui Dieu a achevé toute son œuvre de création le septième jour, et qui en conclut que son âme existe depuis ce moment ; supposons qu'il croie qu'elle a successivement habité plusieurs corps humains, comme j'en ai une fois rencontré un, qui était convaincu que son âme était celle de Socrate (je ne discuterai pas de savoir si c'était raisonnable : tout ce que je sais, c'est qu'à la place qu'il occupait, qui n'était pas des moindres, il passait pour un homme de grand sens, dont les publications ont montré les capacités et l'érudition), est-ce qu'on estimerait pour autant qu'il pouvait être la même personne que Socrate, alors qu'il n'avait conscience d'aucune des actions ou des pensées de Socrate ? Que chacun fasse réflexion sur lui-même, il conclura qu'il a en lui un Esprit immatériel qui est ce qui pense en lui, et qui le conserve comme le même dans la continuelle transformation de son corps, et qui est ce qu'il appelle lui-même. Si nous supposons maintenant (hypothèse qui ne comporte aucune apparence d'absurdité puisque, pour autant que nous sachions quelque chose de leur nature, les âmes sont indifférentes à tout corpuscule de matière) qu'il croie cette âme être la même qui habitait le corps de Nestor ou celui de Thersite au siège de Troie, comme elle pourrait avoir été ce qu'elle est aujourd'hui, l'âme de n'importe quel autre homme, pense-t-il pour autant et pourrait-il même concevoir qu'il est la même personne que Nestor ou Thersite, alors qu'il n'a aucune conscience de la moindre de leurs actions ? Pourrait-il

Can he be concerned in either of their actions? Attribute them to himself, or think them his own more than the actions of any other man, that ever existed? So that this consciousness not reaching to any of the actions of either of those men, he is no more one *self* with either of them, than if the soul or immaterial spirit, that now informs him, had been created, and began to exist, when it began to inform his present body, though it were never so true, that the same spirit that informed Nestor's or Thersites' body, were numerically the same that now informs his. For this would no more make him the same person with Nestor, than if some of the particles of matter, that were once a part of Nestor, were now a part of this man, the same immaterial substance without the same consciousness, no more making the same person by being united to any body, than the same particle of matter without consciousness united to any body, makes the same person. But let him once find himself conscious of any of the actions of Nestor, he then finds himself the same person with Nestor.

§ 15. And thus we may be able without any difficulty to conceive, the same person at the Resurrection, though in a body not exactly in make or parts the same which he had here, the same consciousness going along with the soul that inhabits it. But yet the soul alone in the change of bodies, would scarce to any one, but to him that makes the soul the man, be enough to make the same man. For should the soul of a prince, carrying with it the consciousness of the prince's past life, enter and inform the body of a cobler, as soon as deserted by his own soul, every one sees, he would be the same person with the prince, accountable only for the prince's actions : but who would say it was the same man? The body too goes to the making the man, and would, I guess, to every body determine the man in this case, wherein the soul, with all its princely thoughts about it, would not make another man : but he would be the same cobler to every one besides himself. I

alors se soucier de l'une ou l'autre de leurs actions et se les attribuer, ou penser qu'elles sont siennes plutôt que les actions d'un homme quelconque ayant jamais existé? De sorte que, si sa conscience ne s'étend à aucune des actions d'aucun de ces hommes, il ne forme pas plus un seul soi avec aucun des deux, que si l'âme ou l'Esprit immatériel, qui lui est présentement incorporé, avait été créée, et avait commencé d'exister quand elle s'est incorporée à son corps présent, encore qu'il serait parfaitement vrai que l'Esprit qui était incorporé au corps de Nestor ou de Thersite était numériquement le même que celui qui à présent est incorporé au sien. Ceci à vrai dire ne ferait pas plus de lui la même personne que Nestor, que si quelques corpuscules de matière ayant appartenu à Nestor lui appartenaient maintenant, étant donné que la même substance immatérielle sans la même conscience ne fait pas plus la même personne en étant unie à un certain corps que le même corpuscule de matière sans conscience uni à un corps ne fait la même personne. Que si, en revanche, il se trouvait jamais avoir conscience d'une des actions de Nestor, alors il se découvrirait lui-même ne faire qu'une personne avec Nestor.

§ 15. Et de la sorte nous pourrons peut-être concevoir sans difficulté qu'au moment de la résurrection une personne soit la même, bien que dans un corps dont la structure ou les parties ne seraient pas exactement ceux qu'il avait eus ici bas, puisque la même conscience va avec l'âme qui l'habite. Pourtant l'âme seule dans le changement des corps ne suffirait pas à faire le même homme, sauf aux yeux de celui pour qui c'est l'âme qui fait l'homme. Car si l'âme d'un prince, emportant avec elle la conscience de sa vie passée de prince, venait à entrer dans le corps d'un savetier et à s'incarner en lui à peine celui-ci abandonné par son âme à lui, chacun voit bien qu'il serait la même personne que ce prince, et comptable seulement de ses actes : mais qui dirait que c'est le même homme? Le corps lui aussi entre dans la constitution de l'homme, et je suppose que pour quiconque c'est le corps qui, dans ce cas, déterminerait l'homme, tandis que l'âme, avec toutes ses pensées princières, ne ferait pas un autre homme, mais il demeurerait le même savetier pour tous, sauf pour lui-même. Je sais bien que dans la façon de parler

know that in the ordinary way of speaking, the same person, and the same man, stand for one and the same thing. And indeed every one will always have a liberty to speak, as he pleases, and to apply what articulate sounds to what ideas he thinks fit, and change them as often as he pleases. But yet when we will enquire, what makes the same spirit, man, or person, we must fix the ideas of spirit, man, or person, in our minds; and having resolved with our selves what we mean by them, it will not be hard to determine, in either of them, or the like, when it is the same, and when not.

§ 16. *Consciousness makes the same person.* But though the same immaterial substance, or soul does not alone, wherever it be, and in whatsoever state, make the same man; yet it is plain consciousness, as far as ever it can be extended, should it be to the ages past, unites existences, and actions, very remote in time, into the same person, as well as it does the existence and actions of the immediately preceding moment : so that whatever has the consciousness of present and past actions, is the same person to whom they both belong. Had I the same consciousness, that I saw the Ark and Noah's flood, as I saw an overflowing of the Thames last winter, or as that I write now, I could no more doubt that I, that write this now, that saw the Thames overflowed last winter, and that viewed the flood at the general Deluge, was the same *self,* place that *self* in what Substance you please, than that I that write this am the same my *self* now whilst I write (whether I consist of all the same substance, material or immaterial, or no) that I was yesterday. For as to this point of being the same *self,* it matters not whether this present *self* be made up of the same or other substances, I being as much concerned, and as justly accountable for any action was done a thousand years since, appropriated to me now by this self-consciousness, as I am, for what I did the last moment.

ordinaire « la même personne » et « le même homme » représentent une seule et même chose. Bien entendu chacun aura toujours le droit de parler comme il veut, et d'appliquer les sons articulés qu'il veut aux idées auxquelles ils lui paraissent convenir, et de les changer autant de fois qu'il veut. Il n'empêche que quand nous recherchons ce qui fait le même Esprit, le même homme ou la même personne, il nous faut fixer dans notre esprit les idées d'Esprit, d'homme et de personne, et, ayant décidé en nous-mêmes ce que nous entendons par là, il ne nous sera pas difficile de déterminer dans ces trois cas, ou d'autres semblables, quand il y a identité ou non.

§ 16. *La conscience fait la même personne.* On voit que la même substance immatérielle ou âme ne suffit pas, où qu'elle soit située et quel que soit son état, à faire à elle seule le même homme. En revanche il est manifeste que la simple conscience, aussi loin qu'elle peut atteindre, même si c'est à des époques historiques passées, réunit des existences et des actions éloignées dans le temps au sein de la même personne aussi bien qu'elle le fait pour l'existence et les actions du moment immédiatement précédent. En sorte que tout ce qui a la conscience d'actions présentes et passées est la même personne à laquelle elles appartiennent ensemble. Si j'avais conscience d'avoir vu l'Arche et le Déluge de Noé comme j'ai conscience d'avoir vu une crue de la Tamise l'hiver dernier, ou comme j'ai conscience maintenant d'écrire, je ne pourrais pas plus douter que moi qui écris ceci maintenant, qui ai vu la Tamise déborder l'hiver dernier, et qui aurais vu la terre noyée par le Déluge, j'étais le même soi, dans quelque substance qu'il vous plaira de le placer, que je ne puis douter que moi qui écris suis le même soi ou moi-même que j'étais hier, tandis qu'à présent j'écris (que je sois entièrement constitué ou non de la même substance, matérielle ou immatérielle). Car pour ce qui est de la question de savoir si je suis le même soi, il importe peu que ce soi d'aujourd'hui soit fait de la même substance ou d'autres. Car je suis aussi justement soucieux et comptable d'un acte accompli il y a mille ans, que cette conscience de soi m'attribuerait maintenant en propre, que je le suis de ce que j'ai fait il y a un instant.

§ 17. *Self depends on consciousness. Self* is that conscious thin-king thing, (whatever substance, made up of whether spiri-tual, or material, simple, or compounded, it matters not) which is sensible, or conscious of pleasure and pain, capable of happiness or misery, and so is concerned for it self, as far as that consciousness extends. Thus every one finds, that whilst comprehended under that consciousness, the little finger is as much a part of it self, as what is most so. Upon separation of this little finger, should this consciousness go along with the little finger, and leave the rest of the body, it is evident the little finger would be the person, the same person; and *self* then would have nothing to do with the rest of the body. As in this case it is the consciousness that goes along with the substance, when one part is separated from another, which makes the same person, and constitutes this inseparable *self*: so it is in reference to substances remote in time. That with which the consciousness of this present thinking thing can join it self, makes the same person, and is one *self* with it, and with nothing else; and so attributes to it self, and owns all the actions of that thing, as its own, as far as that consciousness reaches, and no farther; as every one who reflects will perceive.

§ 18. *Object of reward and punishment.* In this personal iden-tity is founded all the right and justice of reward and punish-ment; happiness and misery, being that, which every one is concerned for himself, not mattering what becomes of any substance, not joined to, or affected with that consciousness. For as it is evident in the instance I gave but now, if the consciousness went along with the little finger, when it was cut off, that would be the same *self* which was concerned for the whole body yesterday, as making a part of it self, whose actions it cannot but admit as its own now. Though if the same body should still live, and immediately from the sepa-ration of the little finger have its own peculiar consciousness, whereof the little finger knew nothing, it would not at all be concerned for it, as a part of it self, or could own any of its actions, or have any of them imputed to him.

§ 17. *Le soi dépend de la conscience.* Soi est cette chose qui pense consciente (de quelque substance, spirituelle ou matérielle, simple ou composée, qu'elle soit faite, peu importe) qui est sensible, ou consciente du plaisir et de la douleur, capable de bonheur et de malheur, et qui dès lors se soucie de soi dans toute la mesure où s'étend cette conscience. Chacun trouve ainsi que son petit doigt, tant qu'il entre dans cette conscience, est une partie de soi autant que ce qui lui est le plus essentiel. Ce petit doigt étant amputé, si la conscience s'en allait avec lui et se séparait du reste du corps, il est clair que c'est le petit doigt qui serait la personne, la même personne ; et soi n'aurait alors rien à voir avec le reste du corps. De même que dans ce cas c'est la conscience qui accompagne la substance, lorsqu'une partie est séparée d'une autre, qui fait la même personne, et constitue ce soi indivisible, de même en va-t-il par rapport à des substances éloignées dans le temps. Celle avec qui peut se joindre la conscience de la chose pensante actuelle fait la même personne, elle forme un seul soi avec elle, et avec rien d'autre ; elle s'attribue ainsi et avoue toutes les actions de cette chose, qui n'appartiennent qu'à elle seule aussi loin que s'étend cette conscience (mais pas plus loin), comme le comprendra quiconque y pensera.

§ 18. *Objet de récompense et de châtiment.* C'est dans cette identité personnelle que se fondent tout le droit et toute la justice de la récompense et du châtiment, c'est-à-dire du bonheur et du malheur dont chacun se soucie pour lui-même, indépendamment de ce qui peut advenir à toute substance qui ne serait pas unie à cette conscience, ou affectée en même temps qu'elle. Car, comme il apparaissait clairement dans l'exemple que je donnais à l'instant, si la conscience s'en allait avec le petit doigt quand il a été coupé, ce serait le même soi qui hier se souciait du corps tout entier et le considérait comme faisant partie de soi, et dont il lui faudrait bien admettre alors que les actions sont maintenant les siennes. Tandis que si le même corps étant toujours en vie acquérait sa propre conscience aussitôt après la séparation du petit doigt, dont celui-ci ne saurait rien, il ne s'en soucierait plus, ne verrait pas en lui une partie de soi, ne pourrait faire siennes aucune de ses actions ni se les voir imputer.

§ 19. This may show us wherein personal identity consists, not in the identity of substance, but, as I have said, in the identity of consciousness, wherein, if Socrates and the present Mayor of Quinborough agree, they are the same person : if the same Socrates waking and sleeping do not partake of the same consciousness, Socrates waking and sleeping is not the same person. And to punish Socrates waking, for what sleeping Socrates thought, and waking Socrates was never conscious of, would be no more of right, than to punish one twin for what his brother-twin did, whereof he knew nothing, because their outsides were so like, that they could not be distinguished; for such twins have been seen.

§ 20. But yet possibly it will be objected, suppose I wholly lose the memory of some parts of my life, beyond a possibility of retrieving them, so that perhaps I shall never be conscious of them again; yet I am not the same person, that did those actions, had those thoughts, that I was once conscious of, though I have now forgot them? To which I answer, that we must here take notice what the word *I* is applied to, which in this case is the man only. And the same man being presumed to be the same person, *I* is easily here supposed to stand also for the same person. But if it be possible for the same man to have distinct incommunicable consciousness at different times, it is past doubt the same man would at different times make different persons; which, we see, is the sense of mankind in the solemnest declaration of their opinions, humane laws not punishing the mad man for the sober man's actions, nor the sober man for what the mad man did, thereby making them two persons; which is somewhat explained by our way of speaking in English, when we say such an one *is not himself*, or is *besides himself*; in which phrases it is insinuated, as if those who now, or, at least, first used them, thought, that *self* was changed, the self same person was no longer in that man.

§ 19. Ceci peut nous faire voir en quoi consiste l'identité personnelle : non dans l'identité de substance mais, comme je l'ai dit, dans l'identité de conscience, en sorte que si Socrate et l'actuel maire de Quinborough en conviennent, ils sont la même personne, tandis que si le même Socrate éveillé et endormi ne partagent pas la même conscience, Socrate éveillé et Socrate dormant n'est pas la même personne. Et punir Socrate l'éveillé pour ce que Socrate le dormant a pu penser, et dont Socrate l'éveillé n'a jamais eu conscience, ne serait pas plus juste que de punir un jumeau pour les actes de son frère jumeau et dont il n'a rien su, sous prétexte que leur forme extérieure est si semblable qu'ils sont indiscernables (or on a vu de tels jumeaux).

§ 20. Maintenant on pourra toujours nous objecter encore ceci : supposons que j'aie totalement perdu la mémoire de certaines parties de mon existence, ainsi que toute possibilité de les retrouver, en sorte que peut-être je n'en serai plus jamais conscient, ne suis-je pas cependant toujours la personne qui a commis ces actes, eu ces pensées dont une fois j'ai eu conscience, même si je les ai maintenant oubliées ? À quoi je réponds que nous devons ici faire attention à quoi nous appliquons le mot « je ». Or dans ce cas il ne s'agit que de l'homme. Si l'on présume que le même homme est la même personne, on suppose aussi facilement que « je » représente aussi la même personne. Mais s'il est possible que le même homme ait différentes consciences sans rien qui leur soit commun à différents moments, on ne saurait douter que le même homme à différents moments ne fasse différentes personnes. Ce qui, nous le voyons bien, est le sentiment de toute l'humanité dans ses déclarations les plus solennelles, puisque les lois humaines ne punissent pas le fou pour les actes accomplis par l'homme dans son bon sens, ni l'homme dans son bon sens pour ce qu'a fait le fou, les considérant ainsi comme deux personnes distinctes. Ce qu'explique assez bien notre façon de parler[4] lorsque nous disons qu'un tel « n'est pas lui-même », ou qu'il est « hors de soi », phrases qui suggèrent que le soi a été transformé, que la même personne qui est soi n'était plus là dans cet homme, comme si c'était bel et bien ce que pensaient ceux qui usent de ces tours, ou du moins ceux qui ont été les premiers à en user.

4. Locke précise : « en anglais » (E.B.)

§ 21. *Difference between identity of man and person.* But yet it is hard to conceive, that Socrates the same individual man, should be two persons. To help us a little in this, we must consider what is meant by Socrates, or the same individual man.

First, it must be either the same individual, immaterial, thinking substance : in short, the same numerical soul, and nothing else.

Secondly, or the same animal, without any regard to an immaterial soul.

Thirdly, or the same immaterial spirit united to the same animal.

Now take which of these suppositions you please, it is impossible to make personal identity to consist in any thing but consciousness; or reach any farther than that does.

For by the first of them, it must be allowed possible that a man born of different women, and in distant times, may be the same man. A way of speaking, which whoever admits, must allow it possible, for the same man to be two distinct persons, as any two that have lived in different ages without the knowledge of one another's thoughts.

By the second and third, Socrates in this life, and after it, cannot be the same man any way, but by the same consciousness; and so making humane identity to consist in the same thing wherein we place personal identity, there will be no difficulty to allow the same man to be the same person. But then they who place personal humane identity in consciousness only, and not in something else, must consider how they will make the infant Socrates the same man with Socrates after the Resurrection. But whatsoever to some men makes a man, and consequently the same individual man, wherein perhaps few are agreed, personal identity can by us be placed in nothing but consciousness (which is that alone which makes what we call *self*) without involving us in great absurdities.

§ 22. But is not a man drunk and sober the same person, why else is he punished for the fact he commits when

§ 21. Cependant il est difficile de concevoir comment le même homme ou le même individu nommé Socrate pourrait être deux personnes distinctes. Pour y voir plus clair il nous faut considérer ce qu'on entend par Socrate, ou par le même individu humain.

Il faut qu'il soit ou bien, premièrement, la même substance pensante individuelle, immatérielle, en bref la même âme numériquement identique et rien d'autre; ou bien, deuxièmement, le même animal, indépendamment de toute âme immatérielle; ou bien, troisièmement, l'union du même Esprit immatériel et du même animal. Mais quelle que soit celle de ces hypothèses que vous adoptez, il est impossible de faire que l'identité personnelle consiste en quoi que ce soit d'autre que la conscience, ou s'étende au-delà de ce que celle-ci appréhende.

En effet dans le premier cas on devra admettre la possibilité qu'un homme né de femmes différentes à différentes époques soit le même homme. C'est là une façon de parler, mais quiconque l'admet doit admettre la possibilité pour le même homme d'être deux personnes différentes, aussi différentes que deux personnes quelconques ayant vécu en des siècles distincts sans connaître leurs pensées respectives.

Dans le deuxième et le troisième cas, Socrate dans cette vie et dans l'autre ne saurait être le même homme, si ce n'est par la même conscience. Si l'on fait ainsi consister l'identité humaine précisément en ce qui, selon nous, fait l'identité personnelle, il n'y aura aucune difficulté à accorder que le même homme soit la même personne. Mais alors ceux qui situent l'identité humaine dans la seule conscience et rien d'autre doivent se demander comment ils feront que l'enfant Socrate soit le même homme que Socrate ressuscité. Ainsi quoi que ce soit qui fasse un homme aux yeux de certains hommes, et par conséquent l'identité d'un individu humain, sur quoi peut-être peu seront d'accord, nous ne pourrons situer l'identité personnelle nulle part ailleurs que dans la conscience (qui est la seule chose qui fait ce que nous appelons soi) sans nous trouver embarqués dans de grandes absurdités.

§ 22. Mais un homme saoul et un homme sobre ne sont-ils pas la même personne? Sinon, pourquoi un homme est-il puni

drunk, though he be never afterwards conscious of it? Just as much the same person, as a man that walks, and does other things in his sleep, is the same person, and is answerable for any mischief he shall do in it. Humane laws punish both with a justice suitable to their way of knowledge: because in these cases, they cannot distinguish certainly what is real, what counterfeit; and so the ignorance in drunkenness or sleep is not admitted as a plea. For though punishment be annexed to personality, and personality to consciousness, and the drunkard perhaps not be conscious of what he did; yet humane judicatures justly punish him; because the fact is proved against him, but want of consciousness cannot be proved for him. But in the Great Day, wherein the secrets of all hearts shall be laid open, it may be reasonable to think, no one shall be made to answer for what he knows nothing of; but shall receive his doom, his conscience accusing or excusing him.

§ 23. *Consciousness alone makes self.* Nothing but consciousness can unite remote existences into the same person, the identity of substance will not do it. For whatever substance there is, however framed, without consciousness, there is no person: and a carcase may be a person, as well as any sort of substance be so without consciousness.

Could we suppose two distinct incommunicable consciousnesses acting the same body, the one constantly by day, the other by night; and on the other side the same consciousness acting by intervals two distinct bodies: I ask in the first case, whether the Day and the Night-man would not be two as distinct persons, as Socrates and Plato; and whether in the second case, there would not be one person in two distinct bodies, as much as one man is the same in two distinct clothings. Nor is it at all material to say, that this same, and this distinct consciousness in

pour ce qu'il a commis quand il était saoul, même s'il n'en a plus eu conscience ensuite ? C'est la même personne dans l'exacte mesure où un homme qui marche et fait d'autres choses encore pendant son sommeil est la même personne, et est responsable de tout dommage causé alors. Les lois humaines punissent les deux selon une règle de justice qui s'accorde à leur mode de connaissance : ne pouvant dans des cas de ce genre distinguer avec certitude ce qui est vrai et ce qui est feint, elles ne peuvent admettre comme défense valable l'ignorance due à l'ivresse ou au sommeil. Car bien que le châtiment soit attaché à la personnalité, et la personnalité à la conscience, et que peut-être l'ivrogne n'ait pas conscience de ce qu'il a fait, les tribunaux humains cependant le punissent à bon droit, parce que contre lui il y a la preuve du fait, tandis qu'en sa faveur il ne peut y avoir la preuve du manque de conscience. Mais au jour du Jugement Dernier, quand les secrets de tous les cœurs seront mis à nu, on peut raisonnablement penser que personne ne sera tenu de répondre pour ce dont il n'a pas eu connaissance ; mais il recevra le verdict qui convient, sa seule Conscience[5] l'accusant ou l'excusant.

§ 23. *Seule la conscience fait le soi.* Il n'y a que la conscience qui puisse unir des existences éloignées au sein de la même personne, l'identité de substance n'y parviendra pas. Car quelle que soit la substance, et sa constitution, sans conscience il n'y a pas de personne : ou alors un cadavre pourrait être une personne aussi bien que n'importe quelle sorte de substance pourrait l'être sans conscience.

Si nous pouvions supposer d'un côté deux consciences différentes, sans communication entre elles, mais faisant agir le même corps, l'une tout au long du jour, et l'autre de nuit, et d'autre part une même conscience faisant agir alternativement deux corps distincts, la question ne se poserait-elle pas bel et bien de savoir, dans le premier cas, si l'Homme du jour et l'Homme de la nuit ne seraient pas deux personnes aussi différentes que Socrate et Platon ? Et, dans le second cas, s'il n'y aurait pas une seule personne dans deux corps différents, tout autant qu'un homme est le même dans deux costumes différents ? Et nous n'avons aucun intérêt réel à dire, dans les deux

5. En anglais : *conscience.*

the cases above-mentioned, is owing to the same and distinct immaterial substances, bringing it with them to those bodies, which whether true or no, alters not the case : since it is evident the personal identity would equally be determined by the consciousness, whether that consciousness were annexed to some individual immaterial substance or no. For granting that the thinking substance in man must be necessarily supposed immaterial, it is evident, that immaterial thinking thing may sometimes part with its past consciousness, and be restored to it again, as appears in the forgetfulness men often have of their past actions, and the mind many times recovers the memory of a past consciousness, which it had lost for twenty years together. Make these intervals of memory and forgetfulness to take their turns regularly by day and night, and you have two persons with the same immaterial spirit, as much as in the former instance two persons with the same body. So that *self* is not determined by identity or diversity of substance, which it cannot be sure of, but only by identity of consciousness.

§ 24. Indeed it may conceive the substance whereof it is now made up, to have existed formerly, united in the same conscious being : but consciousness removed, that substance is no more it self, or makes no more a part of it, than any other substance, as is evident in the instance, we have already given, of a limb cut off, of whose heat, or cold, or other affections, having no longer any consciousness, it is no more of a man's *self* than any other matter of the universe. In like manner it will be in reference to any immaterial substance, which is void of that consciousness whereby I am my *self* to my *self* : if there be any part of its existence, which I cannot upon recollection join with that present consciousness, whereby I am now my *self*, it is in that part of its existence no more my *self*, than any other immaterial being. For whatsoever any substance has

cas qui viennent d'être évoqués, que cette conscience tantôt identique, tantôt différente, est due au fait que des substances immatérielles, tantôt identiques, tantôt différentes, l'apportent avec elles à ces corps. Que ce soit vrai ou non, cela ne change rien à l'affaire : car il est évident que l'identité personnelle serait toujours déterminée par la conscience, que cette conscience dépende d'une substance individuelle immatérielle ou non. Car si on accorde que la substance pensante en l'homme doit nécessairement être supposée immatérielle, il est évident que cette chose pensante immatérielle devra tantôt prendre congé de sa conscience passée, tantôt la retrouver, comme on voit dans l'oubli où les hommes sont souvent de leurs actes, et dans la façon dont il peut arriver que l'esprit recouvre la mémoire d'une conscience passée qu'il avait perdue depuis au moins vingt ans. Si vous faites en sorte que ces périodes de mémoire et d'oubli alternent régulièrement avec le jour et la nuit, vous aurez deux personnes avec le même Esprit immatériel, comme vous aviez précédemment deux personnes avec un seul et même corps. En sorte que le soi n'est pas déterminé par une identité ou une différence de substance, dont il n'a aucune assurance, mais uniquement par l'identité de conscience.

§ 24. Sans doute il peut concevoir que la substance dont il est fait à présent a aussi existé antérieurement, réunie dans le même être conscient : mais si vous ôtez la conscience, cette substance n'est plus davantage soi-même, ou n'en fait pas plus partie que toute autre substance, de même que dans l'exemple que nous avons donné d'un membre amputé, dont nous n'avons plus aucune conscience qu'il a chaud, qu'il a froid ou qu'il éprouve une autre affection, il est clair que ce membre ne fait pas plus partie du soi d'un homme qu'une matière quelconque dans l'univers. Il en ira exactement de même si nous nous référons à quelque substance immatérielle, vidée de cette conscience par laquelle je suis moi-même pour moi-même : s'il est quelque partie de l'existence de ce soi que je ne peux pas réunir par le souvenir avec cette conscience présente par où je suis maintenant mon propre « soi », il n'est pas plus moi-même c'est-à-dire mon soi, en tout cas pour cette partie de son existence, que ne l'est tout

thought or done, which I cannot recollect, and by my consciousness make my own thought and action, it will no more belong to me, whether a part of me thought or did it, than if it had been thought or done by another immaterial being any where existing.

§ 25. I agree the more probable opinion is, that this consciousness is annexed to, and the affection of one individual immaterial substance.

But let men according to their diverse hypotheses resolve of that as they please. This every intelligent being, sensible of happiness or misery, must grant, that there is something that is himself, that he is concerned for, and would have happy; that this *self* has existed in a continued duration more than one instant, and therefore it is possible may exist, as it has done, months and years to come, without any certain bounds to be set to its duration; and may be the same *self*, by the same consciousness, continued on for the future. And thus, by this consciousness, he finds himself to be the same *self* which did such or such an action some years since, by which he comes to be happy or miserable now. In all which account of *self*, the same numerical substance is not considered, as making the same *self* : but the same continued consciousness, in which several substances may have been united, and again separated from it, which, whilst they continued in a vital union with that, wherein this consciousness then resided, made a part of that same *self*. Thus any part of our bodies vitally united to that, which is conscious in us, makes a part of our *selves* : but upon separation from the vital union, by which that consciousness is communicated, that, which a moment since was part of our *selves*, is now no more so, than a part of another man's *self* is a part of me; and it is not impossible, but in a little time may become a real part of another person. And so we have the same numerical substance become a part of two different persons; and the same person

autre être immatériel. Car quoi qu'une substance ait pensé ou fait, si je ne peux pas me le rappeler et en faire ma pensée à moi, mon action à moi, en me l'appropriant par la conscience, cette chose ne m'appartiendra pas plus (même si c'est une part de moi-même qui l'a pensée ou faite) que si elle avait été pensée ou faite par n'importe quel autre être immatériel existant par ailleurs.

§ 25. J'accorde cependant que l'opinion la plus plausible est que cette conscience dépend d'une seule substance individuelle immatérielle et qu'elle en est l'affection.

Mais laissons les hommes résoudre cette énigme comme ils voudront selon leurs diverses théories. Tout être intelligent, capable de ressentir du bonheur ou du malheur, nous accordera qu'il y a quelque chose qui est lui-même, dont il se soucie et qu'il voudrait rendre heureux ; que ce soi a existé et continue d'exister sans interruption depuis plus d'un instant, et que pour cette raison il est possible qu'il existe encore pendant des mois et des années à venir, sans que nous puissions assigner de limites certaines à sa durée ; et qu'il est toujours, par la même conscience, le même soi qui continue son existence dans le futur. Ainsi, par cette conscience, il se découvre lui-même être le même soi qui a accompli tel ou tel acte il y a quelques années, ce qui le rend présentement heureux ou malheureux. Mais dans tout ce compte qui est rendu de soi, l'identité numérique de la substance n'entre pas en ligne pour faire le même soi : il ne faut que considérer la continuation de la même conscience, qui peut bien recouvrir la réunion puis la séparation de plusieurs substances, et qui ont appartenu au même soi dans la mesure seulement où elles ont maintenu une union vivante avec ce en quoi cette conscience résidait alors. Ainsi toute partie de nos corps qui a une union vivante avec ce qui en nous est conscient, fait partie de nous-mêmes ou de notre soi. Mais dès qu'il est soustrait à l'union vivante par où cette conscience se communique, ce qui faisait partie de nous-mêmes ou de notre soi il y a un instant ne nous appartient pas davantage maintenant qu'une partie du soi d'un autre homme ne m'appartient ; et il se pourrait bien qu'en peu de temps il en vienne à faire réellement partie d'une autre personne. De sorte que la même substance numériquement appartiendra à deux personnes distinctes, et que la même personne préservera son

preserved under the change of various substances. Could we suppose any spirit wholly stripped of all its memory or consciousness of past actions, as we find our minds always are of a great part of ours, and sometimes of them all, the union or separation of such a spiritual substance would make no variation of personal identity, any more than that of of any particle of matter does. Any substance vitally united to the present thinking being, is a part of that very same *self* which now is : any thing united to it by a consciousness of former actions makes also a part of the same *self*, which is the same both then and now.

§ 26. *Person a forensic term.* Person, as I take it, is the name for this *self*. Wherever a man finds, what he calls himself, there I think another may say is the same person. It is a forensic term appropriating actions and their merit ; and so belongs only to intelligent agents capable of a law, and happiness and misery. This personality extends it self beyond present existence to what is past, only by consciousness, whereby it becomes concerned and accountable, owns and imputes to it self past actions, just upon the same ground, and for the same reason, that it does the present. All which is founded in a concern for happiness the unavoidable concomitant of consciousness, that which is conscious of pleasure and pain, desiring, that that *self*, that is conscious, should be happy. And therefore whatever past actions it cannot reconcile or appropriate to that present *self* by consciousness, it can be no more concerned in, than if they had never been done : and to receive pleasure or pain ; i.e. reward or punishment, on the account of any such action, is all one, as to be made happy or miserable in its first being, without any demerit at all. For supposing a man punished now, for what he had done in another life, whereof he could be made to have no consciousness at all, what difference is there between that punishment, and being created miserable ? And therefore conformable to this, the Apostle tells us, that at the Great Day, when

identité dans le changement de plusieurs substances. Si nous pouvons supposer un Esprit qui soit totalement dépouillé de toute sa mémoire ou de la conscience de ses actes passés, comme nous trouvons toujours que nos esprits le sont d'une grande partie, et parfois de la totalité des leurs, la réunion ou la séparation d'une telle substance spirituelle n'entraînerait pas plus de variation dans l'identité personnelle que celle d'un corpuscule de matière, quel qu'il soit. Toute substance qui est unie de façon vivante à l'être pensant présent appartient précisément au même soi qui existe maintenant, et toute chose qui lui est unie par une conscience d'actes antérieurs appartient également au même soi, qui demeure le même alors et à présent.

§ 26. *La personne, terme judiciaire.* Le mot « personne », tel que je l'emploie, est le nom de ce soi. Partout où un homme découvre ce qu'il appelle lui-même, un autre homme, ce me semble, pourra dire qu'il s'agit de la même personne. C'est un terme du langage judiciaire qui assigne la propriété des actes et de leur valeur, et comme tel n'appartient qu'à des agents doués d'intelligence, susceptibles de reconnaître une loi et d'éprouver bonheur et malheur. C'est uniquement par la conscience que cette personnalité s'étend soi-même au passé, par-delà l'existence présente : par où elle devient soucieuse et comptable des actes passés, elle les avoue et les impute à soi-même, au même titre et pour le même motif que les actes présents. Tout ceci repose sur le fait qu'un souci pour son propre bonheur accompagne inévitablement la conscience, ce qui est conscient du plaisir et de la douleur désirant toujours aussi le bonheur du soi qui précisément est conscient. C'est pourquoi s'il ne pouvait, par la conscience, confier ou approprier à ce soi actuel des actes passés, il ne pourrait pas plus s'en soucier que s'ils n'avaient jamais été accomplis. En sorte que recevoir du plaisir ou de la douleur, c'est-à-dire être récompensé ou puni du fait d'un quelconque de ces actes reviendrait ni plus ni moins à être voué au bonheur ou au malheur dès la naissance (du seul fait d'exister), sans avoir rien fait ni mérité. Car si nous supposons qu'un homme puisse être puni maintenant pour ce qu'il aurait fait dans une autre vie dont aucune conscience ne saurait lui être donnée, quelle différence y aurait-il entre une telle punition et le fait d'avoir été créé pour le malheur ? Il est donc logique que l'Apôtre nous dise qu'au

every one shall *receive according to his doings, the secrets of all Hearts shall be laid open*[3]. The sentence shall be justified by the consciousness all persons shall have, that they themselves in what bodies soever they appear, or what substances soever that consciousness adheres to, are the same, that committed those actions, and deserve that punishment for them.

§ 27. I am apt enough to think I have in treating of this subject made some suppositions that will look strange to some readers, and possibly they are so in themselves. But yet I think, they are such, as are pardonable in this ignorance we are in of the nature of that thinking thing, that is in us, and which we look on as our *selves*. Did we know what it was, or how it was tied to a certain system of fleeting animal spirits; or whether it could, or could not perform its operations of thinking and memory out of a body organized as ours is; and whether it has pleased God, that no one such spirit shall ever be united to any but one such body, upon the right constitution of whose organs its memory should depend, we might see the absurdity of some of those suppositions I have made. But taking, as we ordinarily now do, (in the dark concerning these matters) the soul of a man, for an immaterial substance, independent from matter, and indifferent alike to it all, there can from the nature of things, be no absurdity at all, to suppose, that the same soul may, at different times be united to different bodies, and with them make up, for that time, one man; as well as we suppose a part of a sheep's body yesterday should be a part of a man's body tomorrow, and in that union make a vital part of Meliboeus himself as well as it did of his ram.

§ 28. *The difficulty from ill use of names.* To conclude, whatever substance begins to exist, it must, during its existence, necessarily be the same : whatever compositions of

3. Cf. 1 Cor. 14, 25 et 2 Cor. 5, 10. [N.d.E.]

jour du Jugement, quand chacun *sera récompensé conformément à ses actes, les secrets de tous les cœurs seront mis à nu*. Le verdict sera justifié par la conscience que toutes personnes auront alors qu'elles-mêmes sont les mêmes qui précisément ont commis ces actes et méritent d'être ainsi punies pour eux, quel que soit le corps dans lequel elles se montrent ou les substances auxquelles cette conscience est attachée.

§ 27. Je vois bien qu'en traitant de ce sujet j'ai formulé certaines hypothèses qui paraîtront étranges à certains lecteurs, et peut-être le sont-elles en effet. Pourtant je pense qu'elles sont excusables, vu l'ignorance où nous nous trouvons de la nature de cette chose pensante qui est en nous et que nous regardons comme nous-mêmes ou comme notre soi. Si nous savions ce qu'elle était, ou comment elle était attachée à un certain système de circulation d'Esprits animaux, ou si elle pouvait ou non accomplir ses opérations de pensée et de mémoire en raison de l'organisation d'un corps semblable au nôtre, enfin si Dieu a voulu qu'aucun Esprit de ce genre ne soit jamais uni à plus d'un tel corps, dont la constitution des organes déterminerait sa mémoire, nous apercevrions peut-être l'absurdité de quelqu'une de mes hypothèses. Mais, puisque nous n'y voyons toujours pas clair en pareilles matières, et prenant, comme on fait d'ordinaire, l'âme de l'homme pour une substance immatérielle, indépendante de la matière et également indifférente à toutes ses parties, il ne saurait y avoir aucune absurdité venant de la nature des choses à supposer que la même âme soit unie à différents corps à différents moments, et forme ainsi un seul homme avec chacun d'eux pour un temps donné. Nous admettons bien que ce qui hier faisait partie du corps d'un mouton fera demain partie du corps d'un homme, et que cette union en fera une partie vivante de Mélibée lui-même après qu'elle ait appartenu à son bélier.

§ 28. *La difficulté vient du mauvais usage des noms.* Pour conclure, disons que toute substance qui commence à exister doit nécessairement rester la même tout au long de son existence ; que toute composition de substances qui commence

substances begin to exist, during the union of those substances, the concrete must be the same : whatsoever mode
begins to exist, during its existence, it is the same : and so
if the composition be of distinct substances, and different
modes, the same rule holds. Whereby it will appear, that
the difficulty or obscurity, that has been about this matter,
rather rises from the names ill used, than from any obscurity in things themselves. For whatever makes the specific
idea, to which the name is applied, if that idea be steadily
kept to, the distinction of any thing into the same, and
divers will easily be conceived, and there can arise no
doubt about it.

§ 29. *Continued existence makes identity.* For supposing a
rational spirit be the idea of a man, it is easy to know, what
is the same man, viz. the same spirit, whether separate or
in a body will be the same man. Supposing a rational spirit vitally united to a body of a certain conformation of
parts to make a man, whilst that rational spirit, with that
vital conformation of parts, though continued in a fleeting
successive body, remains, it will be the same man. But if to
any one the idea of a man be, but the vital union of parts
in a certain shape; as long as that vital union and shape
remains, in a concrete no otherwise the same, but by a
continued succession of fleeting particles, it will be the
same man. For whatever be the composition whereof the
complex idea is made, whenever existence makes it one
particular thing under any denomination, the same existence continued, preserves it the same individual under
the same denomination.

d'exister doit continuer à former un même ensemble aussi longtemps que sont unies entre elles ces substances ; enfin que tout mode d'une substance qui commence à exister est le même tout au long de son existence. La même règle générale vaut pour la composition des substances et pour la composition des modes différents. D'où il ressort que la difficulté ou l'obscurité régnant en cette matière proviennent plutôt du mauvais usage des noms que d'une obscurité dans les choses elles-mêmes. Car quelle que soit l'idée spécifique à laquelle s'applique un nom, si on ne s'écarte pas de l'idée, la différence pour une chose donnée entre même et différente se concevra aisément, et ne donnera lieu à aucun doute.

§ 29. *L'existence continuée fait l'identité.* Car si nous supposons que l'idée d'un homme est celle d'un Esprit rationnel, il est facile de savoir ce qu'est le même homme, c'est-à-dire que le même Esprit, soit séparé soit logé dans un corps, sera le même homme. En supposant qu'un Esprit rationnel uni de façon vivante à un corps ayant une certaine configuration de parties fait un homme, aussi longtemps que cet Esprit rationnel conservera cette configuration vivante de parties ce sera le même homme, même s'il passe d'un corps dans un autre. Mais si quelqu'un considère que l'idée d'un homme consiste seulement dans l'unité vivante de certaines parties selon une certaine forme, aussi longtemps que cette unité et cette forme vivantes demeureront dans un même ensemble, identique à lui-même à travers le changement et le flux continuel des corpuscules qui le composent, ce sera le même homme. Car quelle que soit la façon dont une idée complexe est composée, il suffit que l'existence en fasse une seule chose particulière, sous quelque dénomination que ce soit, pour que la continuation de la même existence préserve l'identité de l'individu sous l'identité du nom.

GLOSSAIRE

Ce glossaire fonctionne en même temps comme un index, don-
nant pour chaque terme ou groupe de termes les numéros des
paragraphes du texte dans lesquels ils figurent une ou plusieurs
fois, sur lesquels s'appuient la traduction et le commentaire.

ACCOUNT, ACCOUNTABLE :

§§ 8, 14, 15, 16, 24, 26.

Coste traduit *account* par « récit » et par « compte », mais
accountable par « responsable » : il faut rétablir la cohérence en
traduisant par « comptable » (de ses actes). Le sens général est
l'obligation de rendre compte, et l'aspect quantitatif n'en est
jamais absent, ne serait-ce que sous la forme d'une énumération
des actes ou des faits.

Voir APPROPRIATE

ACT, ACTION(S) :

§§ 2, 9, 10, 13, 14, 15, 16, 17, 18, 20, 23. 24, 25, 26.

TO ACT : § 23 (faire agir)

Coste traduit naturellement *act* par « acte » et *action* par
« action ». Nous avons cru cependant qu'il fallait rendre ce dernier
terme tantôt par « action », pour connoter l'idée de mouvement
(notamment dans les associations *existence and action*, *past* ou
present actions, *thought and action*, etc.), tantôt par « acte », pour
connoter l'intention et la responsabilité (*action done*, *action imputed*), malgré la difficulté de tracer une ligne de détermination nette.
Nous tenons compte de ce qu'en anglais la distribution n'est pas la
même qu'en français (cf. l'expression : *He is not responsible for
his actions*, « il n'est pas responsable de ses actes »).

Voir APPROPRIATE

ANSWER, ANSWERABLE :

§ 22

Nous traduisons par « répondre » et « responsable » dans le seul passage où figure cette formulation archaïsante, en référence au Jour où, pour chacun, sa conscience témoignera devant le tribunal de Dieu (*Rom.*, 2, 15-16).

Voir APPROPRIATE

APPROPRIATE :

§§ 16, 26

Coste traduit « adjuger », « approprier ». Nous traduisons par « attribuer en propre », « approprier ».

Bien que le terme ne soit employé que trois fois dans le Traité, il y occupe une position stratégique, car c'est lui qui approche au plus près la notion stoïcienne de l'*oikeiôsis*, dont Locke a reconstitué la prégnance, par des moyens totalement nouveaux (en faisant intervenir, précisément, la médiation de la conscience). Autour de lui se dispose la constellation des termes d'intérêt (*concern, desire, happiness*), de responsabilité (*account, accountable, answer, answerable, impute, attribute, reward*) et de participation (*to belong, to be a part* [*of*], *to partake*).

Conformément à l'ontologie stoïcienne, qui ne part pas du sujet et de l'objet mais privilégie le point de vue de l'agent et de ses fonctions [1], *appropriate* s'applique chez Locke uniquement à des *actions* : c'est le jeu de la conscience et de la mémoire qui permet de les « avouer pour siennes » (*own*) et ainsi de les « concilier » ou « confier » au sujet, c'est-à-dire au « soi » [2].

Mais d'autre part la notion d'appropriation est identiquement celle qui, dans les œuvres politiques et notamment dans le *Second Treatise of Government*, permet de définir la personnalité civile comme celle d'un individu « propriétaire de soi-même » et ramenant à lui les biens et les droits nécessaires à son indépendance par l'intermédiaire du travail (plus généralement de l'effort) [3] :

1. Cf. V. GOLDSCHMIDT, *Le Système stoïcien et l'idée de temps*, Vrin, 1953, p. 125 sq.

2. § 26 : *reconcile or appropriate*, formule directement empruntée à l'explicitation latine de l'*oikeiôsis* par Cicéron : *ipsum sibi conciliatur* (*De Fin.*, III, V, 16).

3. LOCKE, *The Second Treatise of Government* (éd. Laslett, Cambridge University Press, 1960, reprinted 1965 Mentor Books), pp. 328, 340, 442. Nous modernisons l'orthographe.

§ 27 : « Though the Earth, and all inferior Creatures be common to all Men, yet every Man has a *Property* in his own *Person*. This no Body has any Right to but himself. The *Labour* of his Body, and the *Work* of his Hands, we may say, are properly his. Whatsoever then he removes out of the State that Nature has provided, and left it in, he has mixed his *Labour* with, and joined to it something that is his own, and thereby makes it his *Property*… » (Même si la terre et toutes les créatures inférieures sont communes à tous les hommes, reste que tout homme a une propriété de sa propre personne, et que sur elle personne n'a aucun droit que lui-même. Le travail de son corps et l'œuvre de ses mains, nous pouvons bien le dire, sont proprement siens. En conséquence toute chose qu'il retire de l'état dans lequel la nature l'avait mise et laissée, en lui mêlant son travail et lui combinant ainsi quelque chose qui est à lui, il en fait par là-même sa propriété…)

§ 44 : « Man (by being Master of himself, and *Proprietor of his own Person*, and the actions or *Labour* of it) had still in himself *the great Foundation of Property*; and that which made up the great part of what he applied to the Support or Comfort of his being […] was perfectly his own, and did not belong in common to others… » (L'homme — en tant que maître de lui-même et propriétaire de sa propre personne, et des actions ou du travail de celle-ci — n'en avait pas moins en lui-même le grand fondement de la propriété ; de sorte que tout ce qui formait, pour l'essentiel, le moyen appliqué à la subsistance et à l'aisance de son existence […] était parfaitement sien, et n'appartenait pas aussi en commun à tous les autres…)

§§ 193-194 : « The nature whereof is, that *without a Man's own consent* [his Property] *cannot be taken from him* […] Their *Persons* are *free* by a Native Right, and their *properties*, be they more or less, are *their own, and at their own dispose* […] or else it is no property » ([…] dont la nature est que, sans le propre consentement d'un homme, sa propriété ne peut lui être enlevée… Leurs personnes sont libres par un droit naturel, et leurs propriétés, quelle qu'en soit la grandeur, sont à eux, et à leur disposition exclusive… sinon il n'y a pas de propriété.)

Pour que la terminologie de ces textes soit cohérente avec celle de l'*Essay*, il faut supposer qu'il y a présupposition réciproque entre la théorie de l'identité personnelle, qui se fonde sur la continuité intérieure de la conscience, et celle de la propriété de soi-même, qui se fonde sur l'autonomie matérielle acquise dans le travail. Cette

complémentarité a été manquée dans la théorie de l'« individualisme possessif » rendue célèbre par l'ouvrage de C.B. Macpherson,
La Théorie politique de l'individualisme possessif, parce que Macpherson subordonne l'anthropologie au droit positif, faisant de la
propriété privée (exclusive) la *condition externe* de la liberté personnelle, au lieu d'y voir une expression de la propriété de soi-
même, essentiellement identique à la liberté. Elle n'est guère plus
qu'esquissée non plus chez Tully[4], qui part du « concept élargi de
la propriété » (la sphère du *suum* ou *dominium sui*) pour fonder le
droit naturel, ou chez Ayers[5] (qui souligne la fonction du possessif
own dans la théorisation de l'identité mais considère sa connotation économico-juridique comme une fâcheuse équivoque). Il faut,
nous semble-t-il, aller jusqu'à l'idée d'un « doublet anthropologique » de la conscience et du travail, qui rend inutile toute référence à une union substantielle du corps et de l'esprit, parce qu'il
est immanent à la sphère de l'action, et non attaché à la représentation
d'un substrat.

Dans le cadre d'une tradition de droit naturel qui pour la première fois peut-être à l'époque moderne se fonde sur une anthropologie positive égalitaire, l'*appropriation* recueille ainsi le sens
des revendications révolutionnaires pour la liberté. Le schème
général de cette anthropologie vaut aussi bien pour le mouvement
de la pensée que pour le travail matériel : il fait de l'individualité
un processus d'*acquisition* généralisée (d'où la réfutation de l'innéisme), une « expérience » plutôt qu'une forme.

BEING (subst.) :

§§ 1, 2, 3, 8, 9, 10, 14, 24, 25

L'être, ou un être (au sens d'étant).

Voir EXISTENCE (pour la remontée vers l'origine), IDENTITY (pour
l'équivocité et l'analogie) et INDIVIDUAL (pour l'individualité et la
nomination).

BELONG :

§§ 7, 16, 24, 26

Appartenir, au sens de « faire partie de » : voir OWN, PART,
PARTAKE.

4. James TULLY, *A Discourse on Property. John Locke and his adversa-
ries*, Cambridge 1980 (tr. fr. *Locke. Droit naturel et propriété*, PUF 1992).
5. Michael AYERS, *Locke, Epistemology and Ontology*, 1991, vol. II,
p. 266 sq.

BODY :

§§ 2, 3, 4, 5, 6, 8, 10, 11, 12, 13, 14, 15, 17, 18, 23, 25, 26, 27, 29

« Corps ». La traduction de ce terme va de soi, mais son usage pose deux problèmes.

L'un, commun au latin, à l'anglais et au français, tient à l'usage du même mot pour désigner un solide matériel, caractérisé par diverses propriétés géométriques et physiques (extension, volume, masse, cohésion, élasticité, etc.), et pour désigner le vivant individuel, avec ses organes et ses fonctions, en particulier le vivant humain tel qu'il existe pour lui-même (*hoc est corpus meum*). On sait que l'allemand est resté sur ce point fidèle au germanique ancien dont l'anglais s'est écarté, en distinguant *Leib* (de même étymologie que *life*, *Leben* : la vie) et *Körper* (terme latin, réservé à l'usage physico-géométrique). La réunion et la division des deux termes jouent un grand rôle en philosophie, tantôt dans le sens du réductionnisme mécaniste, tantôt dans celui de la promotion du « corps propre » et de la « chair » comme objets de réflexion spécifique. Dans le texte de Locke, on a d'une part *coherent body*, *continued body*, *figure or motion in bodies*, etc., de l'autre *living body*, *organized body*, *humane body*, etc., mais on a aussi des expressions amphibologiques comme *different bodies*, *body so and so shaped*, etc.

L'autre problème, propre à l'anglais, vient de l'existence des expressions composées *any-*, *every-*, *no-*, *some-body* (rendues tout autrement en français : n'importe qui, tout le monde, personne, quelqu'un, etc.), dans lesquelles on interprète couramment le radical *body* comme synonyme d'« un », d'« individu » ou de « personne », et que la tradition encore en usage au XVIIᵉ siècle écrit en deux mots (*No Body*, etc.). La rencontre du substantif et de l'usage indéfini crée une amphibologie qui disparaît de la traduction, mais sur laquelle des philosophes comme Hobbes n'ont pas manqué de jouer. Locke n'y échappe pas. Ainsi, dans notre Traité, § 6 :... *those philosophers, who* [...] *are of opinion that the souls of men may* [...] *be detruded into the bodies of beasts* [...] *But yet I think no body* [...] *would yet say that hog were a man or Heliogabalus* (aucun « corps » n'irait jusqu'à imaginer qu'un porc est un homme...), ou § 15 :... *The body too goes to the making the man, and would, I guess, to every body determine the man in this case...* (pour tout « corps », c'est le corps qui fait l'homme...). On peut suggérer qu'une telle particularité linguistique détermine dans la philosophie spontanée du « langage ordinaire » une résistance à

dissocier les questions de référence personnelle de la représentation ou nomination du corps.

Locke s'emploie à écarter la confusion entre le problème de l'identité des corps physico-géométrique et celui de l'identité des corps ou individus vivants, en esquissant une définition spécifique de l'organisme (voir ORGANIZATION). C'est un aspect essentiel de sa construction de l'équivocité ontologique de la relation d'identité (voir IDENTITY). En revanche, on peut penser que l'amphibologie de l'usage indéfini travaille toujours sa tentative pour séparer individualité et personnalité (voir également SELF).

COMMUNICATE, INCOMMUNICABLE :
   §§ 3, 4, 8, 20, 23, 25

Le sens est plutôt « mettre en commun », « partager » (une même vie, une même conscience) que « transmettre », « échanger ». Mais il n'a pas rompu toute relation avec la doctrine de la *communicatio idiomatum* (communauté des deux différentes « natures » dans la personne du Christ), surtout dans le contexte d'une personnification de la conscience et d'une discussion des modalités du Jugement qui remettent en cause la théologie trinitaire. Au moment où Locke publie l'*Essay*, cette discussion fait rage en Angleterre. Dans sa *Vindication of the Trinity* de 1690, William Sherlock parle de la « mutual consciousness » des personnes divines, qui leur permet de constituer un seul individu, tout en demeurant des personnes différentes, dont chacune a sa propre « self-consciousness »[6].

Ainsi, lorsque, au § 23, Locke parle de « two incommunicable consciousnesses », remarquable métonymie, il faut clairement entendre qu'il peut y avoir des personnes distinctes dans l'unité d'un même homme tout autant que dans l'unité de la nature ou substance divine, et sans doute de façon beaucoup plus immédiatement constatable. De même, la formulation du § 25 :

> « Mais dès qu'il est soustrait à l'union vivante par où cette conscience se communique (*the vital union, by which that consciousness is communicated*), ce qui faisait partie de nous-mêmes ou de notre soi il y a un instant ne nous appartient pas davantage maintenant qu'une partie du soi d'un autre homme ne m'appartient ; et il se pourrait bien qu'en peu de temps il en vienne à faire réellement partie d'une autre personne (*a real part of another Person*) »

6. Cf. M. AYERS, ouvr. cit., II, p. 257 (et note 58).

évoque une question anthropologique, mais dans les formules du débat théologique (ce qui autorise aussi le renversement, visant les constructions théologiques en les mesurant au critère de la conscience humaine : si des consciences personnelles « communiquent » ou « sont communicables » entre elles, elles ne peuvent être réellement distinctes — argument antitrinitaire).

Voir ORGANIZATION, PERSON, RESURRECTION, SELF-CONSCIOUSNESS.

CONCERN, TO BE CONCERNED :
§§ 11, 13, 14, 16, 17, 18, 25, 26

Le *concern* est le *souci* (latin *cura*), *to be concerned* c'est « se soucier de », « être soucieux » au sens de l'intérêt particulier que chacun porte aux choses, et en particulier à soi-même. Les médiations essentielles du « souci de soi » sont les actes (leurs conséquences, leur valeur) (§§ 14, 16, 18, 26), le corps et ses parties affectées de plaisir et de douleur (§§ 11, 17, 18), les pensées et le souvenir des pensées, le bonheur (et le malheur) (§§ 17, 18, 25, 26), le salut et le châtiment (§ 18). On peut supposer également que Dieu se soucie de notre bonheur et de notre malheur (§ 13).

Il importe essentiellement à la doctrine lockienne du « soi » et de son « appropriation » de déterminer la place du souci dans le système des représentations liées à la personne et d'établir son rapport nécessaire à la conscience.

On remarquera d'abord que le souci est comme la contrepartie *intérieure* de l'imputation ou attribution *extérieure* par rapport aux actions : Locke dit que lorsque nous imputons des actions à nous-mêmes ou les « avouons » nôtres, elles deviennent pour nous objets de souci ; et inversement (comme on le voit dans l'exemple du « petit doigt » au § 18), « localiser » le souci, où l'assigner à une « partie » de soi-même, c'est du même coup localiser la responsabilité. Cela tient à ce que le souci est toujours déjà souci du bonheur (§ 26), et par conséquent souci des conséquences heureuses ou malheureuses, y compris les châtiments et récompenses, qui résulteront d'une action. Par là se trouve introduite une dimension indissociablement affective et temporelle de la pensée.

En effet, le souci intervient nécessairement dans le rapport que la conscience entretient avec ses propres pensées ou « actions », en particulier ses « actions » *passées*, donc dans le rapport de la conscience et de la mémoire : d'une certaine façon c'est lui qui les noue *au moyen de l'imagination de l'avenir* (qui elle-même est toujours l'expression d'un intérêt ou d'une anticipation du bonheur, et d'un sentiment de sa fragilité). Ceci veut dire qu'il n'y a pas de définition de la continuité de la conscience, par où elle se

déploie comme « identique à soi » ou « la même », sans une force ou une puissance à l'œuvre dans la tension même des moments du temps, la « fluxion » de leur écoulement comme aurait dit Newton. Cette force est celle du souci.

Sur la base de ces formulations du Traité (§§ 11, 17, 25 et 26 en particulier), on devrait pouvoir articuler les deux grands concepts lockiens de la *conscience* (*consciousness*) et de l'*inquiétude* (*uneasiness*) autour d'un même problème des *pouvoirs de l'esprit* (*power of the mind*). Mais nous sommes ici aux limites de la phénoménologie lockienne, qui reste scindée en deux blocs presque extérieurs l'un à l'autre, de peur sans doute de réintroduire une spéculation substantialiste. De façon significative, ce problème — qui occupe virtuellement le « creux » laissé par la critique de l'idée d'âme — n'est même pas formulé comme tel[7], puisque les deux « traités » correspondants contenus dans l'*Essai* (II, xxi, *Of Power*, et II, xxvii, *Of Identity and Diversity*), élaborés en parallèle, sont sans communication explicite (chacun d'eux évitant soigneusement, en particulier, de mentionner le concept central de l'autre).

CONSCIENCE :

§§ 22

L'unique référence du traité à la conscience comme *conscientia/suneidèsis* morale est une citation combinée de *Rom.*, 2, 15-16 et *1 Cor.*, 14, 25. Elle élimine la métaphore d'une « voix de la conscience » pour privilégier celle du « cœur mis à nu » et de la révélation pour chacun des secrets de sa propre vie, en accord avec une philosophie qui demande d'aller « aux choses mêmes », c'est-à-dire aux pensées par delà le voile des mots qui les obscurcissent (de substituer le *mental* au *verbal*), et subordonne ainsi l'idée de la *conscience* à celle de la *consciousness*. Sur le rapport avec une réinterprétation humaniste de l'idée du Jugement, voir RESURRECTION.

CONSCIOUS, CONSCIOUSNESS, CONSCIOUSLY

Il est intéressant de relever l'ensemble des équivalents (en dehors de *con-science*) que Coste continue de pratiquer pour ces termes dans le Traité. Ils signalent autant d'obstacles et de voies

---

7. À la différence de ce qui se passe, par exemple, chez Spinoza à propos des rapports entre *conscientia* et *cupiditas* (*Éthique*, III, proposition 9 et scolie ; et Définition 1 des affects). Cf. notre article « A Note on *Consciousness/ Conscience* in the *Ethics* », cit.

d'approche vers l'invention de Locke, depuis le contexte de son époque :

§ 9 : *consciousness* : sentiment de ses propres actions, connaissance

§ 10 : *consciously* : sciemment ; *consciousness* : le sentiment que nous avons de nous-mêmes

§ 11 : *conscious* : pensant, (nous sentons) ; *consciousness* : sentiment

§ 13 : *consciousness* : sentiment, *conscious* : convaincues

§ 14 : *conscious* : convaincu en lui-même, (trouvant) en lui-même (aucun sentiment) ; *consciousness* : sentiment, connaissance, sentiment (intérieur) qu'on a de sa propre existence

§ 15 : *consciousness* : sentiment intérieur

§ 16 : *consciousness* : une con-science, un sentiment intérieur ; *had I the same consciousness* : je sentais également en moi-même

§ 17 : *conscious* : intérieurement convaincue, qui sent

§ 19 : *never conscious of* : n'aurait jamais eu aucun sentiment

§ 20 : *never conscious of* : je n'en aurai jamais aucune connaissance ; *that I was conscious of* : desquelles j'ai eu un sentiment positif

§ 22 : *never afterwards conscious of it* : quoiqu'il n'en ait plus aucun sentiment

§ 24 : *conscious* : qui se sent le même ; *consciousness* : sentiment intérieur

§ 25 : *consciousness* : sentiment intérieur

§ 26 : *conscious* : qui a un sentiment ; *consciousness* : conviction, sentiment intérieur

DIVERS, DIVERSITY :
§§ 1, 2, 9, 23. 25, 28

Nous avons traduit le titre du Traité de Locke par « *Identité et différence* », de façon à l'inscrire dans une lignée qui va du *Sophiste* de Platon à l'opuscule de Heidegger (*Identität und Differenz*) et au livre de Deleuze (*Différence et répétition*), en faisant ressortir la place importante qu'il y occupe : précisément celle qui consiste à avoir identifié l'identité à la reconnaissance d'un « soi » par soi-même, telle qu'elle s'opère dans l'élément de la conscience. Sans

cela, en particulier, ni Kant, ni Fichte, ni Hegel, ni même Husserl
n'auraient été possibles, bien qu'ils tiennent Locke pour « empiriste », quand ce n'est pas pour « naturaliste », et s'en détournent au
profit d'une référence cartésienne plus ou moins mythique. Encore
faut-il montrer que cette modification ne fait pas violence au texte,
et quelle intelligibilité supplémentaire elle peut lui conférer.

Pour le premier point, on invoquera la cohérence entre les emplois
du substantif *diversity* et de l'adjectif *divers* : celui-ci, dans des
expressions telles que *the same, or divers Substances* (§ 9), *the distinction of any thing into the same, and divers* (§ 28), se rend beaucoup plus naturellement, en français actuel, par « différent ». C'est
d'ailleurs par l'adjectif *different* que, dans l'immense majorité des
cas, Locke a complété les antithèses qui rythment son argumentation : *the same or different, at different times can be the same, the
same in different places, a different beginning, different names for
different ideas, the same life communicated to different particles,
different substances by the same consciousness, remaining the
same it can be different persons, a man born of different women*,
etc. Dans la terminologie du Traité, *diversity* est le substantif de la
différence, et *divers* est l'un des adjectifs qui s'opposent à l'idée
d'« (être) identique », généralement exprimée par *same* et *the same*,
identical étant utilisé une seule fois (nous revenons ci-dessous sur
sameness).

Tout ceci est confirmé par l'important § 4 du Livre IV, chap. 1 :

« Premièrement, en ce qui concerne la première sorte d'accord
et de désaccord, à savoir l'identité et la différence. C'est le premier acte de l'esprit, quand il commence d'avoir des sentiments
et des idées, et pour autant qu'il les perçoit, que de savoir pour
chacun ce qu'il est, et ainsi de percevoir également leur différence, le fait que chacun n'est pas un autre (*their difference, and
that one is not another*). C'est si absolument nécessaire que faute
de cela il ne pourrait y avoir ni connaissance ni raisonnement ni
imagination ni en général distinction des pensées (*no distinct
thoughts at all*). Par là l'esprit perçoit de façon claire et
infaillible que chaque idée s'accorde avec elle-même et qu'elle
est ce qu'elle est, et que toutes les idées distinctes sont en désaccord, c'est-à-dire que l'une n'est pas l'autre (*to agree with it self,
and to be what it is; and all distinct ideas to disagree, i.e. the
one not to be the other*). Il le fait sans effort ni travail de déduc-
tion, mais au premier coup d'oeil, en vertu de son pouvoir naturel
de perception et de distinction. » [trad. Coste]

Cette explication nous montre que la position des différences renvoie à une opération fondamentale de l'esprit : la « *Distinction* », c'est-à-dire la différenciation ou le pouvoir de différencier, coextensive à toute son activité et présupposée par toutes ses autres opérations[8]. Ce qui nous amène naturellement au second point.

La différence, sans doute, s'oppose à l'identité et réciproquement. Elles se « définissent » donc l'une par l'autre, ou elles sont tout aussi indéfinissables l'une que l'autre. Cependant chacune des deux « relations » fait l'objet d'un parcours explicatif, et il importe essentiellement à l'intelligence de l'ensemble qu'elles forment de décrire avec soin chacun d'eux. Nous montrerons à propos du terme IDENTITY le problème d'interprétation qu'il pose : choisir entre une interprétation *analogique* et une interprétation en termes d'*équivocité* de la notion elle-même. Pour l'antonyme DIVERSITY la question de l'analogie a peu de signification ; quant à celle de l'équivocité, elle est seconde par rapport au problème que posent les deux modalités possibles de la négation du « même » (*same*) : soit une *négation externe* englobant toutes les situations où le « même » est opposé à ce qui du dehors le limite ou s'oppose à lui (différence que Locke appelle « numérique », disons la « multiplicité »), soit une *négation interne* englobant toutes les situations où le « même » est mis en question par une différenciation intrinsèque de ses « parties » (disons l'« altération », en particulier un changement dans le temps de sa figure, sa composition, ses qualités, etc.).

Pour la différence externe, il ne faut pas se cacher que l'argumentation de Locke court le risque d'une régression à l'infini : car, en l'absence d'un « principe des indiscernables » ayant une valeur *absolue*, la différence de « time and place » à laquelle sont renvoyées les « existences » (§§ 1-3) manque elle-même de critère : qu'est-ce qu'un « autre lieu » ? qu'est-ce qu'un « moment différent » ? Que signifient, tout simplement, les questions « où » et « quand » ? Les éclaircissements que nous pouvons chercher du côté des chapitres consacrés par Locke aux idées d'espace et de temps (*Essai*, Livre II, chap. XIII à XV) nous mettent à chaque fois en présence de *cercles*, mais qui ne fonctionnent pas exactement de la même façon.

---

8. À la *distinction* (ou pouvoir de différencier) est consacré en entier le chapitre XI du Livre II. Sur la possibilité de rattacher tout ceci à une « philosophie des ressemblances ultimes » voir l'article de Geneviève Brykman, « Philosophie des ressemblances contre philosophie des universaux chez Locke », *Revue de Métaphysique et de Morale*, 100ᵉ année/N° 4, octobre-décembre 1995, pp. 439-454.

Le cercle inhérent à l'idée d'espace tient à ce que la différenciation des places se fait par celles des corps (en dernière analyse des
corpuscules) qui s'y trouvent, alors que le critère de la différence
des corps est l'impossibilité de les superposer à une même place.
À tout le moins cela montre à quel point la différence des idées
d'espace et de matière est essentielle au système de Locke : sans
cela ce sont les structures mêmes de la perception (du sens externe)
qui s'effondreraient[9].

En revanche le cercle inhérent à l'idée de temps tient à ce que
son origine est entièrement *subjective* : c'est la succession et la distinction (ou discrétion) des idées dans notre esprit qui en fournit le
seul modèle (chap. XIV, §§ 3, 6, 12-13, etc.), les différents mouvements physiques « réguliers » utilisés comme étalons en chrono-
métrie n'intervenant qu'après-coup pour *déterminer* cette idée
fondamentale. La différence des temps renvoie donc à la différence
des pensées, laquelle ne peut être, en fait, perçue que par la
réflexion ou le « sens interne » d'un esprit caractérisé par sa
conscience et sa mémoire, qui se perçoit lui-même comme *unité
traversant les différences*. On débouche donc sur la question de
l'identité de conscience et sur les cercles phénoménologiques
qu'elle-même comporte. Il n'est pas certain, toutefois, que ces
cercles soient des *défauts* de la construction lockienne : ils constituent peut-être tout simplement son *objet*. En tout cas nous avons
là l'un des indices les plus manifestes de ce qu'en définitive, la
question des différences externes renvoie à celle des différences
internes (ou le problème de la multiplicité des étants à celui de
l'altération et de la distinction des parties).

On le voit bien en relisant le remarquable *elenchos* du § II.
xiv.13, montrant que l'esprit *ne peut pas ne pas changer d'idée*,
qu'il est donc en lui-même « mobile » :

« S'il en va ainsi, que les idées dans nos esprits, dès lors que
nous en avons de présentes, changent constamment et se dépla-
cent en une succession continuelle, quelqu'un dira peut-être qu'il
serait impossible à un homme de penser longuement à quoi que
ce soit. Que si l'on entend par là qu'un homme pourrait conserver
une seule et unique même idée (*one self-same single Idea*) pendant
longtemps seule dans son esprit, sans aucune variation, je pense

9. Comme le confirment encore les remarques critiques sur la « vision
en Dieu » de Malebranche, ouvr. cit., § 48 : sans la présence de corps
dans l'espace, il n'y a pas de « modification », donc pas de détermination
(figure) de l'espace qui soient réellement distinctes.

en effet que ce n'est pas possible, et [...] je n'en puis donner d'autre raison que l'expérience : qu'on essaye donc, pour voir si l'on pourra conserver présente à l'esprit une idée toute seule et sans changement (*one unvaried single Idea in his Mind*), sans aucune autre avec, pour un temps si médiocre soit-il... »

Qu'en est-il alors de la différence interne ? Comme nous l'avons indiqué, le problème est de savoir ce qui peut être dit « différent » ou « différer » d'une partie à l'autre d'une « même » unité, ou en quel sens il peut être question de l'identité d'une « même » unité dont les parties ou moments changent ou se différencient (y compris lorsque cette unité est celle d'un flux ou d'une expérience, comme la vie ou la conscience). Formellement, la question est résolue dès que nous découvrons une possibilité de décrire le jeu du *même* et de l'*autre*, en sorte que la différenciation soit précisément celle d'une unité reconnaissable, et l'unité celle d'une multiplicité déterminée. C'est, si l'on veut, l'aspect analogique : il est secondaire chez Locke, lequel privilégie un point de vue « matériel » fondé sur l'équivocité : *il n'existe pas de concept unique de l'unité* d'une multiplicité de parties ou d'aspects. *Et par conséquent il n'existe pas de concept univoque de la « différence interne »*, mais au moins trois, de même qu'il y a au moins trois signification de l'« identité à soi ». Le fait que l'une d'entre elles soit privilégiée (anthropologiquement, psychologiquement) : celle qui rattache l'identité de la conscience à la perception interne de la différence des idées dans le *train of thought*, donc à leur multiplicité numérique pour le sujet, donc à l'idée du temps, donc à la perception par l'esprit de sa propre « histoire », etc., n'abolira jamais cette *différence de la différence*. C'est elle qui interdit de considérer le système « subjectiviste » de Locke comme un idéalisme absolu. L'*esse* et le *percipi* ne se rejoignent pas.

Voir IDENTITY, MEMORY, TIME AND PLACE.

DURATION :

§§ 14, 25 (*continuous duration*)

Voir DIVERSITY, MEMORY, TIME AND PLACE

EXIST, EXISTENCE :

§§ 1, 2, 3, 14, 16, 23, 24, 26, 28, 29

Le terme générique d'*existence* est désigné par Locke (II.vii.7) comme une « idée simple de sensation et de réflexion », en même temps que celui d'*unité* :

« L'*existence* et l'*unité* sont deux autres idées, suggérées à l'entendement par tout objet qui lui est extérieur et toute idée qui lui est

intérieure (*by every Object without, and every Idea within*). Quand nous avons des idées dans l'esprit, nous considérons qu'elles y sont actuellement (*them as being actually there*), de même que nous considérons que des objets sont actuellement hors de nous ; c'est-à-dire qu'elles existent, ou possèdent l'*existence* (*have Existence*)... »

Il a donc la même indétermination que celui de chose ou d'être, auquel il s'applique. Il a deux usages corrélatifs : 1) désigner la qualité d'être là, ou d'avoir été là, toujours référée à un site particulier et à un moment du temps[10] ; 2) désigner l'intégrale des moments d'exister (*continued existence*), entre un « commencement » et une « fin ».

Mais il peut être pris aussi absolument, désignant la « chose pensable » la plus simple, qui est justement l'être là. Ainsi nous interprétons le doublet « existence and actions » (§ 16) comme référence à l'existence pure et simple, qui est impliquée dans toute action. On aurait là, si Locke nous en disait plus, l'amorce d'une remontée vers une *haeccéité* plus originaire que la donnée d'une « chose » ou d'un « objet », comme on en trouvera chez Condillac avec la sensation, chez Hegel avec la certitude sensible, chez Wittgenstein avec le fait (*Tatsache*), etc.

Tout au long du Traité de l'identité, Locke passe de l'analogie formelle à l'équivocité matérielle de cette « relation » : c'est du premier point de vue qu'est énoncé le principe restreint des indiscernables au § 3 : « *the principium individuationis... is existence itself* », c'est-à-dire que deux existences quelconques sont exclusives l'une de l'autre, et donc chacune n'est rien d'autre qu'elle-même, ou identique à elle-même si et seulement si elles ne « communiquent » pas leurs places et leur moment. Du point de vue matériel au contraire, le problème du rapport de l'existence à l'identité se pose en termes à chaque fois différents : autant de concepts d'identité, autant de façon de penser le rapport des existences entre elles (voir IDENTITY).

---

10. Cette qualité fournit le critère de la réalité, par opposition à l'apparence (ou à la fiction), qui est le « détachement des circonstances de temps et de lieu » ; leur jeu explique selon Locke le mécanisme de l'*abstraction* sans laquelle il n'y a pas de connaissance : cf. *Essai*, II, xi, 9 ; III, iii, 6. Ainsi il n'y aura d'existence que de l'individuel, et de connaissance que du général, ce que Locke considère non pas comme une aporie de la connaissance mais *au contraire* comme l'essence du rapport qu'elle entretient avec ses objets.

GREAT DAY :
§§ 22, 26

Nous traduisons ce « grand jour » par Jugement Dernier (c'est le « *en hè hèmèra krinei o theos* » de St. Pléch, *Rom.*, 2, 16).

Voir RESURRECTION.

I, I AM, THE *I*, THE WORD *I* :
§§ 16, 20

Coste traduit par « moi », « le moi », « le mot JE ».

On voit par le rapprochement des deux paragraphes :

1. que l'anglais a lui aussi la possibilité de substantiver le pronom (et sans doute Locke suit-il ici le modèle « français » de Descartes et Pascal), mais n'est pas obligé à cet égard de privilégier le réfléchi [11] ;

2. que Locke tient la référence du « I » et du « I am » pour *équivoque*, en ce qu'elle désigne selon les cas l'individualité ou la personnalité, qu'il veut opposer. Bien que la distinction des deux termes ne soit pas toujours rigoureuse chez lui, il vaut la peine de remarquer que le « Je » est appelé ici un mot et pas un nom [12]. Les mots sont les sons du langage en tant que *moyens de communication*, dont on s'attend qu'ils nous fassent comprendre des autres. Les noms sont ces mêmes mots *référés à des idées* : cf. *Essai*, Livre III, chap. I et IX. On peut donc suggérer que le « Je » est essentiellement la façon dont *le « soi » se désigne pour autrui*, au risque que l'usage d'un tel terme soit vide et ne recouvre aucun « soi ».

Locke développera sa propre théorisation en jouant des possibilités assez différentes (toujours déjà « réflexives ») du mot *self*, adjectif, adverbe, substantif et quasi-pronom. Ce n'est pas à dire qu'il gomme la différence de la « première personne » et de la « troisième personne » : au contraire, on peut dire qu'il l'intériorise au concept même de l'identité personnelle, qui devient ainsi, non une pure redondance du « je », mais une réciprocité du « je » et du « il », voire du « cela ».

---

11. L'anglais se trouve donc sur ce point dans la même situation que l'allemand avec *das Ich*. Toutefois cette possibilité ne sera pas exploitée par la psychologie et la psychanalyse contemporaines, qui auront recours au latin : *the ego* (avant de mettre en place l'antithèse : *the ego/the self*) — sans doute parce que l'anglais entend davantage la fonction syntaxique se référant au locuteur que la désignation d'une instance, voire d'une substance. Ces différences de connotation résultent cependant plutôt de l'histoire du théorique qu'elles ne la contraignent.

12. Alors que la *personne* est le « nom » de cette *idée* qu'est le « soi » (§ 26).

Implicitement, c'est cette réciprocité qui fait défaut dans l'histoire (ou la légende) ironique du perroquet parlant, dit « animal raisonnable » (*zôon logon ekhôn*) au § 8, frappante par la multiplication des énoncés en première personne. Locke va très loin dans le jeu avec l'ambiguïté du « je », puisqu'il cite sans le réfuter le passage du récit dans lequel l'animal « causeur » s'attribue à lui-même la responsabilité d'un poulailler[13].

Il y a une pointe anti-cartésienne dans le récit de William Temple recopié par Locke. Dans la Lettre au Marquis de Newcastle du 23 novembre 1646, Descartes avait écrit :

> « Il n'y a aucune de nos actions extérieures, qui puisse assurer ceux qui les examinent [...] qu'il y a aussi en lui [= notre corps] une âme qui a des pensées, excepté les paroles, ou autres signes faits à propos [...] Je dis [...] que ces signes soient à propos, pour exclure le parler des perroquets, sans exclure celui des fous[14]... »

Mais il n'est pas impossible non plus qu'en dissociant l'idée de la reconnaissance du *self* de l'énoncé autoréférentiel « JE SUIS », Locke ait cherché à prendre ses distances avec l'élément blasphématoire contenu dans le *Ego sum, ego existo* cartésien, puisque cet énoncé est par excellence le « nom de Dieu[15] ».

Voir SELF.

13. Mme Michela De Giorgio nous signale que l'engouement pour les perroquets et les trafics correspondants datent en Angleterre de la fin du XVIIe ou du début du XVIIIe siècle. On verra au Louvre le portrait de Maurice de Nassau au Brésil avec son perroquet. Notons que M. de Nassau était au XVIIe siècle l'une des figures les plus célèbres du sceptique.

14. DESCARTES, *Œuvres philosophiques*, éd. cit., tome III, p. 694.

15. Cf. HOBBES, « For there is but one Name to signifie our Conception of His Nature, and that is : I AM » (*Leviathan*, chap. 31) ; et notre exposé à la Société Française de Philosophie, « *Ego sum, ego existo*. Descartes au point d'hérésie », 22 février 1992, cit. Chez Descartes, le « Je » dénote autoréférentiellement ce (celui) qui *n'est ni Dieu ni corps (animal)*, mais qui, à chaque fois, a cet « autre » en lui, ou auprès de lui, dans une proximité qui fait vaciller son pouvoir de distinction. Quant à Locke, dans *The Reasonableness of Christianity* (*The Works...*, vol. VII, p. 89-90), il affirme que dans l'Évangile selon saint Jean et ailleurs l'énoncé *egô eimi* ne signifie rien d'autre que, de façon cryptique, « Je suis le Messie » (celui qui a été annoncé).

IDEA :

   §§ 1, 2, 6, 7, 8, 10, 15, 28, 29
   Voir MIND.

On n'entrera pas ici dans toute la discussion de la théorie lockienne des « idées », classique du commentaire de l'*Essai*. À ce que notre introduction a déjà indiqué du « tournant antilinguistique » opéré par Locke, ajoutons deux remarques :

1. le rapprochement avec la définition de Régis (dont l'ouvrage est publié la même année que celui de Locke : cf. DOSSIER ci-dessous) :

> « Les Perceptions sont ce qu'on appelle en général *Idées*, et l'on nomme *Idées* la simple vue des choses, qui se présentent à l'âme, sans aucune affirmation ni négation : Par exemple, connaître le Ciel, la Terre, la Mer, etc. c'est simplement apercevoir, ou avoir des idées »

montre bien le renversement de point de vue intervenu entre les cartésiens et Locke : pour celui-ci ce ne sont pas les « perceptions » qui sont des « idées » (avec leur double « réalité », formelle et objective), mais *les idées qui sont d'abord des perceptions*, soit externes, soit internes. Et donc de premières « opérations » de l'esprit, auxquelles viendront s'en ajouter d'autres. *La conscience qui est une perception du « soi » immanente à la succession de ces opérations ne peut donc pas être elle-même assimilée à une « idée »*, contrairement à ce qu'esquissait le classement cartésien des modes de la *cogitatio* (et *a fortiori* à ce qu'on trouvera chez Spinoza : la *conscientia* comme idée inadéquate de l'esprit (*mens*), ou inadéquation de l'idée de l'idée — puisque l'esprit est lui-même défini comme « idée du corps », thèse il est vrai inséparable de la critique d'une conception de l'idée comme simple *image* ou *tableau*). En revanche, Malebranche spécialise le terme « idée » dans la représentation intellectuelle des corps : la conscience dont il fait la théorie comme *méconnaissance de soi* devient alors un « sentiment », terme que Locke déclare ne pas comprendre.

2. les idées sont les « objets » internes auxquels s'appliquent toutes les opérations mentales et d'où procèdent toutes les idées de réflexion : en particulier c'est *aux idées et non aux choses que s'appliquent les relations*[16]. Il en va ainsi bien entendu de l'identité

---

16. Cf. Livre II, chap. XII, § 7 : « la dernière espèce d'idées complexes est ce que nous appelons *relation*, qui consiste dans la considération et la comparaison d'une *idée* avec une autre » (voir aussi le chap. XXV).

et de la différence dans la mesure où elles sont des relations. Notre Traité sera donc construit autour du problème suivant : développer une analyse correcte de la relation d'identité, c'est-à-dire conforme à la liaison qu'elle établit entre d'autres idées. Mais cette relation est un cas-limite, ou paradoxal : celui d'une « relation à soi » (et en fait de *la* relation à soi). L'adéquation qu'on recherche ne peut donc avoir son critère ni dans les mots ni dans les choses, mais uniquement dans l'évidence intrinsèque des idées. Elle correspond, dans le langage de Locke, à un « archétype » (cf. II, chap. XXXI, en particulier le § 14), qui apparaît à la fois fondamental et complexe.

Sur le problème particulier posé par l'idée d'*homme*, voir MAN.

IDENTITY :
   §§ 1, 2, 3, 4, 5, 6, 7, 9, 10, 11, 12, 14, 18, 19, 21, 23, 25

La théorisation de l'identité chez Locke soulève un double problème : 1) Cette notion à la fois logique et ontologique est-elle univoque ou, au contraire, la diversité de ses usages ou applications doit-elle être considérée comme irréductible ? 2) Locke lui-même a-t-il pris conscience de ce problème, et si c'est le cas, comment l'a-t-il traité ?

Il est intéressant de constater que deux lecteurs récents de son Traité (peut-être les plus significatifs), Michael Ayers et Paul Ricœur, soutiennent à cet égard des positions opposées, mais qui aboutissent dans les deux cas à taxer le philosophe d'inconséquence.

Selon M. Ayers, il faut considérer fondamentalement la notion d'identité comme univoque. Elle doit donc pouvoir être définie d'une façon abstraite ou formelle, et étendue *par analogie* aux différents « cas » ou « situations » dans lesquelles il y a sens à parler d'identité (ce qui veut dire aussi qu'elle permet de penser une analogie entre toutes ces situations). Ayers pense que tel est effectivement le point de vue de Locke, mais auquel il ne réussirait pas à être lui-même fidèle, en particulier pour ce qui concerne l'identité des corps, plus généralement des substances [17]. En revanche Ayers félicite Locke d'avoir, jusqu'à un certain point au moins, développé l'analogie de *la vie et de la conscience*, et il en fait le cœur théorique du Traité :

> « The analogy between life and consciousness supplied the main framework for Locke's argument that the identity of the moral agent is conceptually independent of any particular theory

───────────

17. Ouvr. cit., II, p. 210 sq.

about the nature, number and continuity of whatever, at the substantial level, underlies that phenomenal identity [...] just as life is an organizing principle which unites a variety of « fleeting » or ever-changing parts into one continuing animal, so consciousness is a principle which unites what is at least possibly a variety of fleeting parts into one person [...] Locke was in effect following [Hobbes] in claiming that life, although a mechanical process, is not a mere accident of matter but a principle of substantial unity and continuity. Yet Locke differed from Hobbes in finding another such principle in consciousness[18]... »

Il faut cependant reconnaître, affirme ensuite Ayers, que Locke n'a pas pu s'en tenir à son point de vue initial : essentiellement en raison de la nécessité qui surgit de prendre en compte l'« intentionnalité » de la conscience, à l'œuvre dans la remémoration, et qui n'a pas d'équivalent du côté de la vie. Locke se serait alors tourné vers une autre analogie, beaucoup plus discutable : celle de l'identité et de la propriété de soi-même[19].

De son côté Ricœur pense que l'identité est fondamentalement équivoque, et il se propose de disjoindre les deux notions opposées qu'elle recouvre, quitte à montrer ensuite pourquoi leur interférence n'est pas arbitraire : celle de l'*idem* ou de la « mêmeté » (qui s'applique aux choses) et celle de l'*ipse* et de l'« ipséité » (qui s'applique aux personnes) :

« Locke introduit un concept d'identité qui paraît échapper à notre alternative de la mêmeté et de l'ipséité ; après avoir dit que l'identité résulte d'une comparaison, Locke introduit l'idée singulière de l'identité d'une chose à elle-même (mot-à-mot : de mêmeté avec elle-même, *sameness with itself*) ; c'est en effet en comparant une chose avec elle-même dans des temps différents que nous formons les idées d'identité et de diversité [...] Cette définition paraît cumuler les caractères de la mêmeté en vertu de l'opération de comparaison, et ceux de l'ipséité en vertu de ce qui fut coïncidence instantanée, maintenue à travers le temps, d'une chose avec elle-même. Mais la suite de l'analyse décompose les deux valences de l'identité. Dans la première série d'exemples [...] c'est la mêmeté qui prévaut ; l'élément commun à tous ces exemples, c'est la permanence de l'organisation, laquelle il est vrai n'engage, selon Locke, aucun substantialisme.

18. Ouvr. cit. pp. 261-262.
19. *Ibid.* pp. 265-268. Cf. APPROPRIATE, OWN.

Mais, au moment d'en venir à l'identité personnelle que Locke ne confond pas avec celle d'un homme, c'est à la *réflexion* instantanée qu'il assigne la « mêmeté avec soi-même » alléguée par la définition générale. Reste seulement à étendre le privilège de l'instant à la durée ; il suffit de considérer la mémoire comme l'expansion rétrospective de la réflexion [...] Ainsi Locke a-t-il cru pouvoir introduire une césure dans le cours de son analyse sans avoir à abandonner son concept général de « mêmeté [d'une chose] avec elle-même ». Et pourtant, le tournant de la réflexion et de la mémoire marquait en fait un renversement conceptuel où l'ipséité se substituait silencieusement à la mêmeté[20]. »

Pour notre part, nous n'entendons pas nous demander si, en soi, l'identité est un concept analogique ou équivoque — peut-être cette question est-elle indécidable, ou circulaire, analogie et équivocité faisant *toujours déjà* partie des connotations de l'« identité ». Mais nous voudrions essayer de préciser la façon dont Locke l'a traitée. Il nous semble à cet égard que, si on cesse de se poser le problème en termes de pure *définition* (et de confrontation entre les énoncés de Locke et des « définitions » données), pour considérer le Traité de 1694 comme une « enquête sur la question de l'identité » et concentrer l'attention sur le *mouvement* qui le caractérise, on peut proposer l'interprétation suivante :

1. Locke se réfère *pour commencer* à une caractéristique formelle de l'identité, qui est énoncée au § 1, et qui a un caractère quasi tautologique : aucune comparaison, donc aucune assignation de différences dans l'existence ne serait possible si les existences elles-mêmes (ou les « choses » existantes) ne pouvaient être considérées comme identiques à elles-mêmes ; mais réciproquement une chose identique à elle-même n'est rien d'autre qu'une chose qui ne diffère pas d'elle-même ou ne présente pas de différenciation du point de vue de l'existence. Identité et différence forment donc un cercle, et toute façon d'assigner ou de spécifier l'identité sera aussi, « identiquement », une façon d'assigner et de spécifier des différences pertinentes.

En même temps que cette caractéristique formelle est posée, Locke introduit *déjà* une spécification, en considérant que les existences se distinguent par rapport au *moment* du temps et à *la place* occupée dans l'espace. Mais cette précision, qui signifie que les notions d'identité et de différence ne sont pas absolues mais relatives (aux « conditions de l'expérience », comme dira plus tard

---

20. P. Ricœur, *Soi-Même comme un autre*, ouvr. cit., p. 151.

Kant), entraînera à son tour une hiérarchisation des deux aspects :
le principal est l'aspect *temporel*, car l'identité et la différence des
places ne soulèvent aucune difficulté. Deux choses quelles qu'elles
soient n'occupent jamais la même place si elles sont « de même
espèce », et si elles occupent des places différentes elles sont
nécessairement elles-mêmes distinctes. En revanche l'identité et la
différence dans le temps soulèvent des difficultés particulières,
auxquelles se consacrera l'enquête.

2. À partir du § 2, Locke commence à transformer cette position
du problème, en introduisant un point de vue non plus « formel »
mais « matériel », fondé sur la considération successive de différents genres d'êtres. Au § 3, il montre que le même critère d'identité ne peut pas s'appliquer à la conservation dans le temps d'une
substance, dont le type est le corps matériel, et à celle d'un individu vivant ou d'un corps organisé : « *The reason whereof is, that
in these two cases of a Mass of Matter, and a living Body, Identity
is not applied to the same thing.* » Au § 7, il commence à montrer
que la notion de « l'homme » recouvre de façon équivoque deux
types d'identité, et qu'il faut en conséquence introduire une troisième notion à côté des deux précédentes : « *It being one thing to
be the same Substance, another the same Man, and a third the
same Person, if Person, Man, and Substance, are three Names
standing for three different Ideas.* » Après l'expérience cruciale
(réelle ou imaginaire) du « perroquet causeur » (§ 8), qui met à mal
la définition aristotélicienne de l'animal raisonnable, la distinction
de l'*individu* et de la *personne*, dont le critère est précisément la
conscience, est définitivement confirmée. Commence alors l'examen des problèmes posés par l'identité personnelle, de loin la
question la plus difficile (§ 9). Il conduira à redéfinir la personne
comme « le nom du soi » (§ 26).

À partir de ce moment, l'examen est mené non seulement en
fonction de la différence entre identité individuelle et identité personnelle, mais en fonction de la différence entre cette dernière et
l'identité de substance, ce qui boucle le cercle des analogies possibles. Or le résultat de l'analyse est qu'aucune des trois idées de
l'identité, rapportées à trois genres d'être (ou à trois points de vue
sur l'existence), ne peut se réduire aux autres. *Envisagée matériel-
lement, l'identité est donc fondamentalement une notion équivoque*, et telle est la thèse essentielle de Locke. Elle conduit à la
« décomposition » de la pseudo-unité recouverte par le concept
courant de *l'homme* (§ 21). Cette équivocité s'étend bien entendu à
toutes les notions qui, d'une façon ou d'une autre, entrent dans la

reconnaissance de l'identité ou en sont corrélatives : « mêmeté » (*sameness*) et différence (*diversity*), unité et multiplicité, ou relation entre tout et parties (donc « appartenance », participation, etc. : le concept des parties d'un corps diffère de celui des parties d'un organisme, qui diffère lui-même du concept des parties d'une conscience).

Nous pouvons alors nous retourner vers les thèses soutenues par les commentateurs que nous avons pris à témoin. En ce qui concerne Ayers, on peut s'étonner qu'il considère comme contradictoire la notion d'un « assemblage matériel » des mêmes corpuscules, à laquelle Locke rattache le critère de l'identité des corps physiques. Car cela revient à attribuer à Locke une physique ou phénoménologie naturelle différente de la sienne (cf. BODY). La discussion conduite par Ayers a pourtant le grand intérêt de faire ressortir le caractère provocateur des thèses exposées par Locke à propos de l'identité de substance : élimination du modèle de l'identité divine, réduction a priori du cas des substances spirituelles (les « esprits finis ») à celui des corps matériels (cf. MATTER, SUBSTANCE) [21]. En revanche, elle redevient trompeuse lorsqu'il veut mettre en évidence *l'analogie de la vie et de la conscience* (ou de la vie organique et de la vie de la conscience) à laquelle, selon lui, Locke n'aurait pas réussi à s'en tenir, en dépit de ses efforts. Une telle analogie est sans doute un grand philosophème, qui court à travers toute l'histoire des philosophies modernes. Mais elle est justement ce que refuse Locke, fondamentalement parce que *l'organisation* et la *conscience* présentent des rapports différents à la *temporalité* : dans un cas une invariance qui *soustrait* l'unité de l'organisme au changement dans lequel ses parties sont prises, ce que Locke appelle un flux de substitution continue ; dans l'autre cas, au contraire, une continuité qui fait de chaque partie, représentation ou opération mentale, *un moment* de la succession temporelle intérieure. Cette disjonction radicale est au cœur de la reformulation du problème anthropologique.

21. Cette réduction ne laisse pas cependant de faire planer une indétermination sur la discussion de toute la deuxième partie du Traité, portant sur l'indépendance des identités substantielles et personnelles, en clair de l'âme et de la conscience, dans la mesure où les substances dont il s'agit ici sont immatérielles. Ce qui « sauve » Locke, d'une certaine façon, c'est le fait qu'il dialogue avec une métaphysique religieuse (chrétienne), dans laquelle les esprits eux-mêmes sont censés *occuper une place* dans le monde et dans l'histoire.

Pour cette raison, on pourrait supposer que P. Ricœur approche mieux la position de Locke, puisqu'il commence par poser l'équivocité de l'identité. Ce n'est pas le cas cependant, parce que Ricœur ramène aussitôt l'équivocité à une opposition de *deux* termes : *mêmeté* et *ipséité*. C'est-à-dire qu'il reconstitue un *dualisme* analogue à celui de la matière et de l'esprit, de l'en soi et du pour soi, du *quoi* et du *qui*, etc., même s'il le déploie sur un plan phénoménologique et non métaphysique[22]. Ainsi se trouve complètement éliminée, à l'opposé d'Ayers, la question du rapport entre la conscience et la vie comme référents de l'identité[23]. Elle occupe pourtant une place centrale chez Locke, non seulement de façon négative, comme on vient de le voir, mais en ouvrant la possibilité d'une *autre* position du problème anthropologique, où l'unité de l'homme, individu vivant et personne consciente, serait construite non en tant que « composé » ou « union », mais par le détour de son activité pratique (cf. APPROPRIATE).

3. La discussion de Ricœur et l'accent qu'elle met sur la question du « soi » (ou de l'identité comme ipséité) a toutefois l'avantage de nous permettre de relever une dernière caractéristique de la position lockienne : le *privilège* qu'au bout du compte elle confère à l'identité personnelle, en tant qu'« identité à soi » se constituant dans l'élément de la conscience. Ce privilège peut s'exprimer de différentes façons :

– soit en supposant qu'en dernière instance *tout concept d'identité* ou d'être « le même que soi » repose, du point de vue de son intelligibilité formelle, sur une idée de réflexivité dont le rapport à soi de la conscience demeure le modèle (cf. SAMENESS) ;

– soit en rappelant que la conscience est elle-même le « lieu » de définition de la temporalité au regard de laquelle sont posées toutes les questions « matérielles » d'identité et de différence (cf. MEMORY).

La difficulté ne viendrait pas alors de ce que Locke laisse un concept « naturaliste » ou « objectiviste » de l'identité envahir et prédéterminer l'examen de l'identité personnelle, ipséité ou identité réflexive portant en elle-même son altérité. Mais *à l'inverse*, de

22. Il est vrai que l'objectif de Ricœur n'est pas principalement d'interpréter Locke, et qu'il est fondé à développer son propre point de vue indépendamment des thèses de l'*Essai*. Il n'empêche que, par souci d'exactitude, il est amené à essayer de caractériser la conception lockienne de l'« identité de personne » à un tournant de son étude.

23. Elle ne sera signalée qu'*in fine* dans le livre de Ricœur, au travers d'une brève évocation de Spinoza.

ce que Locke tend à considérer — sans les réduire jamais à une même situation ontologique — que l'identité réflexive de la conscience, immanente à la durée intérieure, est le présupposé épistémologique, ou intellectuel, de toutes les autres, donc de toute pensée d'une identité entre des existences quelconques[24]. Il y aurait bien, à cet égard, non seulement un psychologisme mais, en prenant le terme de façon strictement étymologique, quelque chose comme un « personnalisme » lockien.

IMPUTE :
   §§ 18, 26
   Un des maillons essentiels, évidemment, de la construction du rapport entre la *consciousness*, le *self* et la *person* en tant que « terme judiciaire », c'est-à-dire relevant d'une théorie de la responsabilité. *Impute* fonctionne en parallèle avec *attribute*, dans des contextes analogues. Il pourrait sembler que l'imputation (des actes ou de la responsabilité des actes) procède toujours d'une instance d'évaluation extérieure (réelle ou fictive, comme celle que Hume et Smith construiront plus tard sous le nom de « spectateur impartial »). Mais en dernière analyse l'imputation ne peut être sanctionnée que de l'intérieur, car elle est le fait de la conscience (*consciousness*) qui rappelle à soi les pensées et actions accomplies. Avant d'être une reddition de comptes à autrui ou à la société (cf. *account*, *answer*), la responsabilité est un rapport du soi à soi. Ici se pose toutefois, au moins sur un plan phénoménologique, la question de savoir si ne s'engage pas une régression à l'infini, dans la mesure où la conscience en se faisant le medium de l'imputation « isole » précisément un sujet de la responsabilité auquel elle se rapporterait comme à un tiers, ou simplement comme à une image, et qui serait le « soi ». Ce qui peut inciter à élaborer dans ce sens les indications de Locke, c'est la syntaxe même des phrases : *attribute* [*his actions*] *to himself* ou *the consciousness... attributes to it self*, ou *this personality... imputes to it self past actions*, etc., où l'on voit Locke s'installer (comme en général dans la désignation du SELF) dans un régime paradoxal, intermédiaire entre la pure fonctionnalité du réfléchi et sa substantivation. Mais il se pourrait aussi que, ce faisant, Locke exprime tout simplement que la représentation du « soi » comme instance autonome ou distance intérieure est toujours enracinée dans des opérations morales et

---

24. Dans le même ordre d'idées, cf. dans notre Introduction ci-dessus l'examen des rapports entre « principe d'identité » et « identité de personne ».

juridiques de recherche et d'assignation de responsabilité, y compris quand elles se font « pour soi-même ». La responsabilité attend toujours déjà le soi.

INDIVIDUAL :

§§ 4, 6, 10, 13, 21, 23, 25, 29

Individual comme adjectif s'applique aux substances (en particulier aux esprits), aux actions, aux hommes... Mais le *concept de l'individualité*, dans le texte de Locke, a une définition beaucoup plus restreinte. L'individualité, fondée sur l'invariance de l'organisation vivante, est l'un des trois types fondamentaux de l'identité (avec la substance et la personne). La terminologie est rigoureuse sur ce point. L'examen de tous les contextes permet donc d'écarter la thèse (soutenue notamment par Ayers) selon laquelle l'horizon de la théorie lockienne de l'identité serait constitué par un *concept général de l'individualité*, appliqué à toutes les catégories d'êtres[25]. *Individu* ou individualité ne sont pas synonymes d'*être singulier* (plus exactement : tous les individus sont des êtres, mais tous les êtres ou existences ne sont pas des individus). Et l'individualisation (à ne pas confondre avec un concept générique d'individuation) (§ 3) n'est pas autre chose que le processus d'organisation qui assure à un être vivant la permanence de sa forme en même temps que la possibilité d'occuper des lieux sans cesse différents.

La pointe critique de cette thèse réside évidemment dans son application au « cas particulier » de l'homme. Celle-ci nous amène cependant à distinguer deux niveaux d'argumentation et d'écriture.

Le premier concerne l'animalité de l'homme. La thèse de Locke à cet égard est tellement radicale qu'elle ne laisse place à aucun dualisme. Non seulement l'espèce humaine est une espèce animale parmi les autres (ce qui a aussi pour corrélat que les espèces ne peuvent se confondre, pas même dans le cas d'un homme et d'un perroquet parlant), mais le problème de savoir si l'essence de l'homme réside dans l'âme, dans le corps ou dans le « composé » des deux, courant depuis l'*Alcibiade* de Platon jusqu'à la *Sixième Méditation* de Descartes, se trouve privé d'objet. Car la réponse va de soi. Mais il va de soi également que cette identification de l'individualité humaine à la forme de son organisation corporelle est

25. M. AYERS, ouvr. cit., II, 208 : « Locke evidently felt the need to present his version of the mechanist treatment of individual substances within a more ambitious theory of the identity of individuals of any category whatsoever ». C'est sur la base de ce postulat que M. Ayers peut ensuite reprocher à Locke d'être inconsistant dans l'application de ses propres critères...

essentiellement liée chez Locke à la constitution de l'autre plan d'identité, celui de la conscience, et donc à la distinction conceptuelle de *l'humanité et de la personnalité.*

Cependant il serait erroné de croire que le traitement du problème de l'individualité humaine dans le Traité lockien se limite à cette thèse générique (et au fond négative : l'individu humain n'est *pas autre chose* qu'un vivant spécifique). Car il y a un second niveau d'écriture, non thématisé dans des concepts, dont l'insistance narrative ne peut pas laisser indifférent : c'est celui qui concerne l'utilisation des *noms propres* (Socrate, Platon, Pilate, saint Augustin, César Borgia, Nestor, Thersite, le Maire de Quinborough, Mélibée, etc., et même, à la limite de l'histoire et du conte, le Prince et le Savetier, « l'Homme du jour » et l'« Homme de la nuit »).

L'identification de l'individualité à la vie prend ici une valeur supplémentaire : c'est à la continuité du corps vivant (par delà les moments de la croissance, de la santé et de la maladie, du vieillissement) que s'applique la catégorie d'individualité. Mais c'est aussi à une telle individualité vivante que *s'attribue le nom propre* (Socrate mourant est encore le même que Socrate enfant)[26]. On peut alors (et, nous semble-t-il, on doit) lire aussi les choses dans l'autre sens. À la question : qu'est-ce que *l'individualité humaine* ? il faut répondre que c'est la somme, ou la conjonction, non d'un corps et d'une âme, mais *d'un corps vivant et d'un nom propre*[27].

Ceci n'en fait pas une réalité nouvelle, transcendant la sphère de la vie, mais montre que la vie est surdéterminée par les actions et les lois de la société civile, d'où résulte l'attribution des noms. Nous pouvons nous demander (et cette demande, il faut le dire, est loin d'être absurde, indépendamment même de la « carte postale » trouvée par Derrida)[28] si *Socrate et Platon ne seraient pas la même*

26. On voit la pointe critique : par le même raisonnement, nous pouvons être sûrs que l'Enfant Jésus et le Messie crucifié sont un seul individu, mais nous ne pouvons en avoir la garantie pour ce qui est du Christ ressuscité à qui selon la promesse évangélique nous serons « réunis » par delà la mort.

27. La confrontation entre ces suggestions concernant les noms propres, associés aux individualités vivantes, et la complexe théorie des *noms communs* exposée au Livre III de l'*Essai*, est en dehors des objectifs de ce travail. En III.vi.42, Locke suggère de façon expéditive que « seules les substances — parmi les différentes espèces d'idées — ont des noms propres ou particuliers, permettant de signifier une chose particulière ». Il faudrait concilier cette indication avec notre hypothèse, ou admettre que Locke n'a pas sur ce point une théorie unique.

28. J. DERRIDA, *La carte postale de Socrate à Freud et au-delà*, Flammarion, 1980.

personne, c'est-à-dire si leur « conscience » n'est pas commune. Mais nous pouvons être certains que les *noms* de Socrate et Platon, correspondant à des corps vivants qui se nomment eux-mêmes et que les autres nomment différemment (de même que « je » me nomme différemment de « Nestor » ou de « Thersite ») *se réfèrent à des hommes différents*. L'humanité — concept dit par ailleurs énigmatique — est ainsi ramenée à l'articulation de ce qu'aujourd'hui nous appellerions le biologique et le symbolique. La question est de savoir si elle peut se faire *de façon autonome*, sans « médiation » de la conscience et de l'identité personnelle[29].

On peut supposer que non, car bien que, dans le présent Traité, Locke s'attache essentiellement à *distinguer* les ordres, il fournit par ailleurs des suggestions quant à leur articulation (notamment dans la façon dont le langage est fondé sur la vie mentale). Mais il faut remarquer aussi que la fonction des noms n'est pas tant d'identifier les individus que de les *différencier*. Disons que fondamentalement chacun de nous se perçoit comme *personne*, c'est-à-dire comme « soi », et perçoit les autres comme *hommes*, avant de leur attribuer une personnalité. Ce qui s'esquisse ainsi est donc une anthropologie des relations humaines, et non pas seulement de la nature humaine[30].

Voir MAN.

29. La question se pose aussi, corrélativement, de savoir si une telle articulation peut se faire indépendamment du *travail*. Nous avons ici l'autre versant de la théorie de l'*appropriation*, qui fonde au moins de façon latente la variante lockienne de l'« individualisme » : la *propriété* juridique se rattache évidemment au *nom* du propriétaire (et à l'ordre symbolique de l'enregistrement des titres de propriété sous des noms), mais elle porte sur des choses avec lesquelles il faut que l'individu mélange son *corps*, faisant surgir la réalité médiatrice spécifiquement humaine du travail, c'est-à-dire de l'appropriation comme transformation. On notera à ce propos l'homologie inversée entre l'invariance de l'individualité vivante par « substitution » de parties dans un flux naturel, et le procès d'accroissement de la propriété ou d'acquisition des choses par « mélange » des forces du corps aux forces naturelles. Toutes ces questions devraient faire l'objet d'une étude spécifique.

30. Elle est importante aussi pour préciser les différences entre Hobbes et Locke : car à beaucoup d'égards la combinaison de l'individualité vivante et de la nomination est justement ce que Hobbes, lui, appelle identité et dont il fait la base des mécanismes de « représentation » (auteur/acteur). Les médiations nécessaires ne sont aucunement fournies par la conscience, mais par les passions, l'imagination, le calcul rationnel, le droit (cf. ci-dessous PERSON).

LIFE, LIVING :

   §§ 3, 4, 5, 6, 8, 10, 12, 15, 20, 21, 26

   Voir ORGANIZATION.

MAN :

   §§ 6, 7, 8, 10, 14, 15, 16, 20, 21, 22, 23, 24, 25, 26, 27, 29

   L'idée d'*homme* est marquée au départ par une *confusion* intrinsèque (qui est logée au niveau du langage, et en ce sens résulte des usages aberrants auxquels la philosophie a fait servir le nom d'homme)[31]. Il y a évidemment une relation entre cette confusion et celle dont Locke ne cesse de répéter qu'elle affecte l'idée de *substance* simple ou composée, que nous formons en imaginant le pouvoir qui réside derrière les effets que nous observons (cf. II.xxiii, etc.). Il semble que la stratégie appliquée par Locke dans le Traité de l'identité consiste, non pas à réduire la confusion de l'idée d'homme à celle de la substance, ni inversement à les dégager l'une de l'autre, mais à *faire la part de l'obscurité inévitable dans notre idée de l'homme*, et pour cela d'abord, à poser sa complexité. La part d'obscurité étant constituée par ce qui, en l'homme, doit être au moins hypothétiquement considéré comme substantiel (une *âme*, source du pouvoir de penser, qu'elle soit d'ailleurs imaginée comme matérielle ou comme immatérielle), la possibilité s'ouvre alors de régler *dans la clarté* la question des rapports entre l'« individualité » de l'homme et sa « personnalité », qui sont comme la vie et la conscience, ou comme une activité et une responsabilité. Le Traité de l'identité personnelle *pose* ce problème. D'autres textes de Locke (en particulier les œuvres morales, politiques, théologiques), permettent d'en développer les termes (cf. APPROPRIATE). Mais d'un autre point de vue la clarification de l'idée d'homme n'est pas tellement le résultat d'une construction inachevée que le laboratoire, l'élément théorique dans lequel s'effectue l'isolement et la définition du concept de la conscience. En cela Locke prépare très nettement l'émergence du point de vue transcendantal en philosophie, qu'on pourrait caractériser comme isolement et priorité de la « conscience » sur « l'homme ».

   31. Peut-être aussi celui d'*humanité*, dont l'idée est rien moins que claire : cf. II.xxv.8.

MATTER :

   §§ 2, 3, 4, 6, 8, 11, 14, 24, 25, 27
   MATERIAL : §§ 12, 16, 17, 23
   IMMATERIAL : §§ 8, 13, 14, 16, 21, 24, 25, 27

   Material et *immaterial* fonctionnent comme termes rigoureusement inverses ; ils caractérisent les corps (*bodies*) et les esprits (*spirits*), subsumés dans le genre commun de la « substance finie ». De
cette symétrie Locke tire de très étranges effets d'échange. Dans les
premiers paragraphes du Traité, le critère formel de l'identité (reposant sur l'assignation de chaque existence à un moment déterminé
du temps et à une place déterminée dans l'espace) vaut aussi bien
pour les esprits que pour les corps, sans qu'on se demande trop ce
que signifie assigner un *esprit* à une *place*. En revanche dans toute
la fin du Traité, à partir du moment où il commence à travailler la
question — d'importance théologique décisive — de savoir quelle
« identité » traverse le temps, soit qu'on la reconstruise du présent
vers le passé, soit qu'on la projette du présent vers l'avenir (y compris par delà la mort), il pourrait sembler qu'on a affaire à la difficulté inverse : comment assigner un *corps* à un pur moment du
temps ? Et comme, fondamentalement, l'idée du temps est une idée
que l'esprit tire de son expérience interne, cela pourrait nous suggérer que, cette fois, ce sont les corps qui se mettent à voyager dans le
champ (temporel) de l'esprit. Mais ces spéculations sont arrêtées
net sur deux points : nous n'avons aucune preuve (même scriptu-
raire) que la Résurrection sera celle des corps[32], et surtout — argument transcendantal avant la lettre — l'expérience du temps est une
dimension *de la conscience*, laquelle n'est pas essentiellement liée
à l'imagination d'un « esprit » ou d'un « monde spirituel ».

   Voir PARTICLE, SUBSTANCE, MIND, SPIRIT.

MEMORY :

   §§ 20, 23, 25, 27

   On peut entamer la discussion du problème des rapports entre
mémoire, conscience et identité chez Locke (et par voie de conséquence celle de la conception lockienne des rapports entre temporalité et intériorité) en rappelant que c'est précisément sur ce point
que, tôt après la publication de l'*Essai*, ses critiques ont cru pouvoir y
déceler un *cercle logique*, frappant d'invalidité le « critère » proposé
pour l'identité de personne. Déjà en 1736, dans une dissertation

---

   32. Thèse qu'on a dite socinienne : cf. sur ce point la discussion de Marshall 1994, en particulier p. 398 sq.

ajoutée à son *Analogy of Religion*, l'évêque Butler faisait observer qu'on ne peut pas faire de la continuité de la conscience le critère de l'identité personnelle sans présupposer ce qui est en question, à savoir que c'est du même « soi » que nous gardons conscience[33]. Mais cette critique supposait l'adoption d'un point de vue substantialiste, que Locke précisément veut éliminer. En revanche, chez Hume (*Treatise of Human Nature*, I, 4, sect. VI : *Of personal identity*), pour qui le « soi » n'est pas une substance mais une fiction construite par l'habitude, à laquelle nous croyons, l'argument de la cicularité est ramené à l'essentiel : la mémoire ne peut fournir à la conscience le moyen de reconnaître l'identité que dans la mesure où, au préalable, elle a contribué à la constituer. Elle ne fait donc que constater son propre pouvoir d'actualiser des perceptions passées, ou de les intégrer à une « croyance » présente[34].

Nous nous proposons d'esquisser ici la thèse suivante : cette critique touche sans aucun doute un point essentiel, mais elle se méprend sur sa portée, parce qu'elle ne voit pas que le « cercle » de la conscience et de la mémoire, ou leur relation de présupposition réciproque, et la présence de chaque terme au cœur de l'autre, bien loin d'être une faiblesse inaperçue du raisonnement de Locke, constitue *l'objet même* de sa découverte, et de son analyse. Ce n'est pas à dire que celle-ci ne comporte aucune difficulté philosophique, mais c'est par là qu'elle inaugure une problématique de la temporalité dont les termes sont en discussion au moins jusqu'à W. James, Husserl et leurs interprètes d'aujourd'hui.

Commençons par fixer quelques points de terminologie[35]. La comparaison avec le chapitre X du livre II, *Of retention*, montre une évolution des formulations de Locke. Il y réservait encore le terme de *Memory* à la faculté « passive » par laquelle nous *conservons* des traces ou enregistrements de nos perceptions et idées passées, à la disposition d'une éventuelle réactivation (appelée ici *recollection*, souvenir, ou dénotée par le verbe *to retrieve*). C'est celle-ci, identifiée à une « perception seconde » (*secondary perception*, II.x.7) qui

33. Joseph BUTLER, « Of Personal identity » (extrait de *The Analogy of Religion Natural and Revealed to the Constitution and Course of Nature*, 1736), rééd. in J. Perry (ed.), *Personal Identity*, University of California Press, 1975, pp. 99-105.

34. David HUME, *A Treatise of Human Nature* (*Traité de la Nature Humaine*) (1739), Analytical Index by L.A. Selby-Bigge, Second Edition with text revised and notes by P. H. Nidditch, Oxford 1978, p. 251-263.

35. M. Marc Parmentier a bien voulu faire bénéficier de ses observations une version antérieure de cette argumentation.

constituait la faculté active. Ayant ainsi complété le cycle, Locke faisait un pas de plus, montrant (§ 8) que le jeu de la mémoire et du souvenir est indispensable *à l'usage de toutes nos facultés intellectuelles*, parce qu'elles impliquent toutes, précisément, des enchaînements de perceptions, ou des opérations sur des perceptions préexistantes, donc des « rétentions » et des réactivations sélectives de pensées « dormantes ».

Il faut avoir cette argumentation présente à l'esprit pour apprécier la construction du chapitre II. xxvii : à l'occasion de la discussion de l'identité est posée une relation beaucoup plus intime entre conscience et mémoire, qui amènera finalement Locke à pratiquer le doublet de la pensée et de la mémoire (*operations of thinking and memory*, § 27) comme un autre nom de la conscience, conférant du même coup à la mémoire une fonction quasi transcendantale[36]. Cela tient à ce que toute conscience comporte en réalité un mouvement de passage de la virtualité à l'actualité et réciproquement, et donc une temporalité interne. Pour en arriver là il aura fallu cependant mener à bien deux clarifications :

1. La première concerne le statut de l'*oubli* (*forgetfulness*) : on voit dans la discussion du § 23 que l'important n'est pas de penser la continuité de la conscience comme la disposition d'une mémoire infaillible de tous ses actes ou pensées passées, mais de montrer que la disponibilité de la mémoire « mesure » précisément les possibilités de reconnaissance de l'identité personnelle[37]. La ligne de démarcation passe alors entre ceux dont les souvenirs plus ou moins abondants et aisés à rappeler s'insèrent dans un même continuum, et ceux dont la mémoire est « clivée », en sorte que leurs souvenirs se répartissent de façon systématique entre plusieurs « vies » isolées l'une de l'autre (ce qui débouche sur la théorie des personnalités multiples). Il apparaît donc que c'est la mémoire qui, proprement, scande ou découpe la vie, et ainsi la constitue en unité. Mais elle ne peut le faire que dans la mesure où elle a la capacité d'actualiser le passé, ce qui nous fait déboucher sur la seconde question, celle de la *représentation* ou de la *présence*.

36. En tout cas une fonction qui relève plutôt d'une « psychologie transcendantale » que d'une « psychologie empirique ».
37. Au chapitre II.x.9, Locke rapportait (non sans un peu d'ironie, peut-être) les « prodiges » de mémoire attribués à Pascal, ajoutant que le génial mathématicien n'en partageait pas moins avec la masse des hommes cette limitation (ou finitude) intrinsèque de devoir rappeler ses souvenirs de façon *successive*.

2. La difficulté vient ici de ce qu'il est difficile de déterminer la modalité selon laquelle Locke pense le « souvenir » comme réactivation du passé, ce que marque bien l'expression ambiguë employée au § 25 : *memory or consciousness of past actions*. Il nous semble qu'en réalité Locke thématise une première analyse, mais en suggère une autre à travers les exemples et les fictions qu'il multiplie. De toute façon, bien sûr, « retrouver des actions passées » veut dire retrouver leur représentation, ou leur idée, c'est-à-dire la façon dont elles sont ou ont été perçues par celui-là même qui les accomplissait, dans le cadre du *mind* ou du « sens interne » (§ 13). Mais tandis que la thèse la plus explicite suggère qu'il pourrait s'agir d'une *répétition*, par laquelle une « conscience » ou représentation consciente de soi qui a déjà eu lieu une fois se trouve reproduite, et ainsi remise à la disposition du sujet, en quelque sorte à l'identique, la série des exemples et des fictions (qui toutes, bien entendu, ont quelque chose de « romanesque ») suggère plutôt que le souvenir est la conscience d'une action *en tant que passée*, c'est-à-dire la conscience — nécessairement fragile, ou « inquiète » — d'une survivance ou d'un fil de mémoire qui relie le présent au passé, et auquel se trouve attachée l'identité.

L'argumentation du § 13 est toute pénétrée de cette difficulté, puisqu'elle évoque sans le trancher (mais en le renvoyant à l'inconnu de la relation entre âme et conscience) le dilemme d'une « représentation » qui pourrait être transférée d'une substance à une autre indépendamment de l'action qu'elle représente, et d'une « représentation » qui demeurerait toujours dépendante de l'« acte réfléchi de perception » d'une action donnée dont elle est issue :

> « ... mais comme il s'agit de la représentation présente d'une action passée [...] il nous sera toujours difficile de déterminer dans quelle mesure la conscience des actions passées est attachée à un agent individuel donné, de sorte qu'aucun autre ne puisse l'avoir, tant que nous ne saurons pas quelles espèces d'actions ne sauraient s'accomplir sans un acte réfléchi de perception qui les accompagne [...] Mais ce que nous appelons la même conscience n'est pas le même acte individuel... »

Il est certain que ces deux modalités ne sont pas équivalentes, mais il est probable que Locke a besoin de l'une et de l'autre, car la première lui donne la garantie que la conscience est capable de « joindre » (§ 24) des représentations *indépendamment de la distance objective qui les sépare*, et de les avoir simultanément

présentes à l'esprit, donc de les faire se recouvrir, tandis que la seconde lui donne la possibilité d'attribuer à la conscience une « historicité », ou une *représentation de la distance temporelle*, qui « accompagne nos représentations [38] ». Cette double orientation des descriptions lockiennes retentit à la fois sur la façon de comprendre le lien de la conscience à la temporalité, et sur l'articulation de celle-ci avec l'idée du « soi ».

L'idée d'une *répétition du passé* dans les opérations de la conscience (à supposer que quelque chose comme une répétition à l'identique soit possible) tend à inscrire le temps, comme on l'a vu plus haut, dans la succession même des opérations de l'esprit. Il ne s'agit pas d'un temps vécu, mais d'un temps virtuel, préalable à la conscience, qu'on pourrait aussi supposer inconscient [39]. Au contraire la modalité spécifique de la conscience du « temps vécu » et de son écoulement, des distances qu'il présente au « soi » en son propre sein, voire des incertitudes, interruptions et lacunes dont il fait la « matière » de notre histoire intérieure, sont au cœur de l'idée d'une conscience du passé.

38. On trouvera une saisissante illustration de cette ambiguïté phénoménologique, qui est aussi l'essence du psychologisme, dans le § IV.i.9, où Locke discute de la mémoire des théorèmes qui est en même temps la réactivation de leur vérité, indispensable à la certitude mathématique : « Il se souvient, c'est-à-dire qu'il sait (puisque le souvenir — *remembrance* — n'est rien d'autre que la réactivation — *reviving* — d'une connaissance passée) qu'il fut précédemment certain de la vérité de cette proposition que la somme des angles d'un triangle est égale à deux droits. L'invariance — *immutability* — des mêmes relations existant entre les mêmes choses invariables — *immutable* — est l'idée qui maintenant lui montre que si la somme des angles d'un triangle a été une fois égale à deux droits, elle le sera toujours. De là sa certitude que ce qui en l'occurrence a été vrai une fois l'est toujours, que les idées qui se sont accordées une fois s'accorderont toujours, et qu'en conséquence s'il a su une fois que quelque chose était vrai il saurait toujours que c'est vrai, aussi longtemps qu'il pourrait se souvenir qu'il l'avait su une fois. »

39. C'est, semble-t-il, ce que fait Leibniz, à la fois dans le chapitre II.xxvii des *Nouveaux Essais*, en évoquant le « passage prochain » d'une idée ou d'un état mental à un autre, et dans le chapitre II.xx, en traitant de l'*inquiétude* (*uneasiness*) en termes de « petites sollicitations imperceptibles » ou de « petites aides ou petites délivrances et dégagements imperceptibles de la tendance arrêtée » (éd. cit., pp. 140-141). Mais ce qui est possible pour Leibniz ne l'est pas pour Locke, car il veut s'en tenir à une stricte description phénoménologique de ce qui, pour la conscience, lui est immédiatement accessible. Ce que, en revanche, Leibniz appelle *l'apparence du soi*.

Si Locke n'a pas éprouvé le besoin de clarifier cette différence, outre la difficulté de pensée qu'elle comporte, c'est peut-être parce qu'elle sert à résoudre le problème du concept même de la *durée*, en tant que concept « subjectif ». Car celui-ci suppose que la conscience, avant toute expérience extérieure ou en « neutralisant » l'extériorité de ses objets de pensée, mais en ne se repérant que sur la succession de ses propres pensées, dispose à la fois d'une idée de l'écoulement du temps ou d'un « mouvement continu » s'effectuant en elle-même, et d'un repère de distance temporelle entre des moments différenciés :

> « Il est évident pour quiconque voudra bien observer ce qui (se) passe dans son esprit à lui (*what passes in his own Mind*), qu'il y a un mouvement ou enchaînement (*train*) des idées qui se succèdent sans interruption dans son entendement tant qu'il demeure éveillé. C'est la réflexion sur cet apparaître (*the appearance*) de différentes idées venant à la suite dans nos esprits qui nous procure l'idée de *succession*, tandis que la distance séparant chaque moment (*parts*) de cette succession, ou l'apparaître de deux idées quelconques dans notre esprit est ce que nous appelons *durée*. Car tandis que nous pensons, ou que nous recevons différentes idées dans notre esprit, nous savons que nous existons. C'est ce qui nous permet de dire que notre existence, ou la continuation de l'existence de notre « soi », ou d'autres choses, sont en proportion de (*commensurate to*) la succession de telles ou telles idées dans notre esprit, de la *durée* de nous-mêmes, ou de quoi que ce soit d'autre encore qui existe en même temps que notre pensée [40]. »

Mais c'est aussi, et les deux problèmes sont étroitement liés, parce que la notion d'une équivalence entre conscience de la durée et reconnaissance du *self* comporte une tension interne, entre l'idée d'un « soi » qui serait en quelque sorte l'invariant, ou le *point fixe* de toutes les transformations, de tous les passages, et celle d'un « soi » qui ne serait pas autre chose que la *fluxion* même, l'« héritage » de chaque pensée dans la suivante (pour reprendre l'expression de Leibniz), ou la « recommandation » de chaque pensée

---

40. LOCKE, *Essay*, II.xiv.3. Bien entendu Locke admet que les « idées » dont il est question ici ont, en dernière analyse, leur origine dans une sensation externe. Mais on voit que cette origine est totalement neutralisée, la seule chose qui intervient dans la production de l'idée de durée étant leur différenciation interne. C'est ce que, notamment, Kant attaquera dans sa « Réfutation de l'idéalisme » (*Critique de la raison pure*).

auprès de la suivante (pour retrouver la métaphore stoïcienne), et l'appropriation rétrospective des premières par les dernières.

Le problème est plus que jamais présent chez les ultimes héritiers de Locke sur ce point au XXᵉ siècle. Témoin Husserl, dont Françoise Dastur résume le problème :

> « Chaque phase n'a pas seulement avant elle mais aussi en elle toutes les rétentions précédentes dont elle est elle-même rétention : elle est le dernier moment de l'éloignement du point initial à l'égard de lui-même. Il y a donc une solidarité vivante des phases différentes les unes à l'égard des autres parce qu'elles sont toutes en tant que phases rétentionnelles les ombres portées du renouvellement incessant du même point initial, les différentielles d'une identité temporelle, celle d'un *maintenant* étendu qui comprend *en lui-même* son propre éloignement *à l'égard de lui-même*. C'est ce qui explique que Husserl utilise à deux reprises l'image de la comète pour parler de la continuité dans l'éloignement [41]... »

Ou encore William James, dont David Lapoujade commente les formulations :

> « Le propre de chaque pensée consciente est d'être comme une tige de bambou, liant passé et futur dans un même présent continu — ce que James nomme « présent apparent » (*specious present*) ; mais cela veut dire aussi qu'il existe un point de présent pur dont la pensée n'appartient pas à la conscience, du moins pas encore ; elle en est comme séparée par le flux de la continuité temporelle [...] Dans l'intervalle, un processus d'appropriation s'est accompli : la pensée qui suit s'approprie ou hérite de la pensée précédente ; c'est l'acte d'appropriation rétrospectif de la pensée, même si cette dernière est également tendue vers l'avenir. "Chaque pulsation de la conscience [...] chaque pensée naît 'propriétaire' et meurt 'possédée' en transmettant tout ce qu'elle a pu réaliser pour elle-même à son propriétaire suivant..." C'est ainsi que l'événement-pensée [...] devient *ma* pensée, la pensée de ma conscience, par un travail d'interprétation rétrospectif immédiat qui l'intègre — l'approprie — aux pensées précédentes [42]... »

41. F. DASTUR, *Husserl des mathématiques à l'histoire*, PUF, 1995, p. 65.
42. D. LAPOUJADE, *William James. Empirisme et pragmatisme*, PUF, 1997, p. 32-33 (le passage cité est tiré de « The Place of Affectional Facts in a World of Pure Experience », in *Essays in Radical Empiricism*, rééd. Harvard 1976).

Mais chez Locke, pas plus qu'il n'y a vraiment (à la différence de Husserl) une « impression originaire » d'où procède la rétention comme modification-conservation, pas davantage il n'y a (à la différence de James) un « présent pur » hétérogène à la conscience, ou précédant son mouvement d'appropriation. Il n'y a que le *train of Ideas*, avec lequel Locke s'efforce d'engendrer la dualité du mesurant et du mesuré, ou du virtuel et de l'actuel.

MIND :
§§ 1, 8, 10, 13, 14, 15, 23, 25

La traduction — et par voie de conséquence l'intelligence — du terme *mind,* concept-clé de tout l'*Essay* de Locke, nous met en présence d'un des grands « intraduisibles » de la philosophie, du fait de l'absence d'un terme dans notre idiome qui corresponde exactement au latin *mens* (comme c'est le cas de *mind,* étymologiquement et sémantiquement). Cette lacune ne cesse de produire ses effets de confusion, entraînant selon les contextes des traductions par « âme » ou par « esprit » *(psuchè* et *pneuma* ; *anima* et *spiritus* ; *soul* et *spirit)*[43]. Elle est d'autant plus surprenante que nous avons depuis longtemps en français l'adjectif « mental » et ses dérivés. Il est malheureusement trop tard pour espérer pouvoir accréditer un néologisme, même sous la forme d'une substantivation *(*« le mental » existe, mais avec des usages trop marqués par des contextes sportifs ou para-psychologiques), qui au reste ne convient pas à toutes les phrases anglaises[44]. Du moins pouvons-nous tenter de mettre à profit cette difficulté pour expliciter les enjeux et les conséquences de l'écart.

43. Ces confusions sont dévastatrices à l'heure du développement de la *Philosophy of Mind*, et des discussions auxquelles elle donne lieu. L'allemand a un problème semblable du fait de la désuétude dans laquelle est tombé le mot *Gemüt*, dont se servait encore Kant.

44. Le même problème, à l'âge classique, se pose pour la *mens* de Descartes et surtout de Spinoza, qui représente en face de Locke l'autre grande tentative de « désubstantialisation » de la faculté de penser, à travers le parallélisme des attributs. Dans son récent commentaire de l'*Éthique,* Pierre Macherey a proposé « la réalité mentale », qu'il rapproche d'expressions comme « le mental », « le psychisme », « la réalité psychique », voire « l'appareil psychique », en écartant le terme *esprit* « en raison de ses connotations spiritualistes » (voir *Introduction à l'Éthique de Spinoza. La seconde partie : La réalité mentale*, PUF, 1997, p. 10-13). Nous ne pouvons adopter ici une telle solution parce que le *mind* lockien n'est pas un « mode » de la pensée, moins encore une idée ou un complexe d'idées, mais un « pouvoir » qui se connaît lui-même à travers la conscience de ses

Rappelons l'essentiel des significations du mot *mind* en anglais[45], dont la prégnance se fait étonnamment sentir dans les usages lockiens. L'étymologie indo-européenne est la même que celle du grec *ménos* : âme, principe de vie et de volonté, et des latins *mens* et *memini* : avoir à la pensée, se souvenir, mentionner[46]. Le premier sens est l'état ou la faculté de remémoration, puis de commémoration. Le second est l'action ou l'objet de la pensée, le jugement et l'opinion. Le troisième, plus tardif, est le siège de la conscience ou la capacité intellectuelle. Dans l'*Essay* de Locke, il y a à cet égard une oscillation entre les usages de *mind* et de *understanding* : dans le sens étroit, l'« entendement » n'est que l'une des deux facultés ou opérations caractéristiques du *mind*, l'autre étant la volonté ou volition (*Will*, *volition*)[47] ; mais il arrive aussi que l'entendement soit pris pour la totalité du *mind*, ce qui correspond à l'orientation « cognitiviste » de Locke, ou au primat de la « perception » sur toutes les autres activités de l'esprit, pratiquement identifiée à la pensée en général dont elle est la source[48]. Le plus frappant ici est évidemment la façon dont sa

---

opérations. Cf. également Emilia GIANCOTTI, « Sul concetto spinoziano di *mens* ». in *Ricerche lessicali su opere di Descartes e Spinoza*, Lessico Intellettuale Europeo, III, Edizioni dell'Ateneo, Roma 1969. On notera que les Italiens et les Espagnols ont forgé sans problème apparent *la mente*. Le déficit de notre langue est sans doute un effet en retour de l'impérialisme du mot d'« esprit » en français et des nombreuses associations d'idées qu'il y autorise.

Sur l'importance fondamentale de la distinction entre *mind* et *spirit* après Locke (en particulier chez Berkeley), cf. G. BRYKMAN, *Berkeley et le voile des mots*, Vrin, 1993, p. 93 sq.

45. D'après l'*Oxford English Dictionary*, 2nd Edition.

46. Dans la tradition théologique, *mens* fonctionne comme équivalent du grec *noûs* ; elle est tantôt considérée comme la partie « supérieure » de l'*anima* (*psuchè*), tantôt tendanciellement autonomisée comme image de Dieu dans l'homme (ainsi dans le *De Trinitate* de saint Augustin où sa propre « trinité » : mémoire, intelligence, volonté, reproduit celle de l'essence divine).

47. Cf. *Essay*, II.xxi.5 et 6, qui les appelle *powers of the Mind*.

48. Le « Traité des passions » en abrégé, constitué par le chapitre II.xxi, *Of Power*, plusieurs fois remanié, au centre duquel figure la théorie de l'« inquiétude » (*uneasiness*), suggère toutefois que ce primat peut se renverser, ou que la pensée la plus profonde de Locke réside dans un enveloppement mutuel de la perception par l'inquiétude et de l'inquiétude par la perception, mieux encore, de leurs *mouvements* ou *écoulements* respectifs.

théorisation de la conscience permet à Locke de réunifier la pensée et la mémoire comme aspects corrélatifs du *mind*, instituant une dynamique temporelle qui coupe court, pour l'essentiel, aux problèmes de « substrat ».

On notera ici le profond embarras de Coste, conséquence tout à la fois de la déficience du français par rapport à l'anglais, et de la prégnance de l'idée d'âme, pour laquelle Descartes employait de préférence en latin le mot *mens*. Il est vrai qu'il s'agissait pour lui de mettre l'accent non pas tant sur son immatérialité ou son destin, que sur son attribut essentiel, qui en fait une « chose qui pense ». Or Locke emploie de façon très insistante l'expression cartésienne (*thinking thing* : §§ 9, 10, 12, 17, 23, 27), et il le fait précisément pour opérer le passage du point de vue substantialiste au point de vue du *mind* et de ses « opérations » :

> « § 27. Je vois bien qu'en traitant de ce sujet j'ai fait certaines hypothèses qui paraîtront étranges à certains lecteurs, et peut-être le sont-elles en effet. Mais je pense, si c'est le cas, qu'elles sont excusables à cause de l'ignorance où nous nous trouvons de la nature de cette chose pensante qui est en nous et que nous regardons comme nous-mêmes ou comme notre soi (*in this igno-rance we are in of the nature of that thinking thing, that is in us, and which we look on as our selves*). »

On comprendra que Coste ait pu, malgré sa lucidité, être troublé à la fois par la présence d'une idée nouvelle et par la confusion que comportait sa langue nationale. D'où les rechutes dans « âme » pour traduire *mind*, et pas seulement *soul*, et l'hésitation à rendre par « esprit » à la fois *mind* et *spirit* [49].

La disposition d'un terme spécifique a permis à Locke d'exprimer avec aisance l'idée d'une instance qui n'est *ni âme ni corps* (ou n'a besoin pratiquement d'être déterminée ni comme l'un ni comme l'autre), mais doit être essentiellement pensée comme un

---

Mais, comme nous l'avons indiqué plusieurs fois, on est ici à la limite de la critique lockienne de l'idée d'âme, où il faudrait pouvoir forger une théorie non substantialiste de la puissance.

49. Il ne fait pas de doute que, par son usage de la *thinking thing* en tant que terme de transition entre le point de vue de la substance et celui des opérations mentales, Locke est, bien avant le Kant des « Paralogismes », le premier responsable des reproches de substantialisation de la pensée dirigés par la philosophie moderne — à tort ou à raison — contre Descartes.

ensemble d'opérations interdépendantes, s'enchaînant les unes aux autres dans le temps intérieur. La notion d'opération est fondamentale : elle exclut toute considération de « parties » (ce sont les idées qui peuvent être dans la mémoire comme des parties dans un tout, et qui font ainsi l'objet d'une « appropriation »)[50]. Elle se sépare aussi tendanciellement de la vieille notion de « faculté » — bien que Locke emploie à l'occasion le doublet *faculty or operation* (II. xi.14) — ce qui le mène finalement à substituer au classement des facultés une analyse du *pouvoir d'opérer*, ou une analyse réflexive sur les *pouvoirs* (*powers*) dont procèdent ces *actions of the mind* que sont les opérations (les « perceptions » étant en fait le premier niveau et le germe de toutes les opérations). Mais cette analyse est coextensive à la conscience, puisque celle-ci s'étend précisément dans tout l'espace qui va de la sensation ou de la première perception à la réflexion et à l'abstration[51].

Le point de vue de la conscience est donc celui qui permet à Locke de penser la réalité mentale, dans sa structure intelligible, distincte aussi bien des structures de l'organisation vivante (le *mental* s'oppose au *vital*) que de celles du langage (le *mental* s'oppose au *verbal*), comme une *action sans substance* (du moins sans substance *déterminée*, soit comme matérielle, soit comme spirituelle, etc.). Mais non pas, évidemment, comme une *action sans sujet*. On peut même dire que c'est ici, clairement, le retrait de la substance qui libère le point de vue du sujet (même si le terme de sujet, lui, n'interviendra pas, en ce sens, avant Kant).

OPERATION : § 27
Voir MIND.

50. À cet égard, il est certain que l'insistance de Descartes sur l'idée que « l'âme n'a pas de parties » (contre les traditions aristotéliciennes et platoniciennes, reprises par la théologie) a ouvert la voie au point de vue lockien. Mais il est assez clair aussi qu'elle induit chez les philosophes et les historiens modernes la tentation de projeter rétrospectivement sur Descartes le concept lockien de la « conscience », quitte à se lamenter ensuite qu'il l'ait grevée de préjugés ou de survivances « substantialistes ». Il est d'autant plus divertissant de constater alors que ses « disciples » qui pour la première fois usent systématiquement du terme de conscience sont aussi tentés (sous l'influence de théologèmes augustiniens) de réintroduire l'idée de « parties de l'âme », inférieures ou supérieures (La Forge : cf. notre Dossier).
51. Cf. notre Introduction ci-dessus.

ORGANIZATION, ORGANIZED :

§§ 4, 5, 6, 8, 27

Le terme d'*organisation* s'emploie depuis la fin du XVe siècle (1450 en anglais selon l'*Oxford English Dictionary*, 1488 en français selon le *Trésor de la langue française*) au sens de « état (ou action, condition) d'un corps organisé », idée elle-même d'origine aristotélicienne (ensemble des *organa* ou instruments du corps). Toutefois ce n'est pas avant la deuxième moitié du XVIIe siècle que la vie commence d'être conceptualisée comme un fait d'organisation, d'abord sur le plan de la disposition anatomique des organes, ensuite sur celui de leur fonctionnalité[52]. Et ce n'est pas avant le milieu du XVIIIe siècle que l'idée de cette fonctionnalité s'étend du métabolisme à la croissance et à la reproduction :

> « Jusqu'au XVIIe siècle, le corps organisé exemplaire, c'est le corps animal [...] L'examen microscopique de préparations végétales a permis la généralisation du concept d'organisation, inspirant même des analogies fantaisistes entre les structures et les fonctions végétales et animales [...]

> L'*organon* grec désigne toutefois aussi bien l'instrument du musicien que l'outil de l'artisan. L'assimilation du corps organique humain à un orgue recouvre, au XVIIe siècle, plus qu'une métaphore [...] Pour Descartes, l'orgue organique fonctionne sans organiste. Mais pour Leibniz l'unité structurale et fonctionnelle de l'orgue suppose l'organiste. Sans organisateur, c'est-à-dire sans âme, pas d'organisé ou d'organique [...]

> L'histoire du concept d'organisme, au XVIIIe siècle, se résume dans la recherche, par les naturalistes, les médecins et les philosophes, de substituts ou d'équivalents sémantiques de l'âme, pour rendre compte du fait, de mieux en mieux établi, de l'unité fonctionnelle d'un système de parties intégrantes. Dans un tel

---

52. *L'Encyclopédie* de Diderot et d'Alembert ne donne encore qu'une définition courte et imprécise, sans développement épistémologique : « *Organisation*, s.f. : arrangement des parties qui constituent les corps animés. Le premier principe de l'organisation se trouve dans les semences. L'organisation d'un corps une fois établie, est l'origine de l'organisation de tous les autres corps. L'organisation des parties solides s'exécute par des mouvements mécaniques. — *Organiser*, v. act. : *terme d'organiste*, c'est unir une petite orgue à un clavecin, ou à quelque autre instrument semblable... » Entre 1664 et 1706, l'*Oxford English Dictionary* (2e édition) donne trois références pour *organization*, dont une au Traité de Locke (*Essay*, II. xxvii.179).

système les parties soutiennent entre elles de tels rapports de réciprocité, directe ou médiatisée [...] que, pris à la rigueur, le terme de partie ne convient plus pour désigner les organes dont l'organisme peut être dit la totalité mais non l'addition[53]. »

Locke, qui ne l'oublions pas a une formation de médecin acquise en Angleterre et perfectionnée en France, se situe apparemment à mi-chemin de cette évolution. Au § 5 de son Traité, il fait de l'organisation l'équivalent d'une « Construction of Parts, to a certain end ». *Construction* veut dire ici *structure* anatomique (signification acquise depuis la *humani corporis fabrica* de Vésale) ; *end* veut dire finalité interne au sens de fonctionnalité, l'ensemble des fonctions physiologiques remplies par l'organisme. La difficulté de saisir sa position porte sur deux points : premièrement la différence entre une organisation et une structure matérielle (un « corps » vivant et un « corps » physique) ; deuxièmement le rapport exact entre la référence à l'organisation et la référence à la vie (qui n'est pas l'âme).

Sur le premier point, la lecture du Traité ne laisse guère de doute : le principe de totalisation ou d'agencement des parties d'un corps solide, qui fait sa « cohésion », et celui d'un organisme vivant, sont rigoureusement inverses. L'unité de cohésion des *bodies* solides, qui leur permet rester identiques à eux-mêmes aussi longtemps qu'elle n'est pas détruite, se fait analytiquement à partir des *éléments* ou *parties* (qui en dernière analyse sont des corpuscules, *particles of matter*), elle réside dans une composition. Il est donc essentiel que les parties *demeurent les mêmes*, sinon le tout lui-même sera différent. En revanche, l'unité d'organisation des *bodies* vivants, en particulier animaux, fondement de ce que Locke appellera « l'identité individuelle » ou « l'identité de la vie », se fait synthétiquement, à partir de la forme qui subsume des *parties ou organes*. Cette forme est le lien de l'individu et de l'espèce (§ 4), mais elle réside dans l'individu lui-même[54]. C'est sa permanence dans le temps (*continued organization*) qui prime sur l'identité

53. G. CANGUILHEM, article « Vie », *Encyclopaedia Universalis*, 1ʳᵉ édition, vol. 16 (1973), p. 768. Canguilhem montre ensuite comment les idées de Leibniz ont rendu possible la définition de l'organisme proposée en 1769 par Ch. Bonnet : « cette foule de rapports variés qui lient si étroitement toutes les parties organiques, et en vertu desquelles elles conspirent toutes à un même but général ; je veux dire à former cette *unité* qu'on nomme un *animal*, ce tout organisé, qui vit, croît, sent, se meut, se conserve, se reproduit. »

54. Locke insiste à nouveau sur ce point dans sa controverse avec Stillingfleet : *Mr. Locke's Second Reply to the Bishop of Worcester*, The Works..., IV, p. 316 sq. (à propos de la « résurrection des corps »).

matérielle des composants, elle permet donc des mouvements d'entrée et de sortie, de croissance et décroissance (voire d'amputation, pourvu que la forme générale soit sauve). C'est ce qui permet aussi de considérer l'individu vivant comme *imposant la loi de son organisation* à son environnement (§ 6 : des flux de corpuscules « entrent dans l'unité du corps organisé »).

Sur le second point, il peut sembler que les expressions employées par Locke étayent tantôt la thèse selon laquelle l'organisation est *le moyen utilisé par la vie* pour se distribuer elle-même entre les parties, inspirer leur solidarité et assurer la continuité de la forme (*which is fit to convey that common life to all the parts so united*), tantôt la thèse selon laquelle *la vie n'est pas autre chose, précisément, que la permanence de l'organisation* (ou sa capacité de « persévérer ») (*such an organization of those parts, as fit to receive, and distribute nourishment, so as to continue, and frame... in which consists the vegetable life*) (§ 4). Mais l'essentiel n'est peut-être pas là : il est dans la façon dont Locke subsume, sous le concept d'un agencement de parties ayant en lui-même le principe de son mouvement la *continuité d'adaptation des organes à un certain nombre de fonctions*. Il est également important que parmi ces fonctions figure la croissance (sinon la reproduction), pensée comme addition de matière dans la permanence de la forme[55].

Nous sommes dès lors en mesure de comprendre comment Locke a pu faire de la vie/organisation un *mode spécifique d'identité*, qui n'est réductible ni à l'identité de substance (en particulier matérielle), ni à l'identité de personne (laquelle ne consiste pas dans une synthèse ou subsomption de parties sous la loi d'une forme synthétique, invariante dans le temps, mais au contraire dans la continuité mobile des expériences, ou des idées qui s'enchaînent au présent et se retrouvent par la mémoire). La vie ainsi représentée

55. Mme Françoise Nicolas-Barboux, qui prépare actuellement une maîtrise de philosophie à l'Université de Paris X sur la pensée médicale de Locke, nous fait observer dans le texte de l'*Essai* différents indices suggérant que Locke adhérait plutôt à la thèse préformationniste défendue par Leeuwenhoek (qu'il avait fréquenté en Hollande) qu'à la thèse épigénétiste de Harvey : en particulier son insistance sur la continuité entre les règnes végétal et animal et sur l'analogie de leurs mécanismes au sein d'un domaine unique des êtres vivants. Mais, comme elle le remarque elle-même, ces indices sont fragiles, et il y a fort à parier que Locke, sur ce point comme sur d'autres, observait une neutralité agnostique — la connaissance du processus de formation de l'embryon lui paraissant d'ailleurs sans intérêt pratique. Cf. K. DEWHURST, *John Locke (1632-1704), Physician and Philosopher. A medical biography*, London, Wellcome Historical Medical Library, 1963.

comme *invariance de la forme* commune à des parties en « mouvement » les unes par rapport aux autres, est bien une *identité*, dans un sens fort et original du terme, mais elle n'est ni l'analogue d'une cohésion, ni celui d'une conscience (même « assoupie » ou « obscure », comme chez Cudworth).

Il n'est pas étonnant que Leibniz ait rejeté cette présentation :

> « PHILALETHE. Cela montre encore en quoi consiste l'identité du même homme, savoir en cela seul qu'il jouit de la même vie, continuée par des particules de matière qui sont dans un flux perpétuel, mais qui dans cette succession sont *vitalement* unies au même corps organisé.
>
> THEOPHILE. Cela se peut entendre dans mon sens. En effet le corps organisé n'est pas le même au-delà d'un moment ; il n'est qu'équivalent. Et si on ne se rapporte point à l'âme, il n'y aura point la même vie ni union *vitale* non plus. Ainsi cette identité ne serait qu'apparente[56]. »

L'alternative proposée par Leibniz (*équivalence* au lieu d'*identité*) serait néanmoins plus intéressante si elle ne tendait pas à faire de la spécificité dégagée par Locke une simple *apparence*, derrière laquelle il faudrait toujours encore rechercher une âme ou substance, s'exprimant *au degré près* dans toutes les formes d'identité. Elle confirme en tout cas *a contrario* l'importance de la conceptualisation de la vie dans la construction lockienne : l'identité de personne fondée par Locke sur la continuité de la conscience ne relève pas d'un dualisme ontologique ou éthique, elle s'oppose *aussi bien* à une identité substantielle (matérielle ou immatérielle) qu'à une identité organique individuelle. La conscience n'est donc ni une « chose » ni une « vie de l'esprit ».

Le corrélat de cette double démarcation, c'est la dissociation des différents aspects confusément rassemblés dans l'image de *l'homme*, et la restriction de l'usage de ce terme à la désignation de l'*individualité* qu'il a en commun avec tous les animaux (voir MAN et INDIVIDUAL).

Locke est clair dans son usage du mot *life*, qui ne prête pas à confusion dans les trois usages courants qu'il pratique : la vie comme propriété des organismes individuels (§ 12 : *identity of life*), la vie comme cours des expériences humaines (en particulier la *vie passée*, §§ 15, 20), enfin « cette vie » et « l'autre vie » (§ 26 :

---

56. LEIBNIZ, *Nouveaux Essais...*, II.xxvii.6 (éd. cit., p. 198).

celle dans laquelle une personne place l'espoir du bonheur dont
elle n'a cessé de se soucier). En revanche l'adjectif *vital*, qui fait
système avec *material*, *immaterial*, *personal*, *mental*, *verbal*, etc.,
est toujours employé au sens du « vivant » animal et humain, en
particulier dans l'expression « vitally united » (formant une unité
vivante ou unité de vie)[57].

OWN, TO OWN :
   §§ 8, 14, 15, 17, 18, 24, 26
   Comme pour le SELF — les deux problèmes étant à vrai dire
étroitement liés — Locke a joué de la totalité des ressources
sémantiques et syntaxiques que lui offre en anglais le mot *own*, de
façon à nouer entre eux — non seulement au niveau de la théorie,
mais au niveau de l'expression et de l'énonciation elle-même —
les différents aspects d'une théorie de *l'identité* comme *appropriation*. Les usages de *own* et *to own* se situent ainsi au centre d'une
constellation qui comprend les termes d'appartenance, d'imputation, de souci, de reconnaissance, de remémoration, et de proche en
proche la totalité des notions caractéristiques du Traité.
   Ce jeu (jeu de mot, au sens fort du terme), lorsqu'il a été perçu
par un commentateur familier de l'analyse du « langage ordinaire »,
a souvent été considéré comme *abusif*. Ainsi M. Ayers (ouvr. cit.
p. 265 sq.) soutient que Locke n'a pu rattacher sa définition de la
consciousness (terme cognitif) à une doctrine morale et juridique de
la *conscience* sans jouer sur le double sens — « reconnaissance » et
« propriété » — du mot *own*, de même que sur les deux directions
dans lesquelles on peut interpréter l'idée d'*appropriation* : propriété
de soi-même, propriété des biens (qu'on ne saurait confondre sans
abolir la distinction entre une personne et une chose). Mais peut-
être faut-il reprendre la question en suivant de beaucoup plus près le
travail sur le langage auquel procède ici Locke.
   On se souviendra qu'en anglais *own* est à la fois adjectif et
verbe. En tant qu'adjectif (équivalent de *proprium*, mais aussi simplement de *suum*) il se combine généralement avec les possessifs

---

57. M. AYERS (ouvr. cit., p. 256-257) signale que l'expression « vitally and
personnally united » surgit dans les discussions sur l'union des personnes de
la Trinité qui, dans les années 1680-1690, voient s'affronter les théologiens
anglicans, les philosophes « cambridgiens » et les hérétiques « sociniens ». Il
en tire argument en faveur de l'analogie, chez Locke également, entre la vie
et la conscience. Nous tirons la conclusion inverse : une telle conjonction est
impossible dans le Traité lockien de l'identité, qui *dissocie* systématiquement
« unité vivante » et « unité personelle ». Cf. IDENTITY.

my, his, etc. dans une formulation « intensive » : *my own house* (ma propre maison, la maison que je possède, qui est à moi), *I am my own master* (je suis mon propre maître, je ne suis qu'à moi). Celle-ci à son tour peut être absolutisée : *my own*, « moi-même », est pratiquement synonyme de *my self*. Et pour finir elle permet au sujet de se désigner réflexivement à l'exclusion de tous les autres : *I am on my own* (je suis seul avec moi-même, je m'en vais tout seul). En tant que verbe, *to own* a tout le spectre des significations qui (en français) vont de *posséder* à *avouer*, en passant par *reconnaître, déclarer* et *réclamer* : c'est donc, en général, le fait de faire ou dire « sien », allant de pair avec un « souci de soi »[58]. Il n'est pas toujours aisé de choisir une nuance plutôt qu'une autre, puisqu'on est obligé de la projeter dans une langue où elle n'est pas obligée (c'est pourquoi nous avons eu parfois recours au doublet, de façon à marquer la co-présence des significations, ainsi à la fin du § 17 : *owns all the actions of that thing, as its own*, « elle s'attribue ainsi et avoue pour siennes toutes les actions de cette chose, qui n'appartiennent qu'à elle »).

Locke pratique l'intégralité de ces significations et des constructions correspondantes, séparément ou en combinaison (comme dans le passage cité à l'instant). Le résultat de ces tours de phrase, absolument idiomatiques, mais dont l'insistance ne peut être de hasard, est une remarquable fusion (d'aucuns diraient confusion) des paradigmes de *l'être* et de *l'avoir*. Fondamentalement, « moi » c'est (= je suis) « le mien », et ce qui est « le plus proprement mien » c'est « moi-même » (de même que ce qui est le plus proprement « tien »,

---

58. En ce qui concerne l'acception de *to own* comme signifiant l'aveu, aujourd'hui moins familière au lecteur français, voici un échantillon de contextes empruntés à Locke lui-même :

« And had I told you in plain words, that I was the Messiah, and given you a direct commission to preach to others, that I professedly owned myself to be the Messiah ; you and they would have been ready to have made a commotion, to have set me upon the throne of my father David, and to fight for me... » (*The Reasonableness of Christianity as Delivered in the Scriptures*, in The Works of J.L., 1923, vol. VII, p. 95) (il s'agit de la prosopopée de Jésus, paraphrasant *Jean*, 16, 17-18).

« I must own. that I think certainly grounded on ideas... » (*A Letter to the Right Reverend Edward Lord Bishop of Worcester, id.*, IV, p. 57).

« My Lord, I do not remember that ever I declared... that I did not own all the docrines of the Christian faith... » (*Mr. Locke's Reply to the Bishop of Worcester's Answer, ibid.*, p. 119).

« The owning of this to your Lordship in my former letter, I find, displeased your Lordship... » (*ibid.*, p. 180).

« sien », c'est « toi-même », « lui-même », etc.). Mais n'est-ce pas justement ce que Locke veut expliciter[59] ?

On en évoquera brièvement trois conséquences :

1. Le rapport à soi est pensé comme un rapport d'appropriation qu'on pourrait dire *récurrent*, ou *rétrospectif* (d'un mot que D. Lapoujade applique à William James, à ceci près qu'il s'agit ici de conscience et non de croyance, et que l'appropriation récurrente est « en germe » dès la première opération « mise en mémoire », à savoir la perception). L'appropriation est fondamentalement celle de *mes pensées*, et ainsi de *moi-même en tant que je pense*. Nous en connaissons le mécanisme : il réside dans la réciprocité de la mémoire et de la conscience, des opérations virtuelles et actuelles. Il est donc légitime de décrire mes pensées comme « faisant partie de moi-même » ou « m'appartenant », sans que ces diverses formulations introduisent un écart ou une distance, mais à condition de comprendre que le cours même de la conscience constitue une totalisation de parties selon un mode spécifique, purement transitif. Mais il faut aller plus loin et poser que, par l'intermédiaire précisément de leurs idées de réflexion (ce qu'au § 13, Locke appelle *a reflex Act of Perception*), *mes actions me sont appropriées ou font partie de moi-même*. Locke se sert ici de l'idée fondamentale incorporée par Descartes à sa définition de la *cogitatio* (*Principes de la philosophie*, I, § 9) : toutes les modalités de la pensée, y compris celles qui expriment la perception interne que j'ai de mes actions (ou la perception que j'ai de mes actions comme « de l'intérieur », dans ce qui les distingue radicalement des actions *d'un autre*) sont au même titre *des cogitationes*, et donc rapportées à l'*ego* comme ses propres « actes de pensée ». Ainsi « je marche », ou « je rêve », ou « j'écris »[60], etc. Mais cela le conduit — ce que

---

59. Cette fusion vient de loin : des discours grecs sur l'*oikeios* et l'*idios*, qualifiant la particularité du « soi » (Sur le « soi » des Grecs, cf. une discussion récente dans J.-P. VERNANT, *L'individu, la mort, l'amour. Soi-même et l'autre en Grèce ancienne*, Gallimard, 1989, p. 211 sq.). Et elle vient jusqu'à nous, ne cessant de se renforcer jusqu'à la thèse liminaire du *Sein und Zeit* de HEIDEGGER (§ 9), identifiant la particularité existentielle du *Dasein* humain à la *Jemeinigkeit* (litt. « être à chaque fois (le) mien ») (développée ensuite comme jeu de l'appartenance et de la perte de soi, de la « propriété » et de l'« impropriété »).

60. Locke au § 16 :... *now whilst I write*..., alors que Descartes avait écrit (dans la XIIᵉ des *Règles pour la direction de l'esprit*) : *Dum scribo, intelligo eodem instanti*... (cf. le commentaire de J.-L. NANCY, *Ego sum*, Flammarion, 1979, p. 41 sq.)

ne faisait pas Descartes — à incorporer ainsi indirectement ou modalement toutes les actions à l'unité du « soi », à en faire une totalité plutôt qu'une singularité.

2. L'appropriation de mes actions, passées et présentes, en tant qu'elles sont aussi mes pensées (ou peuvent le redevenir) a aussi pour conséquence une solution radicale de la question de *mon rapport à « mon » corps*, qui court-circuite d'emblée toute problématique de l'« union de l'âme et du corps ». Ici Locke se retourne contre Descartes. Certes celui-ci, au début de la VIᵉ Méditation avait eu cette phrase remarquable :

> *Non etiam sine ratione corpus illud, quod speciali quodam jure meum appellabam, magis ad me pertinere quam alia ulla arbitrabar* (« Ce n'était pas aussi sans quelque raison que je croyais que ce corps (lequel par un certain droit particulier j'appelais mien) m'appartenait plus proprement et plus étroitement que pas un autre ») (A.T. VII, 76/IX, 60). [trad. Luynes]

Mais tout le mouvement de la méditation de Descartes sur le « corps propre » visait à transférer la question du registre de l'avoir dans celui de l'être, quitte à déboucher sur une forme particulièrement tendue du dilemme de l'identité et de l'altérité à soi (mise en œuvre dans l'étude des passions) : puisque tout à la fois *je suis mon corps* (et même : je ne suis *pas autre que* mon corps), et *je puis toujours (me) penser sans mon corps*[61]. Rien de tel chez Locke où le rapport au corps apparaît comme le lieu par excellence de la conciliation entre être et avoir, puisque *mon corps n'est rien d'autre que celui que ma conscience me présente comme « moi-même »*, en faisant de toutes *ses* actions des pensées qui *m'*appartiennent[62].

3. Enfin cette thématique de l'*own*, de l'*owning* et de l'*ownership* entraîne (comme nous l'avons déjà vu à propos des termes *appropriate*, *impute*, etc.) un parallélisme de la responsabilité et de la propriété, de la « conscience de soi » et de la « propriété de soi-même ». Un tel parallélisme peut être ressenti comme paradoxal, voire même intenable. Ainsi Paul Ricœur (critiquant Strawson) :

61. Cf. D. KAMBOUCHNER, *L'Homme des passions*, ouvr. cit.

62. Il serait très révélateur de comparer ici en détail les variations auxquelles procèdent Descartes et Locke sur le thème de l'amputation des membres : Descartes se préoccupe de l'illusion hallucinatoire qu'elle peut entraîner et Locke imagine que la conscience puisse avoir son siège dans l'une ou l'autre des parties séparées.

« La possession impliquée par l'adjectif « mien » est-elle de même nature que la possession d'un prédicat par un sujet logique ? Il y a certes une continuité sémantique entre propre (*own*), propriétaire (*owner*), possession (*ownness*) ; mais elle n'est pertinente que si l'on se confine dans la neutralité du *one's own* ; et, même sous cette condition de neutralisation du soi, la possession du corps par quelqu'un ou par chacun pose l'énigme d'une propriété non transférable, ce qui contredit l'idée usuelle de propriété. Étrange attribution, en effet, que celle d'un corps, qui ne peut être ni faite ni défaite[63]. »

En s'inspirant de Locke, on peut retourner cette argumentation. D'une part la possession du corps ne correspond pas à une « neutralisation du soi », elle en représente au contraire l'expérience, ou l'un des modes de constitution. Locke ne dit pas que l'expérience consciente que je fais des actions de mon corps comme « miennes » est plus importante que celle que je fais, par exemple, des opérations de ma pensée ; mais, parvenu à ce stade de sa réflexion, il lui accorde visiblement une importance fondamentale. C'est pourquoi elle appartient *à la fois*, ou indistinctement, à la sphère de la responsabilité et à celle de la propriété, et elle comporte les mêmes limites (ainsi, de même que je ne suis pas responsable de la constitution de mon organisme, mais de ce qu'il fait, ou de ce que je fais « par lui », de même je suis « propriétaire de moi-même » essentiellement en tant que propriétaire de mes actions et de leurs effets). De ce point de vue, l'existence d'une « propriété non transférable » (ou non aliénable), qui représente un minimum incompressible construit autour du corps propre, dans la sphère de l'action (comme aussi autour de l'idée du « soi » dans la sphère des pensées, des souvenirs, des opinions)[64] ne constitue pas une énigme ou un paradoxe, mais bien (aux yeux de Locke, du moins) la *condition de possibilité* de toute propriété extérieure, ou propriété « des choses ». En bref c'est un autre nom de la liberté. Le vrai « danger » d'aliénation pour la personnalité ne vient pas de ses possessions extérieures, et du retour sur soi qu'elles opèrent, mais de ses divisions internes, par exemple dans les phénomènes d'amnésie et de « personnalités multiples » (cf. PERSONALITY).

63. P. RICŒUR, *Soi-même comme un autre*, cit., p. 51.
64. Sur ce caractère inaliénable de la « sphère propre » se construit la doctrine lockienne de la *tolérance* comme institution nécessaire de la société civile.

PART (OF) :
  §§ 2, 3, 4, 5, 10, 11, 14, 15, 17, 18, 20, 24, 25, 27, 29
  PARTAKE (TO) OF : § 4, 19 ; PARTICIPATION : § 6

Le lexique de la « participation » est rare dans le texte de Locke, mais il pose une question sensible car les expressions usitées paraissent appuyer une interprétation de la doctrine de l'identité comme *analogie entre la vie et la conscience*. Déjà à ce niveau cependant il est possible de faire remarquer que se glisse un élément de dissymétrie, constitué par la relation tout à fait différente que ces « participations » entretiennent au regard du *temps*. La participation à la « même vie » ou à la « vie commune » des membres ou organes du corps (§§ 4, 6) est la condition de son identité continuée : il s'agit d'une présence simultanée selon une disposition invariante (et non pas d'une succession de moments de la vie elle-même). Inversement la participation de « Socrate éveillé » et de « Socrate dormant » à « la même conscience » (§ 19) veut dire que les expériences correspondantes s'enchaînent les unes aux autres, ou que leur succession est constitutive d'une même conscience qui a sa propre « histoire ». Appartenir à une même vie et appartenir à une même histoire sont deux notions différentes, distinguées par leur temporalisation opposée, et en ce sens Locke se range parmi les philosophes qui, par avance, refusent de comparer la façon dont une histoire se réfléchit elle-même à la façon dont un organisme se construit et se préserve.

Il faut donc étendre l'enquête à l'ensemble des formulations qui enveloppent l'idée du rapport entre des *parties* et un *tout* ou une *unité* de composition. On voit bien alors que l'idée de participation comporte la même équivocité que celle de l'identité. Elle en forme à chaque fois le corrélat : selon qu'on a affaire à l'addition d'éléments donnés pour former un ensemble, ou à la dépendance mutuelle des organes d'un vivant (qui intègre des aliments extérieurs, et peut jusqu'à un certain point subsister en dépit de l'amputation ou du dépérissement de certaines parties), ou enfin à l'intégration des pensées et actions dans le cours d'une même conscience, c'est-à-dire la formation du tout (ou totalisation) par l'enchaînement des parties elles-mêmes.

L'irréductibilité de ces différents points de vue est mise en évidence de façon spectaculaire par la possibilité de considérer alternativement les « mêmes » choses comme « parties » d'une unité en deux sens différents (ce que montre l'expérience imaginaire du petit doigt, au § 17, qui fait ou non partie de la même conscience indépendamment de la question de savoir s'il fait toujours partie du même individu, et réciproquement celle du « dédoublement de

personnalité » de l'Homme du jour et de l'Homme de la Nuit, qui
montre que les actions ou mouvements d'un organisme humain
peuvent faire partie d'une même vie individuelle sans faire nécessairement partie d'une même conscience et donc d'un même
« soi ») (§ 23). .

PARTICLE :
   §§ 2, 3, 4, 6, 8, 11, 14, 25, 29
   Nous avons choisi de traduire par « corpuscule », conformément
à une tradition bien ancrée dans la science française. Elle a l'inconvénient d'effacer l'homonymie avec l'emploi grammatical du
terme « particle » (cf. *Essay*, III, chap. vii), mais l'avantage de
signaler l'affinité de la terminologie de Locke avec les idées « cor-
pusculaires » de Boyle et de Newton, qui font de « particle »
l'équivalent de « small body » (*corpusculum*)[65]. Voir l'éloge de la
corpuscularian Hypothesis en tant que *intelligible explication of
the qualities of bodies*, au Livre IV, chap. iii, § 16 (après l'examen
des hypothèses concernant la matérialité et la spiritualité de l'âme,
entre lesquelles la limitation de notre pouvoir de connaître nous
interdit de trancher).
   Nous rendons « particles of matter » par « corpuscules de
matière » ou « corpuscules matériels » selon les contextes, « fleeting particles » par « flux de corpuscules ».

PERCEIVE, PERCEPTION :
   §§ 9, 10, 13, 17
   Voir MIND.

PERSON, PERSONAL :
   §§ 7, 9, 10, 11, 12, 13, 14, 15, 16, 17, 18, 19, 20, 21, 22, 23, 25, 26
   Locke dit que le mot de « personne » est un *forensic term*, ce que
Coste traduit par « un terme de Barreau » et que nous avons rendu
par « un terme (du langage) judiciaire ». Mais il précise : « tel que
je l'emploie ». C'est marquer qu'il y a là un parti pris, dont les
enjeux philosophiques mais aussi religieux et politiques sont fon-

---

65. Elles firent l'objet de discussions entre eux à la fin des années 1670 :
cf. Richard S. WESTFALL, *Never at rest. A Biography of Isaac Newton*,
Cambridge University Press, 1980, p. 371 sq. Également Peter ALEXANDER,
Ideas, qualities and corpuscles. Locke and Boyle on tue external world,
Cambridge University Press 1985 (p. 156 : « the primary qualities are
defined [by Locke] in relation to particles of matter, i.e., ultimately,
corpuscles »).

damentaux. Il convient d'en retrouver la trace dans l'écriture même du Traité. Nous proposerons de considérer qu'il y a là une double démarcation. La première se fait sur le front théologique, la seconde sur le front politique.

La démarcation théologique oppose Locke à l'ensemble de la tradition orthodoxe pour qui le terme de « personne » renvoie à la doctrine de la Trinité ; mieux encore, à celle-ci en tant qu'opérateur par excellence (depuis saint Augustin) de la spéculation sur l'*analogie* entre la nature divine et la nature humaine (« image et ressemblance » de la créature au regard du créateur). Laquelle à son tour entraîne la possibilité de se représenter toute l'économie du salut, passant par le péché originel, l'incarnation et la passion du Christ, le jugement et la résurrection, comme la voie qui mène à la réunification des deux natures, à la fois semblables et inégales, donc séparées tout au long de l'histoire du monde.

L'indice de cet arrière-plan est constitué, dans notre texte, par la formule du § 9, première « définition » (provisoire) de la *personne* dont on va rechercher l'identité :

> « il nous faut considérer ce que représente la personne ; c'est, je pense, un être pensant et intelligent, doué de raison et de réflexion (*a thinking intelligent Being, that has reason and reflexion*), et qui peut se considérer soi-même comme soi-même… »

D'où provient-elle ? Sautant par dessus les références intermédiaires (More, Cudworth, Stillingfleet[66], etc.), nous pouvons aller directement à la célèbre formule de Boèce : *rationalis naturae individua substantia*, « la substance individuelle de nature raisonnable », reproduite par saint Thomas en tête de son développement sur « Les Personnes divines » (*Somme Théologique*, Ire Partie, Question 29). Après avoir justifié le fait qu'on ne trouve nulle part ce terme dans les Écritures elles-mêmes, saint Thomas en donne alors l'origine, à partir du grec *hupostasis* employé par les Pères de l'Église, et passe à la discussion des rapports entre « essence »,

---

66. Locke trouve insuffisante la « définition » de la personne que lui oppose Stillingfleet, inspirée de la tradition thomiste : « a complete intelligent substance with a peculiar manner of subsistence » (cf. *Mr Locke's Reply to the Bishop of Worcester's Answer*, cit., p. 172 sq. ; *Mr. Locke's Second Reply…*, ibid., p. 303 sq. Voir également p. 335 la référence à l'existence ou non d'une « contradiction » entre la définition de Locke et le dogme de l'incarnation).

« substance » et « personne » qui permettent de penser le mystère du Dieu Un en Trois [67]. Notons que le terme *hupostasis* a été également traduit plus littéralement par les théologiens comme *suppositum*, donc « suppôt » ou « sujet », ce qui inscrit toute cette discussion au cœur de la genèse de la conception de l'individu comme subjectivité toujours déjà impliquée dans un ordre symbolique.

Nous pouvons alors considérer tout le développement du Traité de Locke, entre le § 9 et le § 26, comme une *transition* entre la définition initiale (anthropo-théologique) et la nouvelle définition « judiciaire », ou plutôt comme une *transformation* de la définition initiale. Il s'agit de l'incorporer à une nouvelle anthropologie, dont le noyau théorique est constitué par les rapports entre la « conscience » et la « responsabilité » tel que chacun les trouve en soi et peut (se) les « avouer » (*own*). Une telle anthropologie ne se fonde pas sur le rapport hiérarchique entre l'image humaine et son modèle divin, ou entre le temps et l'éternité, mais sur le mouvement même de l'expérience : on peut se la représenter comme une acquisition de propriétés et de connaissances toujours nouvelles, mais qui présuppose (et développe, effectue) une *appropriation de soi* originaire, impliquée dans la constitution même de l'esprit (cf. APPROPRIATE) [68].

Par rapport à cet objectif fondamental, la subtilité des raisonnements qui, tout au long du Traité, mettent en évidence *l'indépendance* des points de vue de la substance et de la personne (même s'il est « raisonnable » et « vraisemblable » de leur supposer une relation cachée), et minent ainsi de façon plus ou moins directe les fondements métaphysiques de la doctrine trinitaire (en particulier pour ce qui concerne l'identité de l'essence humaine et divine du Christ par delà la Crucifixion et la Résurrection), pourrait nous apparaître comme un élément secondaire. Il n'en est rien, pour deux raisons au moins : l'une dont nous discutons ci-dessous est le rapport que ces raisonnements entretiennent avec le problème des « personnalités multiples » (voir PERSONALITY) ; l'autre est la façon

67. Thomas D'AQUIN, *Somme Théologique*, Tome I, Les Éditions du Cerf, 1984, p. 367 sq. La difficulté vient de ce que, étymologiquement, *persona* ne correspond pas à *hupostasis* mais à *prosôpon*, désignant d'abord comme en latin le masque ou le personnage de théâtre. Sur ces problèmes, cf. E. HENDRICKS, Introduction au *De Trinitate* de saint Augustin (Bibliothèque Augustinienne, Œuvres de saint Augustin, vol. 15, *La Trinité (Livres I-VII)*, Desclée de Brouwer, 1955, p. 32 sq.).

68. Elle n'est bien entendu nullement incompatible avec le fait que, par ailleurs, Locke insiste sur le caractère de *créature* de la personne humaine, et sur le *workmanship* divin dont elle est l'œuvre (cf. Tully 1980, cit.).

dont ils débouchent, finalement, sur une refonte de la représentation du Jugement Dernier qui apporte à l'idée de responsabilité juridique son complément *moral* indispensable, en faisant de la conscience l'élément même dans lequel le sujet se rapporte aux fins dernières de sa condition (voir RESURRECTION).

Bien entendu le rapport de la notion de personne (la *persona* latine) avec un contexte juridique et moral n'est pas une nouveauté. C'est même le plus ancien, antérieur aux utilisations théologiques, mais bénéficiant en retour de leur terminologie et de leurs distinctions. L'association des notions de personnalité, de responsabilité et d'obligation civile (selon le *status* de la personne) se systématise dans le *Corpus Juris Civilis*[69]. Elle avait partie étroitement liée avec une ontologie d'inspiration stoïcienne, distinguant les *personnes*, les *choses* et les *actions* incorporelles. Il est certain que, reformulant cette ontologie en posant un concept de conscience qui permet d'intérioriser les actions au « soi » et d'en faire les moments de sa propre reconnaissance, le Traité lockien de l'identité (et plus généralement l'*Essai*) forme un moment essentiel de l'invention du sujet moderne, dont sont directement tributaires des théorisations du sujet et de la personne morale comme celles de Kant et de Hegel.

Cependant, une seconde ligne de démarcation ou un second front est ici repérable, qui oppose ce point de vue de la *personne comme nom (propre) du « soi »* à celui de la *personne comme fiction*. Cela prend concrètement la forme d'une opposition entre l'usage que fait Locke du concept de personne et celui qu'en avait fait Hobbes un peu auparavant[70]. Le Traité de Locke doit être lu aussi comme

69. Vaste compilation de codes, gloses et manuels éditée au VIᵉ siècle à Constantinople, à partir du droit romain classique, sur l'ordre de l'empereur Justinien. Cf. Michel VILLEY, *Le Droit et les droits de l'homme*, PUF, 1983 ; id. « Esquisse historique sur le mot responsable », in *Archives de philosophie du droit*, n° 22, 1977 (*La responsabilité*) ; Jean-Marc TRIGEAUD, « La Personne », in *Archives de Philosophie du Droit*, n° 34, 1989 (*Le Sujet de droit*). On lira également la discussion de Jean-Pierre BAUD, *L'Affaire de la main volée. Une Histoire juridique du corps*, Ed. du Seuil, 1993, p. 59 sq., qui montre comment varient, tout au long de l'histoire du droit, les rapports de l'individualité et de la personnalité (« La personne peut mourir ou avant le corps », ce qui conduit les juristes contemporains à élaborer une catégorie de *résurrection* pour organiser le régime de l'absence).

70. Avant tout dans le Chapitre XVI du *Leviathan*, « Of Persons, Authors, and Things Personated » (Thomas Hobbes, *Leviathan*, Edited with an Introduction by C.B. MACPHERSON, Penguin Books, 1968, p. 217 sq.). Cf. Yves-Charles ZARKA, « Identité et ipséité chez Hobbes et Locke »,

une réponse à Hobbes, qui se déploie sur le plan philosophique et emporte des conséquences politiques et sociales. On découvre ainsi un point d'hérésie, au sein de ce qu'on a appelé le paradigme de l'individualisme possessif (Macpherson).

En effet, la définition hobbesienne :

> « *A person is he whose words or actions are considered, either as his own, or as representing the words or actions of an other man, or of any other thing to whom they are attributed, whether truly or by fiction* » (Une personne, c'est celui dont les paroles ou les actions sont considérées soit comme les siens, soit comme représentant les paroles et les actions d'un autre homme, ou d'une autre chose à qui elles sont attribuées réellement ou par fiction)

est fondamentalement une définition *en extériorité*, qui ne procède pas du sujet lui-même, a fortiori de sa conscience, mais de la façon dont un système juridique le qualifie[71]. Son objectif est de fonder la relation (tout aussi nécessaire dans le domaine privé que dans le domaine public) de la *représentation* (associant un « auteur » et un « acteur ») ou de la *délégation de pouvoir* (*trust*) qui passe par l'échange codifié des paroles, et non par l'expérience de la conscience. Hobbes peut ainsi généraliser la notion médiévale de la *persona ficta* ou personne morale, et l'appliquer en retour à l'individu humain lui-même, considéré dans son rôle ou sa fonction sociale[72].

La référence de Locke au langage judiciaire ne doit donc pas nous tromper : il ne s'agit pas d'une catégorie juridique indifférenciée. En faisant prévaloir la sphère du jugement, dans laquelle en dernière analyse les décisions ne sont légitimes que par référence à l'identité et à l'intériorité (l'« aveu ») du sujet, sur celle de la repré-

---

Philosophie, n° 37, Hiver 1993, et Frank Lessay, « Le vocabulaire de la personne », in Yves-Charles Zarka (dir.), *Hobbes et son vocabulaire*, Vrin, 1992, où est discutée en détail la conception hobbesienne de la personne comme distinction de l'« acteur » et de l'« auteur » dans le processus de la *représentation* qui la constitue.

71. Ceci est parfaitement cohérent avec la réduction de la « conscience » à l'*opinion* et la caractérisation fortement péjorative, comme « terme rhétorique », que Hobbes en donne au chap. VII du *Léviathan*.

72. La « personne morale » est une invention des juristes du XIIIᵉ siècle pour pouvoir attribuer la capacité juridique à des corporations et des États, mais elle a été anticipée par la doctrine de la *personne de l'Église*, dérivée de la théologie trinitaire.

sentation et de la convention, dans laquelle c'est le système des lois et des nominations qui est déterminant, il trace en philosophie et en politique une ligne de démarcation décisive[73]. On pourrait la résumer en disant que nous avons d'un côté une doctrine de la *personnalité morale* (et à la limite chez Hobbes même les « personnes physiques » sont des « personnes morales », dans la mesure où elles entrent dans des rapports de représentation et font usage des fictions correspondantes), et de l'autre une doctrine de la *moralité des personnes* (fondée sur leur capacité de préserver par la conscience de soi, *dans un espace intermédiaire entre les choses et les mots*, en deçà de tout « rôle », une identité naturelle ou authentique). Ce sont deux conceptions divergentes de la société et de l'État qui en découlent, même si on peut formellement les considérer l'une et l'autre comme « individualistes ».

PERSONALITY :
    §§ 22, 26
    Le terme de *personality* (*personalitas*), abstraction formée sur la *persona*, susceptible à son tour d'être « hypostasiée », n'est pas récent, mais il est fortement chargé de références aux controverses sur l'essence individuelle, son unité et sa multiplicité. C'est ce qui en rend l'occurrence en deux moments stratégiques du Traité particulièrement intéressante. Elle prend une signification supplémentaire pour le lecteur contemporain, qui hérite d'une longue élaboration du problème des « personnalités multiples ». Le texte de Locke nous apparaît ainsi situé au point exact d'un *renversement*, par lequel, sortant d'un « âge théologique » et entrant dans un « âge psychologique » (ou anthropologique), mais conservant toute une partie des instruments intellectuels forgés par le premier au bénéfice du second, on substitue la question « moderne » des personnalités multiples à celle « ancienne » des personnes de la Trinité (cf. ci-dessus PERSON) dans l'élaboration de la notion de sujet[74].

73. Mais la position qu'il occupe est rien moins que facile à tenir. Ses disciples en feront l'expérience, pris entre les deux extrêmes du *retour au substantialisme* (Leibniz. pour qui l'identité lockienne n'est que l'apparence de la personne) et du *déplacement vers la fiction*, donc vers l'idée de la personne comme habitude ou convention sociale (Hume) : cf. R.C. TENNANT, « The Anglican Response to Locke's Theory of Personal Identity », *Journal of the History of Ideas*, vol. 43, 1982, 73-90.

74. Il n'est pas certain que les contextes « psychologique » et « théologique », sur ce point aussi, ne se soient pas croisés d'emblée, comme en témoignent les réflexions de Saint Augustin dans les *Confessions*. La question est de savoir si, de part et d'autre de la « conversion », on a affaire au

238 Identité et différence

Entre les deux, pour ainsi dire, la transition est assurée par la question de la « transmigration des âmes », à laquelle le Traité lockien fait subir un examen répété pour la soumettre au critère rationnel de l'identité de personne. Cette question, on le sait, passionne les Platoniciens de Cambridge[75] ainsi que Leibniz (qui y fait allusion dans le § II. xxvii.14 des *Nouveaux Essais*, en citant les opinions de Van Helmont). D'un point de vue contemporain, on est tenté de dire que toutes ces questions entre lesquelles voyage le Traité lockien ne se situent pas sur le même plan : la Trinité est une structure *symbolique* (religieuse), la Transmigration est un mythe ou une représentation *imaginaire* à laquelle on peut se référer pour éprouver le sens de certaines « hypothèses », enfin les Personnalités Multiples sont un problème *réel*, ou une énigme de l'expérience à résoudre.[76]

« même » homme : car la certitude de leur différence est encore troublée par l'expérience des hallucinations nocturnes venues du passé et des plaisirs involontaires auxquels elles donnent lieu : « Seigneur mon Dieu, ne suis-je pas alors ce que j'étais auparavant ? Et comment se peut-il donc faire qu'il y ait une aussi grande différence entre moi-même et moi-même (*tantum interest inter me ipsum et me ipsum*), comme il y en a entre ce moment auquel je m'endors, et celui auquel je m'éveille ? » (Livre X, chap. 30, trad. Arnauld d'Andilly). C'est à Dieu seul qu'il appartiendra, en dernier ressort, d'opérer le partage entre l'Homme de la Nuit, qui lui est rebelle, et l'Homme du Jour, son serviteur.

75. Cf. Henry MORE, *The Immortality of the Soul* (1659) qui, sautant d'un extrême à l'autre, l'oppose à l'idée d'une participation transitoire des individus à l'âme du monde (noter p. 284, éd. cit., l'association : « *Personality, Memory and Conscience* »). Sur l'intérêt des platoniciens de Cambridge pour le spiritisme, cf. le livre de A. Rupert-Hall, *Henry More. Magic, Religion and Experiment*, cit.

76. Cf. Mikkel BORCH-JACOBSEN, « Who's Who ? Introducing Multiple Personality », in Joan COPJEC (ed.), *Supposing the Subject*, Verso, London-New York 1994. Sur l'histoire du problème, cf. aussi Henri F. ELLENBERGER, *Histoire de la découverte de l'inconscient*, Paris, Fayard 1994, p. 156 sq. Dans la tradition psychiatrique française, la question des personnalités multiples s'attache particulièrement à l'œuvre de Pierre JANET (*L'automatisme psychologique*, 1889), dans la tradition anglo-saxonne à celle de William JAMES (*Principles of Psychology*, 1890 ; *Exceptional Mental States*, Lowell Lectures, 1896). James avait annoté le chapitre de Locke sur l'identité, auquel il se réfère comme à un modèle de reformulation pragmatique des problèmes métaphysiques par élimination de l'idée de « substance » et référence à l'« experience » (*Pragmatism* and *The Meaning of Truth*, Harvard University Press, 1975, p. 47-48).

La question des « personnalités multiples » ne se confond ni avec celle de l'*amnésie* ni avec celle de la *simulation* (ou de la « mauvaise foi »), l'une et l'autre évoquées par Locke et qui n'ont jamais cessé de tenir une grande place dans la casuistique judiciaire. Mais elle constitue en quelque sorte la contrepartie de l'argument de la continuité vécue de la vie (ou de l'expérience), qui permettait à Locke de résoudre la vieille aporie de « l'identité de l'homme à travers le changement des âges » : il faut en effet admettre que cette continuité peut être *scindée* par un clivage qui n'abolit pas les mécanismes du souvenir et de la reconnaissance de soi, mais les distribue entre des « soi » distincts, dont chacun est le pôle d'identification d'une conscience. Il est impossible de lire aujourd'hui le développement du § 23 :

> « Si nous pouvions supposer d'un côté deux consciences différentes, sans communication entre elles, mais faisant agir le même corps, l'une tout au long du jour, et l'autre de nuit, et d'autre part une même conscience faisant agir alternativement deux corps distincts, la question ne se poserait-elle pas bel et bien de savoir, dans le premier cas, si l'Homme du jour et l'Homme de la nuit ne seraient pas deux personnes aussi différentes que Socrate et Platon ? etc. »

sans effectuer le rapprochement, non seulement avec les pollutions nocturnes de saint Augustin, mais avec la célèbre nouvelle de Stevenson, *The Strange Case of Dr. Jekyll and Mr. Hyde* (parue en volume en 1886), qui s'inscrit elle-même dans une tradition à la fois littéraire et psychiatrique (deux domaines dont il n'est pas certain qu'ils puissent être absolument distingués)[77].

Ce rapprochement fait ressortir que Locke évite soigneusement de marquer une différence entre les phénomènes de conscience qui pourraient être considérés comme « normaux » et ceux qui pourraient apparaître « pathologiques » (amnésie, paramnésies, délires d'identification, dédoublement de la personnalité). Cette neutralité fait partie de l'argumentation qui permet d'isoler la « pure » question du rapport entre conscience et responsabilité. Elle entraîne une série de conséquences.

Nous voyons d'abord que la théorie lockienne de l'*identité* est bien aussi, indissociablement, une théorie de l'*altérité* ou de l'*altération*

---

77. Robert-Louis STEVENSON, *L'Étrange cas du Dr Jekyll et de M. Hyde*, Préface et commentaire de Maurice Mourier, Pocket, Paris 1994 (avec un dossier historique et littéraire).

de la conscience. Il serait passionnant de la comparer en détail avec la façon complètement différente dont Descartes avait rencontré ce problème au cours de son analyse de la certitude de soi-même : sous les espèces d'un double problème de distinction et d'union « substantielle » : entre ma pensée finie et la pensée divine infinie dont je trouve en moi l'idée, d'une part, entre la pensée comme « sensation interne » et le mouvement corporel dont j'ai la sensation, d'autre part. Chez Locke la référence à la substance n'a pas purement et simplement disparu, mais, au terme de la « réduction » dont elle a fait l'objet, et par le biais — qui s'avère essentiel — d'une fiction, elle apparaît plutôt comme un *souci de la conscience* elle-même (qui trouverait « raisonnable », normal, d'être univoquement attachée à la permanence d'une substance, mais qui ne peut « en être sûre », et en est réduite sur ce point aux « hypothèses ») que comme un problème pour le philosophe.

D'un autre côté cependant cette fiction que Locke pousse très loin fait ressortir une faiblesse, ou du moins une difficulté de toute son argumentation reposant sur la dissociation radicale des points de vue de la substance, de l'individu et de la conscience. Afin de ramener entièrement celle-ci à l'intériorité, et conformément à sa théorie du langage comme institution seconde, Locke a rattaché le *nom propre* à *l'individu* (à l'« homme ») et non à la *conscience,* qui en ce sens n'a pas d'autre nom que celui, générique, qu'elle se donne intérieurement : « My Self ». Il n'en est pas moins obligé de marquer la différence des consciences par la différence d'un nom, serait-il de convention et d'aventure (*The Night-Man*, *The Day-Man*). Et il n'est pas certain que cette trace verbale puisse être éliminée de la conscience, ou de la façon dont elle se reconnaît comme « soi-même », s'impute et s'approprie des actions, se projette dans le passé de ses actes et dans le souci de son bonheur, etc[78].

PRESENT :
    §§ 1, 9, 10, 13, 14, 16, 17, 19, 24, 25, 26
    Voir MEMORY, MIND.

REFLECT, REFLECTION, REFLEX :
    §§ 3, 9, 10, 13, 14, 17
    Voir MIND.

78. Comme le fait justement remarquer M. Borch-Jacobsen, art. cit., p. 60-61, mais en se référant à Descartes et Husserl, et non à Locke chez qui le problème est bien plus apparent.

RESURRECTION :

§§ 15, 20

La question du Jugement Dernier et celle de la Résurrection, étroitement liées entre elles, occupent une place remarquable dans le Traité de Locke. On a de bonnes raisons de penser que c'est, en particulier, l'acuité de la controverse des années 1690-93 autour de ces problèmes théologiques, dans laquelle ses propres positions étaient tantôt invoquées, tantôt supputées, qui a déterminé Locke (après l'intervention personnelle de son ami William Molyneux) à rédiger le chapitre II.xxvii pour la seconde édition de l'*Essay*. Au cours de ces controverses l'accusation de « socinianisme » a été régulièrement portée contre Locke, qui a dû s'en défendre[79]. Or ce terme avait à l'époque un usage assez lâche, désignant par amalgame toute négation de la doctrine de la divinité du Christ, ou de la résurrection des corps, toute tentative de proposer une interprétation « raisonnable » des dogmes chrétiens fondamentaux, couvrant donc un spectre allant du libertinisme à la religion naturelle. L'idée d'une religion « raisonnable » est en effet fondamentale chez Locke (à qui elle a fourni le titre de son livre de 1695, *The Reasonableness of Christianity*, traduit par Coste en 1715), et bien que Locke n'ait jamais explicitement repris à son compte les arguments « unitariens » (contre la Trinité), l'article de foi fondamental de sa confession va dans ce sens puisqu'il est centré sur la messianité de Jésus « fils de Dieu » (éventuellement aussi sur la préexistence du Christ en tant que personne à toute l'humanité), mais pas sur sa divinité au sens strict[80]. Or le détour par la question du dogme de la Trinité, dont la réfutation est au cœur de la pensée hérétique de Socin, permet d'apercevoir un lien essentiel avec les idées exposées dans le Traité lockien de l'identité à propos de la Résurrection et du Jugement (qui ont, nous dit Locke, le caractère d'une hypothèse « raisonnable » : « it may be reasonable to think », § 22).

---

79. Cf. JOLLEY, 1984 ; MARSHALL 1994. Sur Socin et le socinianisme, hantise des théologiens du XVIIᵉ siècle, cf. J.-P. OSIER, *Faust Socin ou le christianisme sans sacrifice*, Éditions du Cerf, 1996.

80. Sur ces questions cf. notamment les ouvrages de J.-P. OSIER, cité, de J. LAGRÉE, *La religion naturelle*, PUF, 1991, qui consacre un développement à Locke p. 52-55, et de Marshall 1994.

On trouvera les développements les plus importants consacrés à la Résurrection dans *The Reasonableness of Christianity*, éd. cit., pp 9 sq., 91 sq., 126 sq. (personne n'est puni pour son manque de foi — *unbelief* —, mais pour ses crimes ou péchés — *misdeeds*), 203 sq., 340 sq.

Il convient d'abord de se convaincre que les thèses de Locke sur le Jugement et la Résurrection (explicitement présentes dans les §§ 15, 20, 22 et 26, et sous-jacentes à toute la discussion qui porte sur le caractère nécessaire ou non du rattachement de la personnalité à une « substance », soit corporelle et donc mortelle, soit spirituelle et immortelle) ne constituent pas du point de vue *théorique* une pièce rapportée dans la problématique du Traité. L'argument le plus puissant en ce sens réside dans le raisonnement du § 22 : confronté à l'objection selon laquelle, si le critère de l'identité (et donc de l'imputabilité et de la responsabilité des actes) était simplement la conscience, il n'y aurait aucune raison de condamner un ivrogne pour les délits commis pendant qu'il était saoul et dont il prétend n'avoir plus aucune mémoire, Locke répond que cette objection ne vaut rien ; car le tribunal humain applique certes une règle de prudence en ne croyant pas sur parole un individu qui a tout intérêt à dissimuler ses fautes, mais le tribunal de Dieu, lui, jugera les cœurs mis à nu. Cette argumentation prouve que, pour Locke, la vérité de la conscience (ou de la conscience de soi) et celle du jugement absolu, débarrassé des voiles que lui imposent la communication et le langage, constituent un seul et même problème : celui de la *dernière instance*. Nous pourrions considérer qu'il s'agit d'un mythe, mais il est plus juste d'y voir une *idéalité* : justement cette idéalité que, par l'enchaînement des termes conscience, mémoire, identité, « soi », responsabilité, jugement, Locke entend installer à l'horizon de sa théorie de l'esprit.

Dans ces conditions, il devient possible, nous semble-t-il, de préciser l'enjeu des thèses esquissées par Locke (ou qu'il donne ici à deviner), sans devoir invoquer quelque stratégie de dissimulation ou de double langage. La plupart des commentateurs, sur ce point, s'en tenant à une vision étroitement *contextuelle* et au fond *défensive*, ont supposé que Locke avait voulu, soit proposer des arguments nouveaux, paradoxalement fondés sur la mise entre parenthèses de la question de la substance, en faveur de l'immortalité de l'âme (une immortalité sans substance, en quelque sorte), elle-même requise par l'idée du Jugement Dernier (M. Ayers), soit proposer des arguments en faveur de l'idée (dite « mortaliste ») selon laquelle la Résurrection ne sera pas nécessairement celle des corps, en suggérant que la « même conscience » pourra se trouver associée à un nouveau corps (Marshall)[81]. Nous pensons que l'idée

81. Locke ferraille sur ce point pendant de longues pages contre l'évêque Stillingfleet : cf. *Mr. Locke's Second Reply*..., cit., p. 303 sq.

la plus profonde et la plus risquée de Locke concerne en réalité l'eschatologie du Jugement Dernier et de la Résurrection elle-même[82].

Il suffit en effet de prolonger les raisonnements des §§ 21 à 24, concernant l'impossibilité de réunir au sein d'une même « personne » des consciences-mémoires qui n'ont pas de contenu commun pour voir que s'effondre l'idée d'une *réunion des personnes humaines à la personne du Christ* par delà la mort et la fin des temps. La mort de l'individu n'exclut pas la résurrection ou la continuité transtemporelle de la conscience, mais elle exclut que, dans « ma conscience », je puisse jamais retrouver ou rappeler (*recollect*) la trace intérieure de la vie du Christ, de ses pensées et de ses actions, pas plus que je n'y trouverai celle des pensées et actions de Socrate, de Nestor ou de César Borgia. Et si de son côté le Christ a bien été une personne dotée d'une conscience et d'un « soi » propres, il est tout aussi exclu qu'il trouve jamais dans sa conscience la trace de mes pensées (pour, le cas échéant, les racheter dans sa propre mort). Cette première conséquence des théorèmes de Locke mine profondément toute la conception théologique d'une *économie du péché* dans laquelle la faute prédestine au rachat, débouchant sur la réunion mystique dans le corps spirituel du Christ.

Il s'en ajoute cependant une seconde encore plus significative. Lorsque Locke nous dit que seule la continuité de conscience, ou l'unité intérieure de la conscience et de la mémoire qui constitue le « soi » et lui approprie les actions d'un homme permet aussi de lui imputer des mérites et des fautes, ou de l'en rendre responsable, lorsqu'il dit d'autre part qu'au Jour du Jugement « le verdict sera justifié par la conscience que toutes les personnes auront alors qu'elles sont les mêmes qui ont commis ces actes et méritent d'être ainsi punies pour eux » (§ 26), il ne se contente pas d'inscrire le Jugement à venir dans la continuité de la conscience, il montre que ce Jugement résultera *de la conscience même que les sujets ont d'avoir bien ou mal agi*. En tout cas ses « attendus » en seront indiscernables. Ce n'est pas tant, donc, que « nul n'est méchant volontairement », mais c'est que, pour chacun, sa conscience est le témoin et le médium du jugement que le « soi » porte sur soi. Profondément, l'idée d'immortalité devient alors *inutile*, et celle d'un Médiateur de la loi divine, dont l'Évangile préside à la reconnaissance des péchés et des mérites, n'a

---

82. John YOLTON esquisse une interprétation semblable dans son *Locke. An Introduction*, 1985, p. 31.

plus qu'une fonction extérieure et allégorique. C'est dans l'intimité de la conscience, dans le témoignage qu'elle se rend ou la vérité qu'elle manifeste pour elle-même, que réside l'essence du Jugement, d'où les récompenses et les peines procèdent comme des conséquences logiques. À tout le moins peut-on poser que la représentation d'un Jugement de Dieu véhiculée par la théologie n'a de sens que dans la mesure où elle passe par l'intériorité de la conscience de chacun.

Il serait instructif de confronter cette interprétation avec deux autres qu'elle exclut symétriquement : d'un côté celle de la tradition stoïcienne reprise notamment par Spinoza, pour qui « la vertu porte sa récompense en elle-même » (et le crime son châtiment), sans jugement, de l'autre celle de l'orthodoxie paulinienne et augustinienne. On relira à ce sujet le développement consacré par Malebranche, à la fin du XIᵉ Éclaircissement de la *Recherche de la Vérité*, aux mêmes textes de saint Paul que commente Locke :

> « Saint Paul dit bien que sa conscience ne lui reproche rien, mais il n'assure pas pour cela qu'il soit justifié. Il assure au contraire que cela ne le justifie pas, et qu'il n'ose pas se juger lui-même, parce que celui qui le juge c'est le Seigneur. Mais comme l'on a une idée claire de l'ordre, si l'on avait aussi une idée claire de l'âme par le sentiment intérieur qu'on a de soi-même, on connaîtrait avec évidence si elle serait conforme à l'ordre ; on saurait bien si l'on est juste ou non ; on pourrait même connaître exactement toutes ses dispositions intérieures au bien et au mal, lorsqu'on en aurait le sentiment. Mais si l'on pouvait se connaître tel qu'on est, on ne serait pas si sujet à la présomption… »

On voit non seulement que Malebranche maintient la nécessité d'une instance transcendante pour le Jugement (même et surtout si elle doit être recherchée « au plus intime de nous-mêmes » et de notre appartenance à l'ordre), mais qu'il ajoute à la représentation de l'événement eschatologique celle d'un renversement de l'aliénation qui se traduisait par l'obscurité de l'âme humaine à elle-même.

Au contraire, chez Locke, où c'est pratiquement la conscience qui se juge elle-même, le Grand Jour n'a plus aucune raison structurelle de se situer en une « fin des temps » : il est beaucoup plus « raisonnable », précisément, de supposer que le jugement de la conscience peut prendre place *en n'importe quel moment du temps*. Car ce qui compte est le temps de la conscience, non le temps cosmologique.

Ou encore, le thème eschatologique de la « fin des temps » ne désigne pas autre chose, allégoriquement, que le moment de vérité quel qu'il soit où la conscience totalise ses propres moments, dans la modalité d'un jugement. Mais précisément la conscience *est*, intrinsèquement, cette résurrection ou cette opération de totalisation qui, en tant que « mémoire », ramène dans la transparence du présent tout le passé du « soi ». Il est vrai qu'on peut aussi attribuer à la conscience et à son souci propre le mouvement inverse, de « protension » : elle diffère sans cesse la résurrection, ou elle en projette indéfiniment le moment vers un « au-delà ».

SAMENESS : § 9

Alors que l'adjectif *same* apparaît constamment dans le Traité, le substantif abstrait *sameness* n'y figure qu'une fois, et il n'est employé qu'une seule autre fois dans tout l'*Essay*[83]. Ces deux emplois se ramènent d'ailleurs fondamentalement à un seul, car le passage de I. iv.4 est une préfiguration du Traité de l'identité :

> « § 4. Si l'*identité* [...] est une impression innée, et par conséquent si claire et évidente pour nous que nécessairement nous l'avons connue dès le berceau, j'aimerais bien qu'on éclaircisse la question de savoir si un homme, en tant que créature composée d'une âme et d'un corps, est toujours le même homme à sept ans qu'à soixante-dix, quand son corps a changé [...] il apparaîtra peut-être ainsi que notre *idée d'être le même, ou de mêmeté* (*our Idea of Sameness*) n'est pas si claire et arrêtée qu'on puisse la penser innée en nous [...] car à supposer que tout un chacun n'ait pas la même idée de l'identité que Pythagore (*For, I suppose, every one's Idea of Identity, will not be the same*) [...] laquelle donc sera vraie ? »

Au moment où Locke écrit l'*Essay*, il ne s'agit pas d'un néologisme, puisque l'O.E.D. signale un emploi en 1581 (« the sameness of time »), avant de sauter à Cudworth 1678 (dans le sens « the quality of being the same », la signification « absence of variety » étant signalée en 1743). Il s'agit à l'évidence d'un terme encore problématique (mais Locke contribuera à l'accréditer, de sorte que Hume dans le *Treatise of Human Nature* emploiera *identity or sameness* comme un doublet). Pour le rendre en français,

---

83. Mme Paulette Taieb a bien voulu vérifier pour nous, en consultant et explorant automatiquement le texte anglais de l'*Essay* disponible sur Internet, ce qui n'était d'abord qu'une intuition.

Coste a usé d'une périphrase (« Ce qui fait qu'un être… est toujours le même »). Paul Ricœur (*Soi-même comme un autre*) propose « mêmeté » — forgé sur le modèle d'« altérité » — et l'utilise systématiquement pour marquer la différence entre *la mêmeté et l'ipséité* (*idem* et *ipse*), ou le *same* et le *self*, que Locke aurait eu tendance à confondre en dépit de sa contribution à l'analyse de l'« identité personnelle ».

Pourquoi Locke a-t-il eu recours à ce terme rare et « technique » ? Deux raisons peuvent être invoquées : la première est de style. La seconde touche au cœur du problème.

Locke doit pouvoir se demander si *l'identité est identiquement conçue* par tous, autrement dit s'il y a *sameness of the (idea of) identity*, et il utilise les deux racines (germaniques, latine) pour marquer le changement de niveau discursif. C'est la première raison.

Mais elle débouche sur une seconde : *sameness* connote le caractère de *relation* de l'identité, et désigne en fait (comme l'a bien vu Ricœur) l'essence relative ou relationnelle de l'identité. Elle renvoie donc au diverses constructions de *same* et *the same* : soit oppositives (*same and distinct*, *same and divers*, *same or different*, etc.), soit comparatives (*the same with*, *the same which*), soit intensives (*the same identical*). Il faut qu'elle permette de « déduire » ce qui fait de l'identité une relation et la spécifie en face de son contraire (en d'autres termes la différence de l'identité et de la différence, à laquelle aucune « chose » ou aucun « être » n'échappe : § 26). Mais il faut aussi que, tout en marquant cette universalité, elle permette de classer les différentes modalités de l'« être le même (que) », qui débouchent sur l'équivocité de l'identité elle-même[84].

Il nous semble qu'à cet égard le texte de Locke est traversé par une constante tension, qu'on pourrait rattacher, en termes modernes, à deux modalités du passage de l'expression *générale*

---

84. Dans les importants §§ IV.i.3-4, que nous avons cités plus haut (cf. DIVERS, DIVERSITY), Locke juxtaposait les idées de *Identity, or Diversity* et de *Relation*, allant même jusqu'à inscrire cette dernière en seconde position par rapport aux deux autres. Il y a donc, sinon cercle, du moins hésitation quant à la hiérarchie logique de ces idées quasiment primitives. Nous avons vu un premier aspect de la difficulté en évoquant le passage de l'opération générale de distinction, inhérente à toutes les idées, à l'idée spécifique de différence. Nous en avons maintenant la réciproque : la difficulté de séparer l'idée d'identité, dans l'une de ses acceptions, de la notion générale de réflexivité des relations.

de forme x R y à l'expression particulière, « réfléchie », de forme
x R x, selon qu'on considère qu'il s'agit d'un « cas particulier »
c'est-à-dire d'une application, ou bien d'un « cas-limite » et d'un
renversement.

Inscrivant explicitement l'*identité* parmi les « relations », Locke
s'astreint à respecter le concept qu'il en a donné (cf. II.xii.7 et II.
xxv.5 : « *The nature therefore of Relation, consists in the referring,
or comparring two things, one to another; from which compari-
son, one or both comes to be denominated* »). À bien des égards ce
concept apparaît comme une notion primitive, mais on peut en
expliciter les exigences. D'abord les relations telles que les conçoit
Locke sont, selon la terminologie de Russell, exclusivement
« externes », c'est-à-dire qu'elles procèdent de « comparaisons »
entre les termes ou, comme dit Locke, leur sont « surimposées »
(II.xxv.8), et n'expriment pas leur « nature » ou leurs « propriétés
intrinsèques » qui contiendraient en quelque sorte par avance l'idée
du tout qu'ils forment ensemble (comme le soutiendrait au
contraire Leibniz)[85]. La question sera donc de savoir ce que veut
dire « comparer une chose avec elle-même ». Ensuite l'idée de
comparaison en ce sens renvoie apparemment à une idée encore
plus primitive qui est la *différence*, et en ce sens si l'identité est une
relation cela veut dire qu'elle *présuppose la différence*, ou qu'elle
est — paradoxalement peut-être — une certaine façon de traiter la
différence (et de traiter de la différence) : en la « réduisant à zéro ».

Notons tout de suite que ceci éclaire une caractéristique fondamentale du Traité lockien de l'identité, qui est bien loin de constituer un simple trait de style ou de rhétorique : le fait qu'il y soit
constamment question de décrire des différences, et même des différences entre les (types de) différences, bref qu'il soit en pratique
un Traité de la *diversity*, et des « points fixes » qui l'organisent. À
cet égard, qu'il soit impossible de penser l'identité autrement que
comme « ce qui diffère du différent » n'est pas une découverte de
la dialectique hégélienne !

Cependant il y a deux façons possibles de développer cette annu-
lation de la différence, engendrant l'« identité » à partir d'une opération de comparaison, et il nous semble qu'elles sont toutes les
deux présentes dans le texte. La première consiste à *appliquer la
relation x R y au « cas particulier » où x et y sont « le même »*.

---

85. Cf. J. VUILLEMIN, *La Philosophie de l'algèbre. Tome Premier*, PUF
1962, Note III, p. 547 sq. : « Le principe des relations internes ». Contre
l'interprétation de Russell, Hidé ISHIGURO, *Leibniz's Philosophy of Logic
and Language*, 2nd edition, Cambridge University Press, p. 101 sq.

Pour qu'une telle opération ne soit pas dénuée de sens, il faut
déterminer le type d'identité qu'on recherche, ou spécifier les circonstances dans lesquelles elle importe (c'est-à-dire au fond distinguer un langage-objet du métalangage). Il nous semble que c'est ce
que fait Locke lorsqu'il caractérise l'identité comme le fait d'« être
le même que soi-même dans le temps », c'est-à-dire lorsqu'il identifie l'identité à ce qui *neutralise le cours du temps*. Alors il est
possible de dire : deux existences apparemment distinctes n'en font
qu'une en réalité, ou encore toute chose qui se conserve dans le
temps, à un titre ou un autre, est « identique », ou « la même
qu'elle même ». Mais on peut se demander si ce raisonnement
n'est pas *quand même* circulaire, puisqu'il ne fait que restituer une
identité « différée », une fois qu'a été montrée la possibilité de
faire abstraction du temps qui constitue lui-même la différence
« pure ». Ce qui nous conduit à la seconde ligne de pensée mise en
œuvre par Locke dans le texte. Au lieu de penser x R x comme une
« application », on va le penser comme une limite. Et cette limite
en fait est un renversement : toute « comparaison » destinée à exhi-
ber une relation (par exemple celle du père et du fils, du grand et
du petit, etc.) présuppose une différence, une possibilité de « discerner » ; *mais il arrive que la différence s'annule, devienne insai-
sissable* : alors l'opération de discernement débouche au contraire
sur une fusion des termes. L'intérêt de cette situation-limite, dans
laquelle la différence se renverse en identité, c'est qu'elle fait
entrer en scène une *nécessité* : ce qui est « identique à soi » ne l'est
pas arbitrairement, en vertu d'une convention ou d'un point de vue,
mais l'est *en soi*, ce qui ne veut pas dire hors de l'expérience ou du
monde sensible.

Il ne fait pas de doute à nos yeux que Locke, dans sa recherche
des critères de l'identité, s'efforce précisément, dans plusieurs
situations différentes (ou à partir des concepts décrivant plusieurs
genres d'êtres, y compris l'être de la pensée ou de l'activité mentale) de saisir à chaque fois un point où s'opère un renversement de
ce type (de la différence en son contraire). Mais dans le cas de
l'identité personnelle ou identité de (et par) la conscience, on peut
suggérer qu'un pas de plus est franchi. On a comme une relève dialectique par rapport aux deux explicitations de la *sameness* que
nous venons de présenter. Dans ce cas, en effet, l'être identique à
soi-même est justement le « soi ». Il n'est donc pas autre chose que
le concept de l'identité présente *dans les différences* et reproduite
par ces différences mêmes. Ce qui peut aussi se préciser par rapport au temps : il n'est pas autre chose que la continuité d'un

« même temps », reliant entre eux ses moments successifs, qui a la structure d'une conscience. En ce sens, la « réflexivité » du *soi de la conscience* (*self-consciousness*) paraît être le modèle de toute réflexivité, ou la référence originaire trouvée par Locke pour accéder au noyau de signification présupposé par toute prédication de la forme « x R x », « quelque chose est identique », ou « le même que soi » (*the same with itself*). Une telle idée du « soi » (ou du « repli du soi ») ne pose pas, en effet, la différence et l'identité à côté et à part l'une de l'autre, mais les deux ensemble, chacune étant la condition de l'autre[86].

On peut dire, une fois de plus, que c'est du subjectivisme ou du psychologisme. Mais on devra aussi se demander si les moyens mis en œuvre pour l'éviter, donc « objectiver » ou « formaliser » l'identité, peuvent faire autre chose que de renvoyer indéfiniment son explicitation à un métalangage qui serait « ultime ». Le choix semble être entre la solution vers laquelle se dirige Locke : éclairer ce que veut dire « mêmeté » et « identité » par l'expérience d'« être soi-même », donatrice d'une réflexivité originaire qui est à l'œuvre dans toute « identification », et une axiomatique générale des relations dans laquelle l'identité serait soit implicitement définie par un postulat, soit donnée comme un pur *indéfinissable*.

Voir DIVERSITY, IDENTITY.

SELF, THE SELF :
 §§ 9, 10, 11, 14, 16, 17, 18, 20, 21, 23, 25, 26, 28

Dans l'*Essai concernant l'Entendement Humain*, et plus particulièrement dans le « traité de l'identité » qui y est inclus, Locke invente deux grands concepts de la philosophie moderne : la conscience (*consciousness*) et le soi (*the self*). Pour ce dernier plus encore que pour le premier (mais les deux sont inséparables), l'invention n'aurait pu se faire sans utiliser les ressources propres de l'anglais de façon à transformer de l'intérieur des philosophèmes à sa disposition dans d'autres langues (grec, latin, français). Ce processus dont nous subissons encore les conséquences ne réfute pas les thèses épistémologiques de Locke, car il se situe à un autre niveau : il comporte pourtant un aspect ironique, quand on songe à la façon dont Locke a entrepris de dévaloriser l'élément verbal et d'isoler radicalement l'élément mental de la connaissance. Or c'est

---

86. Elle triomphera, bien entendu, dans les formalisations transcendantales de type kantien et fichtéen, où l'identité A = A doit être immédiatement interprétée comme « Je suis Je » (*Ich bin Ich, Ich gleich Ich*).

un considérable travail sur les mots et la syntaxe qui a rendu possible le « tournant » antilinguistique dont nous avons parlé[87] !

La conceptualisation de *the self* chez Locke a pour origine le jeu complet des substantifs, adjectifs et pronoms personnels, possessifs et réfléchis qui, en grec et dans les langues latines ou germaniques, dénotent le sujet et permettent de le qualifier. Mais son arrière-plan immédiat est constitué par l'invention de l'expression « le moi » dans la philosophie française, confrontée à la complexité des emplois de *self* en anglais.

C'est bien Pascal, comme le signalait Coste, qui a introduit dans la langue philosophique et littéraire française le néologisme « le moi » :

> « Je sens que je puis n'avoir point été, car le moi consiste dans ma pensée », B.469/L.135 ;

> « Le moi est haïssable […] je le haïrai toujours », B.455/L.597 ;

> « Qu'est-ce que le moi ? […] Où est donc ce *moi*, s'il n'est ni dans le corps ni dans l'âme ? et comment aimer le corps ou l'âme, sinon pour ces qualités, qui ne sont point ce qui fait le moi, puisqu'elles sont périssables ? », B.323/L.688.

Cependant Descartes, dans le *Discours de la méthode* (4e partie), avait écrit : « ce moi, c'est-à-dire mon âme, par laquelle je suis ce que je suis. » Et cette formule frappante avait ensuite été interpolée par le traducteur (le Duc de Luynes) dans le cours de la VIᵉ Méditation (A.T., IX, p. 62). Descartes n'a aucunement identifié la subjectivité à la conscience, et la substantivation de l'énoncé « je pense » (*cogito*) pour en faire un principe transcendantal procède entièrement de développements ultérieurs : il est pourtant clair que la substantivation de l'auto-référence (*ce moi*, *Ego ille*) est au cœur de l'interrogation cartésienne sur l'identité et l'altérité. Elle impose à la philosophie en langue française une contrainte grammaticale très forte : sans doute « le soi » a été également introduit (par Coste, traducteur de Locke, et retrouvé à plusieurs reprises, soit à partir de l'anglais, soit à partir de l'allemand *das Selbst*), mais il n'est pas utilisable universellement. Ainsi la tension demeure très forte entre « moi » et « myself » ou « my self », car on ne peut écrire aisément en français « mon soi », ni a fortiori faire passer ce substantif au pluriel (« our selves »)[88]. Ce qui nous intéresse ici particulièrement,

---

87. Cf. ci-dessus Introduction, p. 67 sq.
88. Rappelons que les usages de l'anglais *self* et ceux du français *soi* par lequel Coste a proposé de le traduire (pronom réfléchi *se*, *soi*, ayant une

c'est la « négociation » de Locke entre le modèle français de l'expression réflexive strictement attachée à la première personne, et la tendance de l'anglais à réintroduire dans toute auto-référence les marques de la possession et de la distanciation interne.

L'anglais en effet n'a pas élaboré d'expression de la forme *das Ich* (il lui a fallu plus tard créer l'expression ésotérique *the ego*) ou *le moi* (qui marque une intensification du sujet, à partir du cas-régime : *me, moi*). En revanche il dispose d'une étonnante variété d'usages pour le mot *self* et ses composés, qui prédisposent à la conceptualisation du sujet selon une pluralité d'instances.

L'étymologie de *self*, en dernière analyse, est obscure[89]. Le terme comporte à la fois l'usage pronominal (correspondant au latin *ipse*), et l'usage comme adjectif (correspondant tantôt au latin *ipse* tantôt au latin *idem* : donc « moi-même » et « soi-même », ou « le même », « la même chose » ; mouvement de référence, et mouvement de comparaison). Mais très tôt existent les usages de *self* comme substantif, en position de sujet ou de complément, avec ou sans article (*self, the self*)[90].

D'autre part existent les combinaisons de *self* avec d'autres mots, dans deux grandes directions :

– combinaisons avec des pronoms et des possessifs, écrites tantôt en un mot (*itself, himself, myself, oneself*), tantôt en deux (*it self, him self, my self, one self*), qui tendent à se substituer au pronom lui-même dans un mouvement d'insistance ou d'intensification (lequel peut être à son tour redoublé : *I myself*). La double graphie autorise à entendre soit plutôt une fonction pronominale, soit plutôt une fonction d'adjectif ou de substantif[91]. Et cette dernière contient

---

fonction analogue à *me, moi*, ou *te, toi*) ne se superposent aucunement (comme le montre assez la juxtaposition de *one-self* et *soi-même*). C'est pourquoi, dans notre essai de traduction, nous avons cédé à la tentation de paraphraser à défaut de pouvoir trouver un équivalent strict : en contrepartie nous espérons faire percevoir la prégnance des contraintes linguistiques sur l'élaboration conceptuelle.

89. *Oxford English Dictionary*, 2nd Edition, art SELF.

90. On trouve encore le substantif sans article chez Hume : *after what manner, therefore, do they* [= *the perceptions*] *belong to self ; and how are they connected with it ?* (*Treatise of Human Nature*, cit., p. 252).

91. À quoi s'ajoute l'effet du passage du singulier au pluriel : *our selves*, « nous-mêmes », mais aussi, dès lors que le terme est substantivé : « nos soi ». Inversement, le mot *self* demeure neutre du point de vue du genre, et on ne voit pas comment il serait possible de le différencier, comme l'a fait pour le « moi » Valéry en français : « Harmonieuse moi... Mystérieuse moi... » (*La Jeune Parque*).

un dédoublement ou une distanciation virtuelle dont on peut prendre conscience ou non selon l'accent. C'est tout particulièrement le cas si elle coincide avec un contexte dans lequel le substantif se trouve chargé de prédicats moraux et métaphysiques (comme c'est le cas aussi en français avec *le moi* : « le moi est haïssable », « le moi est conscient », « le moi est autonome »)[92].

– combinaisons avec des substantifs ou des adjectifs, pour former des notions marquant la réflexion, l'application de l'action sur son sujet même, comme dans les termes grecs formés avec *auto-* et avec *heauto-* : ainsi *self-conscious* et *self-consciousness* (où les langues latines suivent une construction au génitif : *causa sui*, *compos sui*, « cause de soi », « maîtrise de soi », « conscience de soi »).

Dernière caractéristique importante : l'équivalence entre les expressions *my self* et *my own* quand le sujet de l'énonciation s'adresse à lui-même ou désigne ce qu'il a de plus propre[93]. Ainsi pourrait-on dire que *self* « voyage » entre *same* (le même) et *own* (le propre), et en surdétermine les significations (à moins qu'il ne faille dire : en français, faute d'un tel terme, nous sommes condamnés à les dissocier).

Voyons comment ces virtualités sont mises en œuvre dans les trois passages du Traité où se construit, par enrichissement progressif, la doctrine du « soi ».

Le premier moment décisif est constitué par les §§ 9 à 11, dont nous reproduisons à nouveau les formulations cruciales :

« a thinking intelligent being, that [...] can consider it self as it self, the same thinking thing in different times and places [...] and by this every one is to himself, that which he calls *self* : it not being considered in this case, whether the same *self* be continued in the same, or divers substances [...] it is the same *self* now it was then ; and it is by the same *self* with this present one that now reflects on it, that that action was done [...] we have the whole train of our past actions before our eyes in one view [...] our consciousness being interrupted, and we losing the sight of

92. Ainsi dans Shakespeare, où se trouve suggérée la hantise du sujet par un double : *Is it not like the King ? As thou art to thy selfe* (« Comme tu te ressembles à toi-même »/« à ton soi ») (Hamlet, I, I, 59).

93. Ainsi dans ce poème de Robert Browning, *By the Fire side : My own, confirm me ! If I tread/This path back, is it not in pride/To think how little I dreamed it led/To an age so blest that, by its side,/Youth seems the waste instead ?* (cité par André GIDE, *Journal*, Pléiade, p. 659).

our past *selves* [...] For it being the same consciousness that makes a man be himself to himself [...] as far as any intelligent being can repeat the idea of any past action with the same consciousness it has of its present thoughts and actions, that it is *self* to it self now, and so will be the same *self* as far as the same consciousness can extend to actions past or to come [...] are a part of our *selves* : i.e. of our thinking conscious *self* [...] Thus the limbs of his body is to every one a part of himself [...] it is then no longer a part of that which is himself [...] we see the substance, whereof personal *self* consisted at one time, may be varied at another, without the change of personal identity... »

Dans ce passage on évolue de l'idée d'identité en tant que simple « mêmeté » (*sameness*, § 9) à celle de l'identité *réflexive*, que désigne précisément le mot *self* : celui-ci devient alors un substantif (que Locke commence à faire imprimer en italiques). Cela se fait au moyen du glissement des expressions comparatives *the same with itself* (être le même que soi) et *consider it self as it self* (se considère lui-même comme le même/comme soi-même) à l'expression réflexive *that is self to it self* (« qui est « soi » pour soi-même »). Dès lors il devient possible de qualifier ou de quantifier le *self*, ce qui a aussi pour résultat de métamorphoser les pronoms personnels en possessifs (noter le parallélisme de *our past actions* et *our past selves*, et le passage de *our selves* à *a part of our selves* : « une partie de nous-mêmes » ou « une partie de notre soi »). Au § 14 on aura encore une conséquence marquée par l'écriture : *he is no more one self with either of them*, « il n'est pas plus le même qu'eux/il ne forme pas plus un seul « soi » avec aucun des deux »). On peut ainsi échanger les expressions : *to be one (identical) Person*, et *to be one self* (être soi-même/être un seul « soi »).

Le second moment correspond aux §§ 16 et 17, dans lesquels *self* joue par rapport à la première personne, tantôt comme son substitut, tantôt comme son autre ou son double, qui « dialogue » avec elle (déjà au § 15 : *having resolved with ourselves what we mean*) :

« Had I the same consciousness (..) I could no more doubt that I, that write this now [...] was the same *self,* place that *self* in what Substance you please, than that I that write this am the same *my self* now whilst I write [...] that I was yesterday. For as to this point of being the same *self,* it matters not whether this present *self* be made up of the same or other substances, I being as much concerned [...] appropriated to me now by this self-consciousness, as I am, for what I did the last moment [...] *Self*

is that conscious thinking thing [...] concerned for it self [...] the
little finger is as much a part of it *self* [...] and constitutes this
inseparable *self* [...] That with which the consciousness of this
present thinking thing can join it self, makes the same person,
and is one *self* with it, and with nothing else ; and so attributes to
it self, and owns all the actions of that thing... »

Ce passage opère un glissement de *self* nom « commun » à *self*
quasi-nom « propre » (sans article), tout en conservant les possibilités de faire entendre un possessif. Mais surtout, à travers l'équivalence d'expressions telles que *I am my self, I am the same self, I
am the same my self*, il fait du *self* la représentation (sinon le
concept) de « soi » pour « soi », autrement dit le terme à qui (ou à
quoi) j'attribue ce que je m'attribue, ce dont je me soucie quand je
me soucie de moi (*Self*... is concerned for it self). Locke tente ici
la quadrature du cercle, qui est de forger une expression générique
pour l'autoréférence de la première personne, dont celle-ci pourrait
se servir pour se penser (ou s'« objectiver ») sans sortir d'elle-
même : il y est aidé par le fait que *self* peut être placé en apposition
au sujet dans une phrase écrite à la première personne. Mais on
pourrait dire aussi l'inverse : cette quadrature est le mouvement
même par lequel, paradoxalement, je « m'attribue » quelque chose,
quelque pensée, etc., je les « avoue » ou les « perçois » miennes,
etc. Il s'agit de sortir de la quasi-tautologie « je pense, je suis » (ou
j'écris, je suis »), ou si l'on veut de la *replier*.

Enfin, le troisième moment correspond aux §§ 24 à 26, dans lesquels Locke nomme « Personne » le *self* qui lui-même avait servi à
clarifier la singularité de l'« identité personnelle » :

« that consciousness whereby I am my *self* to my *self* [...] join
with that present consciousness, whereby I am now my *self*, it is
in that part of its existence no more my *self*, than any other immaterial being [...] by this consciousness, he finds himself to be the
same *self* which did such or such an action [...] In all which
account of *self*, the same numerical substance is not considered,
as making the same *self* [...] Thus any part of our bodies [...]
makes a part of our *selves* [...] that, which a moment since was
part of our *selves*, is now no more so, than a part of another man's
self is a part of mé [...] *Person*, as I take it, is the name for this
self. Wherever a man finds, what he calls *himself*, there I think
another may say is the same person [...] This personality extends
it self beyond present existence [...] whereby it becomes concerned and accountable, owns and imputes to it self past actions... »

Ici Locke reprend à son compte l'expression de Descartes (que nous avons citée plus haut), c'est-à-dire qu'il la « traduit » dans le langage du *self*. Mais d'une part il en profite pour substituer la « conscience » à « mon âme », dans la fonction d'identifier « ce par quoi je suis ce que je suis », et surtout cela lui permet de jouer une nouvelle fois sur le possessif : *whereby I am now my self*, « par où je suis maintenant moi-même/je suis mon « soi » » ; *whereby I am my self to my self*, « je suis moi-même pour moi », c'est-à-dire « pour mon soi », ou encore, si l'on veut user de la dénomination que Locke présente comme équivalent conceptuel : « pour ma personne ».

Cette idée d'être soi-même pour « sa » personne, ou d'être « un soi » pour soi-même en se percevant comme personne identique, comporte évidemment un élément de dédoublement ou de distanciation interne. Et donc elle introduit une incertitude quant à la question de savoir si l'identique, l'identité *sont moi-même*, ou bien *sont en moi* comme une image ou un simulacre verbal. Mais qui, précisément, ne donnerait jamais lieu à aucune réification ou scission. Car, chez Locke, le « soi » n'est justement pas autre chose qu'un « s'apparaître » ou « se percevoir » identique : il ne saurait donc se dédoubler ni en sujet et objet, ni en soi réel et soi apparent.[94] C'est pourquoi nous proposons d'appeler cette distanciation une *distance évanouissante*, propre à l'expression du sujet dans sa propre sphère, dans son propre langage. C'est la forme développée de la « tautologie » du sujet. Elle correspond remarquablement à l'idée que tente de fonder la théorisation de la conscience, marquée par la tension entre l'idée d'un *point fixe* auquel se rattacherait toute la succession appropriante des idées, et celle d'un *flux de représentation*, dont la continuité même induirait l'identité.

Faut-il, dans ces conditions, supposer que Locke a plié la langue à son concept ? Ou que c'est le travail de la langue (pour une part s'effectuant comme traduction) qui fraye la voie du concept ? Peut-être une telle question est-elle indécidable. Et d'ailleurs vaine.

SELF-CONSCIOUSNESS
§ 16

Au bout du compte, ce qui doit étonner, ce n'est pas la *présence* du quasi-néologisme « self-consciousness » dans le texte de Locke (même si elle a représenté pour Coste un obstacle insurmontable), c'est sa rareté, alors que toute l'organisation linguistique du Traité

94. En d'autres termes aucune dialectique de la forme « Moi = Moi et non-Moi » ne s'annonce encore, issue de la formule élaborée par le romantisme allemand (Jean-Paul) : *Ich bin ein Ich*.

tend à installer la réflexivité du *self* au cœur de la phénoménologie de la *consciousness*, et réciproquement à faire de la présence continuée de la *consciousness* l'essence même du « soi » qui se reconnaît pour tel. Or il s'agit d'un *hapax* !

Plutôt que d'invoquer ici les lenteurs de l'acclimatation ou le retard de la langue sur la pensée, il nous semble préférable d'invoquer un *conflit* d'inspiration : s'il est vrai que *self-consciousness*, au moment où s'écrit l'*Essay*, a été approprié par les théologiens trinitaires auxquels Locke entend, en partie, répondre, on s'expliquerait qu'il fasse lui-même un usage extrêmement réservé (peut-être polémique) de l'expression. Le sens général de l'argumentation du Traité serait alors, non pas de promouvoir par les moyens du rationalisme l'idée de la *self-consciousness*, mais de conquérir pour la philosophie les problématiques du *self* et de la *consciousness*, contre les discours mystiques de la *self-consciousness*[95].

Quant à la question de savoir comment, et avec quelles intentions ou effets de sens objectifs, *après Locke*, la *self-consciousness*, le *Selbst-bewusstsein* et la *conscience de soi* ont été à leur tour rapatriés dans la métaphysique, c'est un autre problème qui sort des limites de notre enquête.

Voir COMMUNICATE/INCOMMUNICABLE, PERSONALITY.

SOUL :
   §§ 6, 14, 15, 16, 21, 27
   Voir MIND.

SPIRIT (S), SPIRITUAL :
   §§ 2, 6, 8, 12, 13, 14, 15, 17, 21, 23, 25, 27, 29
   Voir MATTER, MATERIAL/IMMATERIAL, MIND, SUBSTANCE.

95. À titre de confirmation partielle on citera le passage suivant de *Mr. Locke's Second Reply to the Bishop of Worcester* : « The remainder of your lordship's period is : « and that without any respect to the principle of self-consciousness. » Answer. These words, I doubt not, have some meaning, but I must own, I know not what ; either towards the proof of the resurrection of the same body, or to show that any thing I have said concerning self-consciousness is inconsistent : for I do not remember that I have any where said, that the identity of body consisted in self-consciousness (*Je ne doute pas que ces mots aient un sens, mais je dois confesser que j'ignore lequel : qu'ils visent à démontrer la résurrection du même corps, ou à montrer l'inconsistance de tout ce que j'ai dit à propos de la conscience de soi ; car je n'ai aucun souvenir d'avoir dit nulle part que l'identité du corps consistait dans la conscience de soi*) » (éd. cit., p. 325).

SUBSTANCE :

§§ 2, 3, 7, 9, 10, 11, 12, 13, 14, 16, 17, 18, 19, 21, 23, 24, 25, 26, 27, 28

On sait que pour Locke l'idée de substance est confuse, ce qui ne veut pas dire qu'on puisse s'en dispenser : il faut donc en faire un usage critique, limitatif, ou hypothétique[96]. Sans entrer dans l'examen du va-et-vient de Locke entre les raisons qui poussent à se représenter l'âme comme une substance matérielle, source de notre puissance de sentir et de penser, et celles qui poussent à y voir une substance immatérielle, susceptible de survivre à la décomposition du corps, on fera trois remarques relatives à l'argumentation du Traité :

1. La définition de la substance à laquelle se réfère toujours Locke est de type scolastique plutôt que cartésien. Elle se réfère donc à l'inhérence des propriétés (ou des accidents, des modifications) à un sujet, et non pas à la relation d'opposition entre plusieurs « natures » incompatibles (comme le sont chez Descartes l'opposition de la substance pensante et de la substance étendue, ou sur un autre plan celle de la substance infinie et de la substance finie). En même temps qu'il se débarrasse de l'idée d'un « attribut principal » des substances (la pensée pour l'âme, l'extension pour le corps : *Principes de la philosophie*, § 53 et suiv.), dont à en croire Descartes nous aurions une idée immédiatement claire, Locke se débarrasse aussi des *problèmes* que cette notion doit permettre de formuler : avant tout celui de l'« union de l'âme et du corps » en tant que liaison substantielle nécessaire qui demeure d'autant plus obscure en elle-même, paradoxalement, que les termes qu'elle conjoint sont absolument clairs. Or cette union (au même titre que la présence de l'infini divin, ou de l'« incompréhensible », dans l'idée claire que l'âme a d'elle-même) était le paradigme de la théorisation cartésienne de *l'altérité* qui caractérise intrinsèquement l'identité même du sujet[97]. Est-ce à dire que Locke, pour sa part, ignore les questions de l'altérité en ce sens ? Manifestement non, mais alors que Descartes les traite sur le mode d'une tension dramatique, on peut suggérer qu'il les envisage de façon essentiellement *romanesque*[98] : c'est le jeu des « personnalités

---

96. Cf. en particulier les chapitres II. xiii, II. xxiii et xxiv, II.xxxi, III.xi, IV.iii, IV.vi de l'*Essai*, mais aussi la controverse avec Stillingfleet (*Mr. Locke's Letter to the Bishop of Worcester*, éd. cit., vol. IV, p. 25 sq) dont Coste a donné pour sa part une longue présentation et un commentaire dans une « note » de sa traduction (éd. citée, pp. 440-447).

97. Cf. ce que D. Kambouchner appelle le « cogito développé », dans *L'Homme des passions*, ouvr. cit.

98. On pourrait bien entendu étendre le champ de la comparaison : chez Pascal ce mode est tragique, chez Malebranche il est pathétique, etc.

multiples » et des « fusions de personnalité », qui forme l'essentiel
de l'argumentation du Traité à propos de la différence entre l'identité substantielle et l'identité personnelle (§§ 14-25). Il finit par
conférer à l'idée même de personne une portée authentiquement
surréaliste. La substance se fait « double », ou spectre (voir sur ce
point PERSONALITY).

2. À différentes reprises dans le Traité (comme dans le reste de
l'*Essai*) Locke a repris à son compte l'expression d'origine cartésienne de « chose qui pense » (*thinking thing* : §§ 9, 10, 12, 17, 23,
27). Il est assez difficile de décider s'il le fait d'une façon ironique,
ou si la question qu'elle enveloppe est reprise par lui à son compte.
Pris à la lettre, le texte en fait tantôt simplement une autre désignation du « soi » (une façon pour la conscience de se représenter
l'unité de ses propres opérations), tantôt une expression de la question que la conscience ne peut pas ne pas se poser quant à l'origine
mystérieuse du *pouvoir* dont elle observe ainsi les effets en elle-
même. En ce sens les formulations de Locke constituent un maillon
indispensable entre *l'affirmation* de Descartes dans les *Méditations* : « *Je suis* une chose qui pense, c'est-à-dire qui… », et le *problème* de Kant : quel usage (pratique, régulateur) devons-nous faire
de l'idée de cet « être qui pense en nous » (*das Wesen, welches in
uns denkt*), objet de pensée certes, mais non de connaissance
(*Paralogismes de la raison pure*) ? Chez Descartes l'expression
« chose qui pense » désigne ce qui est absolument clair dans la
« pensée de la pensée », chez Kant au contraire ce qui est énigmatique. Chez Locke alternativement l'un et l'autre.

3. Le § 2 du Traité considère trois sortes de substances (« les
seules dont nous ayons l'idée ») : Dieu, les intelligences finies
(créées), et les corps. On pourrait s'attendre que les trois cas soient
comparés entre eux. On pourrait même s'attendre, étant donné que
« Dieu […] est sans commencement, éternel, inaltérable, et se
trouve partout » et qu'« il ne peut donc y avoir aucun doute concernant son identité » (§ 2), que la clarté de l'identité divine, et de
l'idée qui lui correspond, constitue un paradigme pour toute la discussion ultérieure[99]. Or rien de tout ceci ne se produit : qu'il n'y ait

---

99. On comparera ces formulations avec celles du Scolie Général des
Principia de Newton, qui contiennent une très forte énonciation de l'identité divine (*Deus est unus et idem deus semper et ubique*) autorisant le passage du Dieu « tout-puissant Seigneur » au concept cosmothéologique (sur
ce moment de la philosophie newtonienne, cf. F. REGNAULT, « De deux
dieux », in *Dieu est inconscient. Études lacaniennes autour de saint
Thomas d'Aquin*, Navarin Éditeur, 1985, pp. 31-47).

aucun doute au sujet de « l'identité divine » s'avère pratiquement signifier qu'elle n'a aucun intérêt et ne nous apprend rien. Cette « identité » d'une certaine façon est tautologique et le problème philosophique de l'identité commence à se poser une fois qu'elle est mise entre parenthèses. Allons plus loin : *le problème de l'identité est le problème de tout ce qui n'est pas Dieu*, un problème qui se pose « en l'absence de Dieu ». Un pas de plus encore : le retrait de l'identité divine, absolument non problématique ou tautologique, en dehors des limites de la question de l'identité, qui dans la réalité concerne les objets du monde et le rapport à soi de la conscience, détermine aussi la disqualification des idées d'univocité et d'analogie : l'entrée en scène de l'équivocité, que nous argumentons par ailleurs.

Dans son livre déjà cité (vol. II, p. 209), Michael Ayers a une idée voisine : l'identité telle que la pense Locke « supplies what is missing », toutes les identités sont des *identités par défaut*, voire des *quasi-identités*, des « continuations de l'identité » se manifestant dans le temps à défaut de permanence intemporelle. Cette insistance sur le fait que, dans le problème de Locke, il est question d'existence et non d'essence, nous paraît juste. Mais il faut *détacher* complètement la théorisation lockienne du rapport à l'essence. En réalité il ne « manque » rien à l'identité temporelle, qu'elle s'institue dans le domaine des substances corporelles, ou des individualités vivantes, ou des personnalités conscientes, car les existences n'ont affaire qu'à elles-mêmes (à l'énigme de leurs deux côtés opposés : multiplicité et unité, différence et identité). On préférera tout compte fait les suggestions de Remo Bodei : les identités lockiennes sont corrélatives d'une « fragilité de l'être » dans l'élément du temps, mieux encore : elles sont *malaisées*, au double sens du terme[100].

THOUGHT :

§§ 2, 9, 10, 12, 14, 15, 20, 21, 24

Voir IDEA, MIND.

TIME AND PLACE :

§§ 1, 2, 3, 9

Nous avons traduit le plus souvent possible par « le moment et la place » (parfois l'emplacement) car, même si dans leur usage géné-

---

100. Remo BODEI « Migrazioni di identità. Trasformazioni della coscienza nella filosofia contemporanea », *Iride*, Anno VIII, N° 16 (déc. 1995), pp. 628-671.

ral ces mots anglais signifient « temps » et « lieu », nous voulons tenir compte de deux faits :

1. Ainsi qu'il l'explique au chap. II, xv, Locke préfère désigner les catégories les plus générales de l'existence infinie par *Duration* et *Expansion* (ou *Space*) :

> « J'appelle *Expansion* la distance ou l'espace dans son concept simple et abstrait, pour éviter toute confusion et la distinguer de l'*étendue* (*Extension*), que certains utilisent pour exprimer cette distance en tant seulement qu'elle est dans les parties solides de la matière, et implique ainsi (ou du moins suggère) l'idée de corps (*body*) : or l'idée de pure distance n'implique rien de tel. Et je préfère aussi le mot d'*expansion* à celui d'*espace*, parce qu'*espace* s'applique souvent à la distance existant enre des parties qui se succèdent dans un flux (*fleeting successive parts*), et qui n'existent jamais ensemble, aussi bien qu'à celles qui sont là en permanence. Dans ces deux cas (celui de l'*expansion* et celui de la *durée*), l'esprit a cette idée commune de longueurs continues, susceptibles d'être prises en quantités plus ou moins grandes : un homme en effet a une idée aussi claire de la différence de longueur d'une heure et d'un jour, que de celle d'un pouce et d'un pied. » (§ 1)

De là résulte alors la détermination des quantités finies :

> « Le temps (*time*) en général est à la *durée* (*duration*) ce que le lieu (*place*) est à l'*expansion* (*expansion*). Ce sont les portions aliquotes (*so much of*) de ces océans illimités (*boundless*) d'éternité et d'immensité qui sont isolées et distinguées du reste, comme par des bornes (*Land-marks*), et dont on peut ainsi se servir pour désigner la position d'êtres réels finis les uns par rapport aux autres, dans l'uniformité et l'infinité de ces océans que sont la durée et l'espace […] » (§ 5)

qui elles-mêmes s'entendent de deux façons (§§ 6-7) : soit comme détermination d'une portion du continuum infini (« those infinite Abysses of Space and Duration ») occupée par l'existence matérielle du monde, soit comme distance spatiale ou temporelle mesurable d'une existence (en fait un corps) par rapport à un repère donné (un autre corps ou un événement historique).

2. L'argument du § 2 du Traité de l'identité consiste à instituer un lien « généalogique » entre les lieux et moments d'existence d'un être (substantiel) donné et les *déterminations du commencement*,

donc le moment et l'emplacement de sa « naissance », qui le singularisent une fois pour toutes :

« Pour ce qui est des Esprits finis, ensuite, chacun a commencé d'exister à un moment et une place déterminés, son identité continuera donc d'être déterminée à chaque fois par son rapport à ce moment et à cette place aussi longtemps qu'il existera. »

UNITE, UNITY :
§§ 3, 4, 6, 7, 8, 10, 11, 14, 16, 21, 23, 24, 25, 27, 29
Voir IDENTITY, ORGANIZATION, PART.

DOSSIER

1. Extraits de DESCARTES (*Réponses aux Objections, Lettres, Principes de la philosophie, Entretien avec Burman*) (1641 à 1648)

2. Louis DE LA FORGE : *Traité de l'Esprit de l'Homme* (1666) (extraits)

3. MALEBRANCHE : *De la Recherche de la Vérité* (1674) et *Éclaircissements sur la Recherche de la Vérité* (1678) (extraits)

4. Ralph CUDWORTH : *The True Intellectual System of the Universe* (1678) (extrait) (texte anglais et traduction)

5. Sylvain REGIS : *Système de philosophie* (1690) (extraits)

6. LEIBNIZ : *Nouveaux Essais sur l'Entendement Humain* (1703, publié en 1765) (extrait)

7. CONDILLAC : *Essai sur l'origine des connaissances humaines* (1746) (extrait)

1. Extraits de Descartes

1. Réponses aux Deuxièmes Objections (sur les Méditations)

(Exposé des « Raisons qui prouvent l'existence de Dieu et la distinction qui est entre l'esprit et le corps humain disposées d'une façon géométrique » — *Définitions*) :

a) Texte latin (1641)

« I. *Cogitationis* nomine complector omne id, quod sic in nobis est, ut ejus immediate conscii sumus. Ita omnes voluntatis, intellectus, imaginationis et sensuum operationes sunt cogitationes. Sed addidi *immediate*, ad excludenda ea quae ex iis consequuntur, ut motus voluntarius cogitationem quidem pro principio habet, sed ipse tamen non est cogitatio.

II. *Ideae* nomine intelligo cujuslibet cogitationis formam illam, per cujus immediatam perceptionem ipsius ejusdem cogitationis conscius sum ; adeo ut nihil possim verbis exprimere, intelligendo id quod dico, quin ex hoc ipso certum sit, in me esse ideam ejus quod verbis illis significatur. Atque ita non solas imagines in phantasia depictas ideas voco ; imo ipsas hic nullomodo voco ideas, quatenus sunt in phantasia corporea, hoc est in parte aliqua cerebri depictae, sed tantum quatenus mentem ipsam in illam cerebri partem conversam informant. » (A.T., VII, 160)

b) Traduction de Clerselier revue par Descartes (1647)

« I. Par le nom de *pensée,* je comprends tout ce qui est tellement en nous, que nous en sommes immédiatement connaissants. Ainsi toutes les opérations de la volonté, de l'entendement, de l'imagination et des sens, sont des pensées.

Mais j'ai ajouté *immédiatement*, pour exclure les choses qui suivent et dépendent de nos pensées : par exemple le mouvement volontaire a bien, à la vérité, la volonté pour son principe, mais lui-même néanmoins n'est pas une pensée.

II. Par le nom d'*idée* j'entends cette forme de chacune de nos pensées, par la perception immédiate de laquelle nous avons connaissance de ces mêmes pensées. En telle sorte que je ne puis rien exprimer par des paroles, lorsque j'entends ce que je dis, que de cela même il ne soit certain que j'ai en moi l'idée de la chose qui est signifiée par mes paroles. Et ainsi je n'appelle pas du nom d'idée les seules images qui sont dépeintes en la fantaisie ; au contraire, je ne les appelle point ici de ce nom, en tant qu'elles sont en la fantaisie corporelle, c'est-à-dire en tant qu'elles sont dépeintes en quelques parties du cerveau, mais seulement en tant qu'elles informent l'esprit même, qui s'applique à cette partie du cerveau. » (A.T., IX, 124)

2. Réponses aux Troisièmes Objections (de Hobbes)

« Or il y a certains actes (*actus*) que nous appelons *corporels* (*corporeos*), comme la grandeur, la figure, le mouvement, et toutes les autres choses qui ne peuvent être conçues sans une extension locale, et nous appelons du nom de *corps* la substance en laquelle ils résident ; et on ne peut pas feindre que ce soit une autre substance qui soit le sujet de la figure, une autre qui soit le sujet du mouvement local, etc., parce que tous ces actes conviennent entre eux, en ce qu'ils présupposent l'étendue. En après, il y a d'autres actes que nous appelons *intellectuels*, comme entendre, vouloir, imaginer, sentir, etc., tous lesquels conviennent entre eux en ce qu'ils ne peuvent être sans pensée, ou perception, ou conscience et connaissance ; et la substance en laquelle ils résident, nous disons que c'est *une chose qui pense*, ou un *esprit* (*Sunt deinde alii actus, quos vocamus cogitativos, ut intelligere, velle, imaginari, sentire, etc., qui omnes sub ratione communi cogitationis, sive perceptionis, sive conscientiae, conveniunt ; atque substantiam cui insunt, dicimus esse rem cogitantem, sive mentem*), ou de quelque autre nom que nous veuillions l'appeler, pourvu que nous ne la confondions point avec la

substance corporelle, d'autant que les actes intellectuels n'ont aucune affinité avec les actes corporels, et que la pensée, qui est la raison commune en laquelle ils conviennent, diffère totalement de l'extension, qui est la raison commune des autres. » (A.T., VII, 176 ; IX, 137)

3. Réponses aux Quatrièmes Objections (d'Arnauld)

« Pour la question savoir s'il ne peut y avoir rien dans notre esprit, en tant qu'il est une chose qui pense, dont lui-même n'ait une actuelle connaissance (*cujus non sit conscia*), il me semble qu'elle est fort aisée à résoudre, parce que nous voyons fort bien qu'il n'y a rien en lui, lorsqu'on le considère de la sorte, qui ne soit une pensée, ou qui ne dépende entièrement de sa pensée : autrement cela n'appartiendrait pas à l'esprit, en tant qu'il est une chose qui pense ; et il ne peut y avoir en nous aucune pensée, de laquelle, dans le même moment qu'elle est en nous, nous n'ayons une actuelle connaissance (*nec ulla potest in nobis esse cogitatio, cujus eodem illo momento, quo in nobis est, conscii non simus*).

C'est pourquoi je ne doute point que l'esprit, aussitôt qu'il est infus dans le corps d'un enfant, ne commence à penser, et que dès lors il ne sache qu'il pense, encore qu'il ne se ressouvienne pas après de ce qu'il a pensé, parce que les espèces de ses pensées ne demeurent pas empreintes en sa mémoire.

Mais il faut remarquer que nous avons bien une actuelle connaissance (*nos semper actu conscios esse*) des actes ou des opérations de notre esprit, mais non pas toujours de ses facultés, si ce n'est en puissance ; en telle sorte que, lorsque nous nous disposons à nous servir de quelque faculté, tout aussitôt, si cette faculté est en notre esprit, nous en acquérons une actuelle connaissance (*fiamus ejus actu conscii*) ; c'est pourquoi nous pouvons alors nier assurément qu'elle y soit, si nous ne pouvons en acquérir cette connaissance actuelle ». (A.T., IX, 190)

4. Réponses aux Sixièmes Objections (de divers auteurs, transmises par Mersenne)

« Il ne se peut pas faire que nous n'expérimentions pas tous les jours en nous mêmes que nous pensons (*non potest non esse sibi conscius*) ; et partant [...] personne ne pourra de là

raisonnablement inférer qu'il ne pense donc point, si ce n'est celui qui [...] se voudra tellement opiniâtrer à maintenir cette proposition : *l'homme et la bête opèrent d'une même façon*, que, lorsqu'on viendra à lui montrer que les bêtes ne pensent point, il aimera mieux se dépouiller de sa propre pensée (laquelle il ne peut toutefois ne pas connaître en soi-même par une expérience continuelle et infaillible) (*Nam sane fieri non potest quin semper apud nosmet ipsos experiamur nos cogitare*) que de changer cette opinion qu'il agit de la même façon que les bêtes... » (A.T., IX, 229)

5. Lettre au Père Gibieuf du 16 janvier 1642 [1]

« Pour ce qui est du principe par lequel il me semble connaître que l'idée que j'ai de quelque chose, *non redditur a me inadaequata per abstractionem intellectus*, je ne le tire que de ma propre pensée ou conscience. Car, étant assuré que je ne puis avoir aucune connaissance de ce qui est hors de moi, que par l'entremise des idées que j'ai eues en moi, je me garde bien de rapporter mes jugements immédiatement aux choses et de leur rien attribuer de positif, que je ne l'aperçoive auparavant en leurs idées [...] »

Et plus loin : « La raison pour laquelle je crois que l'âme pense toujours, est la même qui me fait croire que la lumière luit toujours, bien qu'il n'y ait point d'yeux qui la regardent ; que la chaleur est toujours chaude, bien qu'on ne s'y chauffe point ; que le corps, ou la substance étendue, a toujours de l'extension ; et généralement, que ce qui constitue la nature d'une chose est toujours en elle, pendant qu'elle existe ; en sorte qu'il me serait plus aisé de croire que l'âme cesserait d'exister, quand on dit qu'elle cesse de penser, que non pas de concevoir, qu'elle fût sans pensée. Et je ne vois ici aucune difficulté, sinon qu'on juge superflu de croire qu'elle pense,

1. Il s'agit d'une traduction dont nous n'avons pas l'original latin, perdu. Dans son édition, Clerselier, le traducteur et ami de Descartes, a omis « ou conscience ». Mme G. Rodis-Lewis, *L'œuvre de Descartes*, 1971, cit., Tome I, p. 240, fait le rapprochement avec les Réponses aux Troisièmes Objections, où elle suppose que Descartes aurait pu lui-même rajouter le mot « conscience » à la traduction de Clerselier. Pour le texte complet de la lettre, voir Descartes, *Œuvres philosophiques*, éd. cit., vol. II, pp. 904-910.

lorsqu'il ne nous en demeure aucun souvenir par après. Mais si on considère que nous avons toutes les nuits mille pensées, et même en veillant que nous en avons eu mille depuis une heure, dont il ne nous reste plus aucune trace en la mémoire, et dont nous ne voyons pas mieux l'utilité, que de celles que nous pouvons avoir eues avant que de naître, on aura bien moins de peine à se le persuader qu'à juger qu'une substance dont la nature est de penser, puisse exister, et toutefois ne penser point. »

6. Réponses aux Septièmes Objections (du P. Bourdin, 1642, traduction de Clerselier en 1661)[2]

Objection : « Si celui qui se sert de cette méthode dit qu'il pense [...] de telle sorte que par une action réfléchie il envisage sa pensée et la considère, ce qui fait qu'il pense, ou bien qu'il sait et considère qu'il pense (ce que proprement l'on appelle apercevoir, ou avoir une connaissance intérieure) (*Si dicat... sic cogitare, ut suam illam cogitationem actu reflexo intueatur et consideret; adeoque cogitet, sive sciat et consideret se cogitare (quod vere est esse conscium, et actus alicujus habere conscientiam)*, et s'il dit que cela est le propre d'une faculté, ou d'une chose qui est au-dessus de la matière, qui est spirituelle, et partant qu'il est un esprit, il dira ce qu'il n'a point encore dit, ce qu'il devait dire, ce que je m'attendais qu'il dirait, et ce que je lui ai même souvent voulu suggérer lorsque je l'ai vu s'efforçant en vain pour nous dire ce qu'il était [...] mais il ne dira rien de nouveau, n'y ayant personne qui l'ait quelquefois appris de ses précepteurs, et ceux-ci de leurs maîtres jusqu'à Adam. »

Réponse de Descartes :
« Quand notre auteur dit qu'il ne suffit pas qu'une chose soit une substance qui pense pour être tout à fait spirituelle et au-dessus de la matière, laquelle seule il veut pouvoir être proprement appelée du nom d'esprit ; mais qu'outre cela il est requis que, par un acte réfléchi sur sa pensée, elle pense

2. *Œuvres philosophiques* de Descartes, cit., vol. II, p. 1041 ; pour la réponse de Descartes, *ibid.*, p. 1070-1071, et pour le texte latin, A.T., VII, 559. On lira le commentaire de J.-L. Marion dans *Questions cartésiennes. Méthode et métaphysique*, PUF, 1991, p. 166.

qu'elle pense, ou qu'elle ait une connaissance intérieure de sa pensée (*ut actu reflexo cogitet se cogitare, sive habeat cogitationis suae conscientiam*); il se trompe en cela comme fait ce maçon quand il dit qu'un homme expérimenté dans l'architecture doit, par un acte réfléchi, considérer qu'il en a l'expérience avant que de pouvoir être architecte : [...] cette considération n'est point nécessaire pour être véritablement architecte; et une pareille considération ou réflexion est aussi peu requise, afin qu'une substance qui pense soit au-dessus de la matière. Car la première pensée, quelle qu'elle soit, par laquelle nous apercevons quelque chose, ne diffère pas davantage de la seconde, par laquelle nous apercevons que nous l'avons déjà auparavant aperçue, que celle-ci diffère de la troisième par laquelle nous apercevons que nous avons déjà aperçu avoir aperçu auparavant cette chose; et l'on ne saurait apporter la moindre raison pourquoi la seconde de ces pensées ne viendra pas d'un sujet corporel, si l'on accorde que la première en peut venir. C'est pourquoi notre auteur pèche en ceci bien plus dangereusement que ce maçon; car, en ôtant la véritable et très intelligible différence qui est entre les choses corporelles et les incorporelles, à savoir, que celles-ci pensent et que les autres ne pensent pas, et en substituant une autre en sa place, qui ne peut avoir le caractère d'une différence essentielle, à savoir, que celles-ci considèrent qu'elles pensent et que les autres ne le considèrent point, il empêche autant qu'il peut qu'on ne puisse entendre la réelle distinction qui est entre l'âme et le corps. »

7. Lettre à Arnauld du 29 juillet 1648 [3]

« J'ai tâché d'ôter l'ambiguïté qui est en ce mot de pensée dans l'article 63 et 64 de la première partie des *Principes* [...] ainsi la pensée ou la nature qui pense, dans laquelle je crois que consiste l'essence de l'esprit humain, est bien différente de tel ou tel acte de penser en particulier. Et l'esprit peut bien lui-même être la cause de ce qu'il exerce tels ou tels actes de penser, mais non pas de ce qu'il est une chose qui pense [...]

3. *Œuvres philosophiques*, éd. cit.. vol. III, p. 862-3. Voir également la lettre du 4 juin (ou 16 juillet) 1648 (*ibid.*, p. 855). Traduction anonyme de 1724-1725 revue par F. Alquié.

Par la pensée donc, je n'entends point quelque chose d'universel qui comprenne toutes les manières de penser, mais bien une nature particulière qui reçoit en soi tous ces modes, ainsi que l'extension est aussi une nature qui reçoit en soi toutes sortes de figures [...] C'est autre chose d'avoir connaissance de nos pensées au moment même que nous pensons, et autre chose de s'en ressouvenir par après. Ainsi nous ne pensons rien dans nos songes, qu'à l'instant même que nous pensons nous n'ayons connaissance de notre pensée, encore que le plus souvent nous l'oublions aussitôt. Et il est vrai que nous n'avons pas connaissance de quelle façon notre âme envoie les esprits animaux dans les nerfs [...] néanmoins nous avons connaissance de toute cette action (*sumus tamen conscii*), par laquelle l'âme meut les nerfs, en tant qu'une telle action est dans l'âme, puisque ce n'est rien autre chose en elle que l'inclination de sa volonté à un tel ou tel mouvement. Et cette inclination de la volonté est suivie du cours des esprits dans les nerfs, et de tout ce qui est requis pour ce mouvement. »

8. Principes de la philosophie, Première partie, Article IX

a) texte latin (1644)

« Cogitationis nomine intelligo illa omnia quae nobis consciis in nobis fiunt, quatenus eorum in nobis conscientia est. Atque ita non modo intelligere, velle, imaginari, sed etiam sentire, idem est hic quod cogitare. Nam si dicam, ego video, vel ego ambulo, ergo sum; et hoc intelligam de visione, aut ambulatione, quae corpore peragitur, conclusio non est absolute certa; quia, ut saepe sit in somnis, possum putare me videre, vel ambulare, quamvis oculos non aperiam, et loco non movear, atque etiam forte, quamvis nullum habeam corpus. Sed si intelligam de ipso sensu sive conscientia videndi aut ambulandi, quia tunc refertur ad mentem, quae sola sentit sive cogitat se videre aut ambulare, est plane certa. » (A.T., VIII, 7)

b) traduction de l'abbé Picot, revue par Descartes (1647)

« *Ce que c'est que penser.* — Par le mot de penser, j'entends tout ce qui se fait en nous de telle sorte que nous l'apercevons immédiatement par nous-mêmes ; c'est pourquoi non

seulement entendre, vouloir, imaginer, mais aussi sentir, est la même chose ici que penser. Car si je dis que je vois ou que je marche, et que j'infère de là que je suis ; si j'entends parler de l'action qui se fait avec mes yeux ou avec mes jambes, cette conclusion n'est pas tellement infaillible, que je n'aie quelque sujet d'en douter, à cause qu'il se peut faire que je pense voir ou marcher, encore que je n'ouvre point les yeux et que je ne bouge de ma place ; car cela m'arrive quelquefois en dormant, et le même pourrait peut-être arriver si je n'avais point de corps ; au lieu que si j'entends parler seulement de l'action de ma pensée ou du sentiment, c'est-à-dire de la connaissance qui est en moi, qui fait qu'il me semble que je vois ou que je marche, cette même conclusion est si absolument vraie que je n'en puis douter, à cause qu'elle se rapporte à l'âme, qui seule a la faculté de sentir, ou bien de penser en quelque autre façon que ce soit. » (A.T., IX, II, 28)

9. *Entretien avec Burman* (1648 ; publié en 1896)[4]

a) *Texte latin*

« Quod autem nihil in mentel Sed quomodo conscium esse potest, cum conscium esse sit cogitare, ut autem id cogites, te conscium esse, jam transis ad aliam cogitationem, et sic non amplius de ea re de qua prius cogitabas, et sic non es conscius te cogitare, sed te cogitasse. Rsp. Conscium esse est quidem cogitare et reflectere supra suam cogitationem sed quod id non possit fieri manente priori cogitatione, falsum est, cum, ut jam vidimus, anima plura simul cogitare et in sua cogitatione perseverare queat, et quotiescumque ipsi libuerit ad cogitationes suas reflectere, et sic cogitationis suae conscia esse. »

4. L'*Entretien avec Burman* n'est pas un texte de Descartes lui-même, bien qu'on puisse penser qu'il rapporte authentiquement certaines de ses paroles : il s'agit de la relation d'un entretien qui aurait eu lieu le 16 avril 1648 entre Descartes et un jeune disciple désireux d'obtenir des éclaircissements sur ses œuvres, et rapporté par ce dernier. Le manuscrit (en latin) a été copié et finalement édité au XIXᵉ siècle. cf. *Descartes. L'entretien avec Burman*, Édition par Jean-Marie Beyssade, suivi de *RSP ou le monogramme de Descartes*, PUF 1981. Nous extrayons un passage des pp. 26-27.

b) traduction par J.-M. Beyssade

« [Q.] Mais comment peut-on avoir conscience? Avoir conscience en effet c'est penser, or cette pensée par laquelle on a conscience fait déjà passer à une autre pensée, on ne pense donc plus à la chose à laquelle on pensait d'abord et on a en définitive conscience, non de penser, mais d'avoir pensé.

R. Avoir conscience, certes, c'est penser et réfléchir sur sa pensée, mais il est faux que cette réflexion soit impossible tant que persiste la première pensée puisque, nous l'avons déjà vu, l'âme est capable de penser à plusieurs choses à la fois et de persévérer dans sa pensée, capable donc toutes les fois qu'il lui plaît de réfléchir à ses pensées et par là d'avoir conscience de sa pensée. »

2. Louis DE LA FORGE
Traité de l'Esprit de l'Homme (1666)[1]

1. Préface

« Vous voyez donc qu'il n'y a aucune différence entre le *Je pense, donc je suis*, de Monsieur Descartes et la pensée de S. Augustin, que celle qui se trouve dans les mots. Et dans la suite de ce discours, S. Augustin fait voir à Evodius, que quand l'âme aperçoit quelque objet des sens, elle n'a pas seulement la connaissance de cet objet, mais encore de l'opération par laquelle elle l'aperçoit, non pas par aucune réflexion qu'elle fasse sur soi-même, autrement il n'attribuerait pas aussi cette même chose aux bêtes, qu'on n'a jamais cru capables de réflexion ; il faut donc que ce soit immédiatement, parce que l'âme agit, qu'il a cru qu'elle s'apercevait de son opération. Personne ne peut ignorer combien cela est conforme au sentiment de M. Descartes, qui appelle généralement pensée tout ce dont nous nous apercevons immédiatement, parce que nous le faisons ; voici les termes de S. Augustin. On ne penserait pas à ouvrir les yeux et à les tourner du côté de l'objet qu'on veut regarder, si l'on n'apercevait qu'on ne le voit pas, lorsque les yeux sont fermés, ou tournés d'un autre côté. Or si l'on s'aperçoit que l'on ne voit pas, il est nécessaire que quand on voit on aperçoive que l'on voit, etc.

Mais afin de montrer plus particulièrement la conformité de S. Augustin avec les sentiments de M. Descartes touchant la

---

1. Louis de la Forge, *Œuvres philosophiques, avec une étude bio-bibliographique*, Édition présentée par Pierre Clair, PUF, 1974, extraits des pp. 78-83, 133-138, 156-157.

nature de l'esprit de l'homme, je mets en fait que S. Augustin a cru que l'âme humaine était une substance qui pense, immatérielle, immortelle, qui pense toujours, etc., dans le même sens, que Monsieur Descartes l'a établi […] quand il l'appelle *une certaine substance douée de raison*, c'est la même chose que s'il avait dit une substance qui a la faculté de penser ou d'apercevoir ; la raison, dit-il, est la vue de l'esprit, par laquelle de lui-même il regarde la vérité ; mais le raisonnement c'est la recherche qu'en fait la raison ; c'est pourquoi celle-ci est nécessaire pour voir, et celui-là pour rechercher. Je sais bien qu'on pourra trouver d'autres passages, où il prendra la raison pour le raisonnement ; il ne faut pas s'en étonner ; car ce terme étant équivoque peut être pris diversement ; mais dans cette définition, on ne le peut prendre que pour cette perception, qui fait que toutes les opérations de l'esprit sont des pensées, parce qu'elle se rencontre en toutes. Lorsque j'ai expliqué ce que c'est qu'une substance qui pense, j'ai dit que c'est une substance qui s'aperçoit de toutes ses actions et passions, et généralement de tout ce qui se passe en elle immédiatement et non pas par réflexion.

Si le passage qui est rapporté par Monsieur Clerselier dans la Préface sur l'Homme de Monsieur Descartes, permettait de douter que cela ne soit conforme à la pensée de S. Augustin, en voici un autre qui ôterait tous les scrupules qu'on en pourrait avoir, il est dans le même livre de l'Esprit et de l'Âme, à peu près en ces termes. Que celui qui désire connaître l'essence de son esprit, rejette de l'idée qu'il en forme toutes les connaissances qu'il a tirées de dehors par les sens de son corps ; car toutes les ressemblances et images des corps, toutes nos sensations, nos imaginations, et les vestiges de la mémoire, qui nous donnent occasion de nous souvenir des objets qui les ont tracés, appartiennent à l'homme extérieur, c'est-à-dire, à notre corps ; et ce ne sont que des messagers qui donnent occasion à l'homme intérieur d'apercevoir ce qui se passe au-dehors. L'esprit donc à qui rien n'est si présent que soi-même par une présence intérieure et très véritable se voit en lui-même ; car étant une chose qui pense, il ne peut agir sans s'en apercevoir, ni s'en apercevoir sans se connaître en même temps pour une chose qui pense ; l'esprit ne connaissant rien mieux que ce qui est près de lui ; or rien n'en peut

être si près que lui-même, c'est-à-dire, ses propres pensées ; c'est pourquoi il reconnaît qu'il vit, parce qu'il aperçoit, qu'il se ressouvient, qu'il entend, qu'il veut, qu'il pense, qu'il sait, qu'il juge ; d'autant que c'est en cela que consiste la vie des natures intelligentes […] Aussi n'y a-t-il rien qui connaisse l'esprit, c'est-à-dire, la chose qui pense, que l'esprit même dont la nature est de s'apercevoir de tout ce qui se passe, je ne dis pas dans son corps, mais en lui ; c'est pourquoi quand une chose qui pense cherche ce que c'est qu'un esprit, c'est-à-dire, ce qu'elle est, certainement elle doit connaître qu'elle cherche, et qu'elle est une nature qui pense, laquelle se cherche elle-même ; car elle ne peut pas se chercher autrement que par elle-même, c'est-à-dire, par ses pensées. Reconnaissant donc qu'elle se cherche, elle se reconnaît par même moyen ; et tout ce qu'elle connaît pour lors, elle le connaît toute entière ; et ainsi elle se connaît toute entière […] toutes les sources de ses pensées sont devant elle de telle sorte que rien ne lui saurait être plus présent qu'elle-même.

Ce passage ne permet pas, à mon avis, de douter du sentiment de S. Augustin si toutefois il y a quelqu'un à qui il reste encore quelque scrupule, je le prie d'examiner celui-ci qui est encore plus formel, je l'ai tiré du commencement du 10e chapitre du 10e Livre de la Trinité, où S. Augustin dit, que lorsque l'esprit croit être de l'air, il croit aussi que cet air pour lequel il se prend est une substance intelligente, parce qu'il sait et qu'il sent qu'il en est lui-même une ; mais il ne sait pas assurément qu'il est de l'air, il le croit seulement ; qu'il sépare donc ce qu'il sent et qu'il sait avec certitude qu'il est, c'est à savoir une substance intelligente, d'avec ce qu'il croit être avec quelque doute, et qu'il s'arrête seulement à cela, sans se prendre pour une autre chose. Je n'ai rien à dire après cela, sinon que le *cogitare* de Monsieur Descartes, et l'*intelligere* de S. Augustin ne sont ici que la même chose, c'est-à-dire, apercevoir. »

2. Chapitre VI : Que tout ce qui pense, pense toujours, tandis qu'il existe

« Le témoignage de notre conscience nous assure si certainement et si évidemment que nous avons la faculté de penser, que je serais ridicule, si je voulais apporter d'autres preuves

de cette vérité que celle de notre propre expérience [...] Cette
vérité étant maintenant établie, tâchons maintenant d'en
déduire tout ce qui peut nous découvrir la nature de cet esprit,
soit en général, en le considérant seulement comme une chose
qui pense, soit en particulier, en examinant quelles sont les
propriétés qui lui appartiennent en tant qu'il est uni au corps.
Ce n'est pas assez de savoir en général que l'esprit est une
chose qui pense, si l'on ne sait de plus quelle est la nature de
la pensée, et que c'est en elle précisément que consiste l'essence de l'esprit. Après avoir examiné toutes les diverses
actions et passions de l'esprit, et regardé ce qui se trouve en
particulier en chacune d'elles, et ce qu'elles ont de commun ;
il me semble pouvoir définir que la nature de la pensée
consiste dans cette conscience, ce témoignage, et ce sentiment
intérieur par lequel l'esprit est averti de tout ce qu'il fait ou
qu'il souffre, et généralement de tout ce qui se passe immédiatement en lui, dans le temps même qu'il agit, ou qu'il
souffre. Je dis immédiatement, afin de vous faire connaître
que ce témoignage et ce sentiment intérieur n'est pas différent
de l'action ou de la passion, et que ce sont elles-mêmes qui
l'avertissent de ce qui se fait en lui ; et qu'ainsi vous ne
confondiez pas ce sentiment intérieur avec la réflexion que
nous faisons quelquefois sur nos actions, laquelle ne se trouve
pas dans toutes nos pensées, dont elle est seulement une
espèce ; et j'ai dit de plus, dans le temps même qu'il agit ou
qu'il souffre, afin que vous ne pensiez pas, quand l'esprit
n'agit plus, c'est-à-dire quand il a changé de pensée, qu'il soit
nécessaire qu'il se ressouvienne d'avoir agi, et de s'en être
aperçu. Et ainsi la substance qui pense n'est rien autre chose
qu'un être qui s'aperçoit de tout ce qui se passe en lui, soit
qu'il agisse lui-même, ou qu'un autre agisse sur lui, et qui
s'en aperçoit précisément dans le temps même que la chose se
fait, d'où vous pouvez tirer cette importante vérité, que tout
ce qui se fait en nous sans que l'esprit s'en aperçoive ce n'est
pas l'esprit qui le fait ; et que tout ce qui ne dépend point
directement ou indirectement de ses pensées lui est absolument étranger ; vous pouvez encore conclure de là qu'il y a de
la contradiction à dire que l'esprit ne pense pas toujours pendant qu'il existe : car puisque l'esprit n'est rien autre chose
qu'une substance qui s'aperçoit de tout ce qui se passe en soi ;

s'il agit ou pâtit il doit s'en apercevoir; il doit donc toujours s'apercevoir de quelque chose; et conséquemment il est impossible qu'il ne pense pas toujours […] Vous pouvez donc voir que c'est au seul Monsieur Descartes que nous avons l'obligation de nous avoir fait connaître la nature de l'esprit; car c'est bien que devant lui plusieurs grands philosophes, en qualifiant les esprits du nom d'intelligences, aient aucunement découvert quelle était leur essence; il est pourtant certain que (l'entendement présupposant la faculté de penser, et ne renfermant pas toutes les qualités qui appartiennent à l'esprit) on ne peut pas dire qu'ils nous aient entièrement montré et enseigné quel était le fond de sa nature. Puisque c'est donc dans la faculté que l'esprit a de penser que sa nature consiste, ce ne peut être qu'une même chose avec lui; autrement le même être serait différent de lui-même, s'il pouvait y avoir une distinction réelle entre une substance et son essence; et d'autant que nous ne pouvons concevoir clairement cette faculté sans l'esprit, ni lui sans elle, il n'y a tout au plus entre eux qu'une distinction de raison […]

Revenons maintenant à notre première proposition, que l'esprit doit penser toujours, laquelle je ne crois pas que qui que ce soit ait avancée avant Monsieur Descartes, j'espère pourtant qu'on la trouvera véritable, si outre ce que nous avons déjà dit, l'on considère que tout de même que nous ne voyons aucun corps qui ne soit actuellement étendu, et non pas seulement en puissance, et qui ne doive avoir actuellement quelque figure, et non pas seulement être capable de recevoir celles qu'on lui voudra donner; de même la nature de l'esprit ne consiste pas seulement à avoir la faculté de penser, mais encore il est nécessaire qu'il ait toujours quelque pensée pendant qu'il existe, de laquelle il s'occupe, qui l'entretienne, et qui soit le soutien de sa vie […]

La plus forte objection qu'on puisse faire contre notre proposition vient de ce qu'il semble que si l'esprit pensait toujours, et qu'il eût toujours pensé depuis le premier instant qu'il a été uni au corps, nous devrions nous ressouvenir de quelques-unes des pensées que nous avons eues dans le ventre de nos mères. À quoi je réponds, que nous ne doutons pas que nous n'ayons tous les jours mille et mille pensées, soit en veillant, soit en dormant, desquelles toutefois nous ne gardons aucun

souvenir. Et partant qu'il ne s'ensuit pas que l'esprit n'ait pas pensé dès le premier moment qu'il a été créé et uni au corps, encore qu'il ne se ressouvienne d'aucune pensée qu'il n'ait eue alors ; mais je parlerai plus au long de cette matière, en traitant de la réminiscence. Remarquez seulement que même l'école d'Aristote aurait dû par ses propres principes reconnaître que l'esprit pense toujours : car il n'y a aucun de ses sectateurs qui ne mette l'esprit de l'homme au rang des choses vivantes, et qui n'établisse l'essence de la vie, non pas seulement dans le pouvoir d'agir, mais dans l'action ; d'où il s'ensuit manifestement que l'esprit ne pouvant être sans vivre, ni vivre sans agir, ni agir sans s'en apercevoir, il doit penser continuellement, et qu'il cessera d'être quand il cessera de penser [...]

3. Chapitre IX : De la connaissance en général

[...] Ces raisons feront peut-être qu'on aimera mieux mettre la connaissance dans l'union, ou la réception de l'espèce dans la puissance, et de fait je préférerais cette opinion aux précédentes, si je n'en étais détourné par ces considérations, dont la première est, qu'il faudrait mettre l'air et les miroirs entre les substances connaissantes, si connaître en général n'est rien d'autre que de recevoir une espèce [...] D'autant que toutes les espèces des sens, de l'imagination, et de la mémoire, ne sont rien autre chose que des suites du mouvement local que l'objet extérieur imprime sur nos sens, comme nous avons vu dans le Traité de l'Homme ; ou du moins, suivant le sentiment de l'École ; Ce sont des accidents corporels, entre lesquels, et nos pensées et nos connaissances on ne peut pas concevoir qu'il y ait le moindre rapport. Et à parler ici nettement, si ceux qui donnent un principe connaissant aux bêtes brutes ne conçoivent pas que leur connaissance soit autre chose que la réception de l'espèce matérielle, ou s'ils aiment mieux que les divers mouvements des parties intérieures de leur cerveau, nous voilà d'accord ; car non seulement nous ne dénions pas aux bêtes ces divers mouvements ; mais même nos adversaires ne sauraient nier que jamais philosophe ne les a si bien expliquées que nous. Toutefois comme nous avons une idée de notre connaissance entièrement différente de celle du mouvement local ; ils nous

pardonneront si nous ne pouvons prendre l'un pour l'autre ; mais quand toutes ces raisons ne seraient pas suffisantes pour montrer que l'acte de la connaissance est différent de la réception de l'espèce matérielle, cette dernière-ci ne permettrait pas d'en douter, d'autant que nous voyons que nous avons la perception des actes de notre volonté, et de nos jugements, lesquels toutefois ne forment aucune espèce, aucune trace ni peinture dans l'organe de l'imagination, lorsqu'ils se terminent à un être spirituel, comme lorsque nous méditons et raisonnons de la nature de la chose qui pense et de ses attributs, et toutefois on ne peut pas nier que ce ne soient des actes de connaissance.

Que sera-ce donc que cette admirable fonction, dont l'essence paraît si cachée ? Pour moi je pense que la raison pour laquelle on a tant de peine à la trouver, c'est parce qu'on s'amuse à la chercher entre les corps, et hors de la nature de l'esprit ; en effet si toutes les fonctions de la connaissance sont des opérations, qui ne tiennent rien de la matière, et qui ne sortent point de l'âme : c'est s'abuser grossièrement que de regarder ailleurs que dans l'esprit même pour en découvrir les ressorts : car bien qu'il y ait quelques-unes de nos perceptions, lesquelles dépendent du corps ; il n'y en a point toutefois qui n'appartiennent à l'esprit, et qui ne soient reçues dans son intérieur. Nous avons prouvé ci-devant que la nature de l'esprit était d'être une chose qui pense, et nous avons dit que l'essence de la pensée consistait dans cette conscience et cette perception que l'esprit a de tout ce qui se passe en lui : partant tout ce qu'il apercevra immédiatement sera de nécessité quelque chose qui lui sera intérieure : c'est pourquoi si nous nous arrêtons précisément à cela, et si nous séparons nos connaissances de nos jugements et de nos raisonnements, comme nous le devons faire, puisque ce sont des opérations différentes ; je pense que nous ne saurions mieux définir nos connaissances qu'en disant que connaître est simplement apercevoir, ce qui lui est intérieurement représenté à notre esprit, et qu'à proprement parler rien ne lui est représenté de la sorte que ce qui se passe en lui, c'est-à-dire, ses actions et ses passions. Mais ne vois-je pas déjà que Monsieur Chanet me demande ce que c'est que cette perception, et quelle différence il y a d'avec la réception de l'espèce. Je lui répondrai

que la réception de l'espèce, en quelque lieu qu'elle se fasse, est aussi différente de notre perception, que le corps l'est de l'esprit, et que ce n'est pas-même la production de l'idée, qui représente, ni la réception dans l'intérieur de l'âme ; mais la conscience ou la perception que l'on a de cette idée […] »

3. MALEBRANCHE
De la Recherche de la Vérité (1674)
et *Éclaircissements sur la Recherche de la Vérité* (1678)[1]

1. *De la Recherche de la Vérité, où l'on traite de la nature de l'esprit de l'homme, et de l'usage qu'il en doit faire pour éviter l'erreur dans les sciences*, Livre Troisième, Deuxième Partie, Chapitre VII :

« I. *Quatre différentes manières de voir les choses.* Afin d'abréger et d'éclaircir le sentiment que je viens d'établir touchant la manière dont l'esprit aperçoit tous les différents objets de ses connaissances, il est nécessaire que je distingue en lui quatre manières de connaître.

La première est de connaître les choses par elles-mêmes ;

La seconde, de les connaître par leurs idées, c'est-à-dire, comme je l'entends ici, par quelque chose qui soit différent d'elles ;

La troisième, de les connaître par *conscience*, ou par sentiment intérieur ;

La quatrième, de les connaître par conjecture.

On connaît les choses par elles-mêmes et sans idées, lorsqu'étant très intelligibles, elles peuvent pénétrer l'esprit et se découvrir à lui. On connaît les choses par leurs idées

---

1. Nous prenons le texte des tomes I (pp. 255-259) et III (pp. 98-104) de l'édition de la *Recherche de la Vérité* et des *Éclaircissements*, Introduction et texte établi par G. Rodis-Lewis, Vrin, 1962, à ceci près que Mme Rodis-Lewis suit la 6e édition, 1712, en indiquant les variantes et les ajouts intervenus entre 1674 et 1712, tandis que nous rétablissons le texte de la 1re édition au moyen de ses indications.

lorsqu'elles ne sont point intelligibles par elles-mêmes, soit parce qu'elles sont corporelles, soit parce qu'elles ne peuvent pénétrer l'esprit pour se découvrir à lui. On connaît par conscience toutes les choses qui ne sont point distinguées de soi. Enfin on connaît par conjecture les choses qui sont différentes de soi, et de celles que l'on connaît en elles-mêmes et par des idées, comme lorsque l'on pense que certaines choses sont semblables à quelques autres que l'on connaît.

II. *Comment on connaît Dieu.* Il n'y a que Dieu que l'on connaisse par lui-même ; car encore qu'il y ait d'autres êtres spirituels que lui et qui semblent être intelligibles par leur nature, il n'y a présentement que lui seul qui pénètre l'esprit et se découvre à lui. Nous ne voyons que Dieu d'une vue immédiate et directe. Peut-être même qu'il n'y a que lui qui puisse éclairer l'esprit par sa propre substance. Enfin, dans cette vie, ce n'est que par l'union que nous avons avec lui que nous sommes capables de connaître ce que nous connaissons, ainsi que nous l'avons expliqué dans le chapitre précédent ; car c'est notre seul maître qui préside à notre esprit, selon saint Augustin, sans l'entremise d'aucune créature.

On ne peut concevoir que quelque chose de créé puisse représenter l'infini, que l'être sans restriction, l'être immense, l'être universel puisse être aperçu par une idée, c'est-à-dire par un être particulier, par un être différent de l'être universel et infini ; mais, pour les êtres particuliers, il n'est pas difficile de concevoir qu'ils puissent être représentés par l'être infini qui les renferme d'une manière très spirituelle et par conséquent très intelligible. Ainsi il est nécessaire de dire que l'on connaît Dieu par lui-même, quoique la connaissance que l'on en a en cette vie soit très imparfaite ; et que l'on connaît les choses corporelles par leurs idées, c'est-à-dire en Dieu, puisqu'il n'y a que Dieu qui renferme le monde intelligible, où se trouvent les idées de toutes choses.

Mais encore que l'on puisse voir toutes choses en Dieu, il ne s'ensuit pas qu'on les y voie toutes : on ne voit en Dieu que les choses dont on a des idées, et il y a des choses que l'on voit sans idées, ou que l'on ne connaît que par sentiment.

III. *Comment on connaît les corps*. — Toutes les choses qui
sont en ce monde, dont nous ayons quelque connaissance, sont
des corps ou des esprits : propriétés de corps, propriétés d'esprits. On ne peut douter que l'on ne voie les corps avec leurs
propriétés par leurs idées, parce que n'étant pas intelligibles par
eux-mêmes, nous ne les pouvons voir que dans l'être qui les
renferme d'une manière intelligible. Ainsi c'est en Dieu et par
leurs idées que nous voyons les corps avec leurs propriétés, et
c'est pour cela que la connaissance que nous en avons est très
parfaite : je veux dire que l'idée que nous avons de l'étendue
suffit pour nous faire connaître toutes les propriétés dont l'étendue est capable, et que nous ne pouvons désirer d'avoir une
idée de l'étendue, des figures et des mouvements, plus distinctes et plus fécondes que celle que Dieu nous en fournit.

Comme les idées des choses qui sont en Dieu renferment
toutes leurs propriétés, qui en voit les idées en peut voir successivement toutes les propriétés ; car, lorsqu'on voit les
choses comme elles sont en Dieu, on les voit toujours d'une
manière très parfaite, et elle serait infiniment parfaite si l'esprit qui les y voit était infini. Ce qui manque à la connaissance
que nous avons de l'étendue, des figures et des mouvements
n'est point un défaut de l'idée qui la représente, mais de l'esprit qui la considère.

IV. *Comment on connaît son âme*. — Ce n'est pas la même
chose de l'âme : nous ne la connaissons point en Dieu, nous
ne la connaissons point par son idée ; nous ne la connaissons
que par *conscience*, et c'est pour cela que la connaissance que
nous en avons est imparfaite ; nous ne savons de notre âme
que ce que nous sentons qui se passe en nous. Si nous
n'avions jamais senti de douleur, de chaleur, de lumière, etc.,
nous ne pourrions savoir si notre âme en serait capable, parce
que nous ne la connaissons point par son idée. Mais si nous
voyions en Dieu l'idée qui répond à notre âme, nous connaî-
trions en même temps ou nous pourrions connaître toutes les
propriétés dont elle est capable ; comme nous connaissons
toutes les propriétés dont l'étendue est capable, parce que
nous connaissons l'étendue par son idée.

Il est vrai que notre conscience nous fait assez connaître par
le sentiment intérieur que nous avons de nous-mêmes que

notre âme est quelque chose de grand, mais cependant il se peut faire que ce que nous en connaissons ne soit presque rien de ce qu'elle est en elle-même. Si on ne connaissait de la matière que vingt ou trente figures dont elle aurait été modifiée, certainement on n'en connaîtrait presque rien, en comparaison de ce que l'on en connaît par l'idée qu'on en a. Il ne suffit donc pas pour connaître parfaitement l'âme de savoir ce que nous en savons par le seul sentiment intérieur, puisque la conscience que nous avons de nous-mêmes ne nous montre que la moindre partie de notre être.

On peut conclure de ce que nous venons de dire qu'encore que nous connaissions plus distinctement l'existence de notre âme que l'existence de notre corps et de ceux qui nous environnent, cependant nous n'avons pas une connaissance si parfaite de la nature de l'âme que de la nature des corps, et cela peut servir à accorder les différents sentiments de ceux qui disent qu'il n'y a rien qu'on puisse connaître mieux que l'âme, et de ceux qui assurent qu'il n'y a rien qu'ils connaissent moins.

On peut voir encore de ce qu'on vient de dire la raison pour laquelle on ne peut pas donner de définition qui fasse connaître les modifications de l'âme : car puisqu'on ne connaît point l'âme ni ses modifications par des idées, mais seulement par des sentiments, et que tels sentiments de plaisir, par exemple, de douleur, de chaleur, etc., ne sont point attachés aux mots, il est clair que si quelqu'un n'avait jamais vu de couleur ni senti de chaleur, on ne pourrait la lui faire connaître par toutes les définitions qu'on lui en donnerait. Et il faut remarquer que les hommes n'ayant leurs sentiments qu'à cause du corps, qui n'est pas disposé en tous de la même manière, il arrive souvent que les mots sont équivoques, que ceux dont on se sert pour exprimer les modifications de son âme signifient tout le contraire de ce qu'on prétend, et que souvent on fait penser à l'amertume, par exemple, lorsqu'on croit faire penser à la douceur.

Encore que nous n'ayons pas une entière connaissance de notre âme, celle que nous en avons par conscience suffit pour en démontrer l'immortalité, la spiritualité, la liberté et quelques autres attributs qu'il est nécessaire que nous sachions, et c'est pour cela que Dieu ne nous la fait point connaître par son idée comme il nous fait connaître les corps. La connaissance que

nous avons de nous-mêmes par conscience est imparfaite, il est vrai, mais elle n'est point fausse ; mais la connaissance que nous avons des corps par sentiment ou par conscience, si on peut appeler conscience le sentiment de ce qui se passe dans notre corps, n'est pas seulement imparfaite, mais elle est fausse. Il nous fallait donc une idée des corps pour corriger les sentiments que nous en avons : et nous n'avons point besoin de l'idée de notre âme, puisque la conscience que nous en avons ne nous engage point dans l'erreur, et qu'il suffit de ne le point confondre avec le corps, pour ne nous point tromper dans sa connaissance. Enfin si nous avions une idée de l'âme aussi claire que celle que nous avons du corps, cette idée nous l'eût trop fait considérer comme séparée de lui. Ainsi elle eût diminué l'union de notre âme avec notre corps, en nous empêchant de la regarder comme répandue dans tous nos membres, ce que je n'explique pas davantage.

V. *Comment on connaît les âmes des autres hommes et les purs esprits*. — De tous les objets de notre connaissance, il ne nous reste plus que les âmes des autres hommes et que les pures intelligences, et il est manifeste que nous ne les connaissons que par conjecture. Nous ne les connaissons présentement ni en elles-mêmes ni par leurs idées ; et, comme elles sont différentes de nous, il n'est pas possible que nous les connaissions par conscience. Nous conjecturons que les âmes des autres hommes sont comme la nôtre. Ce que nous sentons dans nous-mêmes, nous prétendons qu'ils le sentent ; et même, lorsque ces sentiments n'ont point de rapport au corps, nous sommes assurés que nous ne nous trompons point, parce que nous voyons en Dieu certaines idées, et certaines lois immuables selon lesquelles nous savons avec certitude que Dieu agit également dans tous les esprits [...] »

2. XIe *Éclaircissement à la Recherche de la vérité*, introduit dans la 3e édition (1678)

« J'ai dit en quelques endroits, et même je crois avoir suffisamment prouvé dans le troisième livre de la *Recherche de la vérité*, que nous n'avons point d'idée claire de notre âme,

mais seulement *conscience* ou sentiment intérieur; qu'ainsi nous la connaissons beaucoup plus imparfaitement que nous ne faisons l'étendue. Cela me paraît si évident que je ne croyais pas qu'il fût nécessaire de le prouver plus au long. Mais l'autorité de M. Descartes, qui dit positivement : *Que la nature de l'esprit est plus connue que celle de toute autre chose*, a tellement préoccupé quelques-uns de ses disciples, que ce que j'en ai écrit n'a servi qu'à me faire passer dans leur esprit pour une personne faible qui ne peut se prendre et se tenir ferme à des vérités abstraites et incapables de soulager et de retenir l'attention de ceux qui les considèrent.

J'avoue que je suis extrêmement faible, sensible, grossier, et que mon esprit dépend de mon corps en tant de manières que je ne puis les exprimer. Je le sais, je le sens, et je travaille incessamment à augmenter cette connaissance que j'ai de moi-même, car si l'on ne peut s'empêcher d'être misérable, du moins faut-il le savoir et le sentir, du moins faut-il s'humilier à la vue de ses misères intérieures, et reconnaître le besoin qu'on a d'être délivré de ce corps de mort qui jette le trouble et la confusion dans toutes les facultés de l'âme.

Cependant la question présente est tellement proportionnée à l'esprit, que je ne vois pas qu'il soit besoin d'une grande application pour la résoudre [...] Car je crois pouvoir dire que l'ignorance où sont la plupart des hommes à l'égard de leur âme, de sa distinction d'avec le corps, de sa spiritualité, de son immortalité et de ses autres propriétés, suffit pour prouver évidemment que l'on n'en a point d'idée claire et distincte.

Nous pouvons dire que nous avons une idée claire du corps, parce qu'il suffit de consulter l'idée qui le représente pour reconnaître les modifications dont il est capable [...] parce que l'idée de l'étendue étant claire, on voit sans peine et de simple vue ce qu'elle renferme et ce qu'elle exclut.

Mais certainement nous n'avons point d'idée de notre esprit qui soit telle que nous puissions découvrir en la consultant les modifications dont il est capable. Si nous n'avions jamais senti ni plaisir ni douleur, nous ne pourrions point savoir si l'âme serait ou ne serait pas capable d'en sentir. Si un homme n'avait jamais mangé de melon, vu de rouge ou de bleu, il aurait beau consulter l'idée prétendue de son âme, il ne découvrirait jamais distinctement, si elle serait ou ne serait

pas capable de tels sentiments ou de telles modifications. Je dis plus, quoiqu'on sente actuellement de la douleur, ou qu'on voie de la couleur, on ne peut découvrir de simple vue si ces qualités appartiennent à l'âme. On s'imagine que la douleur est dans le corps à l'occasion duquel on la souffre, et que la couleur est répandue sur la surface des objets, quoique ces objets soient distingués de son âme [...]

On découvre donc de simple vue, sans raisonnement et par la seule application de l'esprit à l'idée de l'étendue, que la rondeur et toute autre figure est une modification qui appartient au corps, et que le plaisir, la douleur, la chaleur, et toute autre qualité sensible, n'en sont point des modifications. On ne peut faire de demande sur ce qui appartient, ou n'appartient pas, à l'étendue à laquelle on ne puisse répondre facilement, promptement, hardiment par la seule considération de l'idée qui la représente. Tous les hommes conviennent de ce qu'on doit croire sur ce sujet. Car ceux qui disent que la matière peut penser, ne s'imaginent point qu'elle ait cette faculté à cause qu'elle est étendue : ils demeurent d'accord que l'étendue comme telle ne peut penser.

Mais on ne convient point de ce qu'on doit croire de l'âme et de ses modifications. Il y a des personnes qui pensent que la douleur et la chaleur ou pour le moins la couleur ne lui appartiennent pas. On se rend même ridicule, parmi quelques cartésiens, si l'on dit que l'âme devient actuellement bleue, rouge, jaune, et qu'elle est teinte des couleurs de l'arc-en-ciel, lorsqu'elle le considère. Il y a bien des personnes qui doutent, et encore plus qui ne croient pas, que lorsqu'on sent une charogne, l'âme devienne formellement puante ; et que la saveur du sucre, du poivre, du sel, soit quelque chose qui lui appartienne. Où est donc l'idée claire de l'âme, afin que les cartésiens la consultent, et qu'ils s'accordent tous sur le sujet, où les couleurs, les saveurs, les odeurs se doivent rencontrer [...]

On connaît, disent ces philosophes après M. Descartes, *la nature d'une substance, d'autant plus distinctement que l'on en connaît davantage d'attributs. Or, il n'y a point de chose dont on connaisse tant d'attributs que de notre esprit ; parce qu'autant qu'on en connaît dans les autres choses, on en peut autant compter dans l'esprit de ce qu'il les connaît. Et partant sa nature est plus connue que celle de toute autre chose.*

Mais, qui ne voit qu'il y a bien de la différence entre connaître par idée claire, et connaître par *conscience*? Quand je connais que 2 fois 2 font 4, je le connais très clairement; mais je ne connais point clairement ce qui est en moi qui le connaît. Je le sens, il est vrai, je le connais par conscience ou sentiment intérieur. Mais je n'en ai point d'idée claire comme j'en ai des nombres, entre lesquels je puis découvrir clairement les rapports. Je puis *compter* qu'il y a dans mon esprit trois propriétés, celle de connaître que 2 fois 2 font 4, celle de connaître que 3 fois 3 font 9, et celle de connaître que 4 fois 4 font 16. Et si on le veut même, ces trois propriétés seront différentes entre elles, et je pourrai ainsi compter en moi une infinité de propriétés. Mais je nie qu'on connaisse clairement la nature des choses que l'on peut *compter*. Il suffit pour les compter de les sentir.

On peut dire que l'on a une idée claire d'un être et que l'on en connaît la nature, lorsque l'on peut le comparer avec les autres, dont on a aussi une idée claire, ou pour le moins lorsqu'on peut comparer entre elles les modifications dont cet être est capable. On a des idées claires des nombres et des parties de l'étendue, parce qu'on peut comparer ces choses entre elles. On peut comparer 2 avec 4, 4 avec 16, et chaque nombre avec tout autre; on peut comparer un carré avec un triangle, un cercle avec une ellipse, un carré et un triangle avec tout autre carré et tout autre triangle, et l'on peut ainsi découvrir clairement les rapports qui sont entre ces figures et entre ces nombres. Mais on ne peut comparer son esprit avec d'autres esprits, pour en reconnaître clairement quelque rapport; on ne peut même comparer les manières de l'esprit entre elles. On ne peut découvrir clairement le rapport qui est entre le plaisir et la douleur, la chaleur et la couleur; ou, pour ne parler que des manières d'être de même genre, on ne peut déterminer exactement le rapport qui est entre le vert et le rouge, le jaune et le violet, ni même entre le violet et le violet. L'on sent bien que l'un est plus couvert ou plus éclatant que l'autre. Mais on ne sait point avec évidence, ni de combien, ni ce que c'est qu'être plus couvert et plus éclatant. L'on n'a donc point d'idée claire ni de l'âme ni de ses modifications; et quoique je voie ou que je sente les couleurs, les saveurs, les odeurs, je puis dire, comme j'ai fait, que je ne les connais

point par idée claire, puisque je ne puis en découvrir clairement les rapports [...]

De plus, on ne sait point en quoi consistent les dispositions
de l'âme qui la rendent plus prompte à agir et à se représenter
les objets. On ne peut pas même concevoir en quoi de telles
dispositions pourraient consister. Je dis plus, on ne peut par la
raison s'assurer positivement si l'âme seule séparée du corps,
ou considérée sans rapport au corps, est capable d'habitudes
et de mémoire. Mais comment pouvons-nous ignorer ces
choses, si la nature de l'âme est plus connue que celle du
corps ? On voit sans peine en quoi consiste la facilité que les
esprits animaux ont à se répandre dans les nerfs, dans lesquels
ils ont déjà coulé plusieurs fois [...] Mais que peut-on concevoir qui soit capable d'augmenter la facilité de l'âme pour
agir ou pour penser ? Pour moi, j'avoue que je n'y comprends
rien. J'ai beau me consulter pour découvrir ces dispositions ;
je ne me réponds rien. Je ne puis m'éclairer sur cela, quoique
j'aie un sentiment très vif de cette facilité avec laquelle il
s'excite en moi certaines pensées [...]

Il est certain que l'homme le plus éclairé ne connaît point
avec évidence, s'il est digne d'amour ou de haine, comme
parle le sage[2]. Le sentiment intérieur qu'on a de soi-même, ne
peut rien assurer sur cela. Saint Paul[3] dit bien que sa
conscience ne lui reproche rien, mais il n'assure pas pour cela
qu'il soit justifié. Il assure au contraire que cela ne le justifie
pas, et qu'il n'ose pas se juger lui-même, parce que celui qui
le juge c'est le Seigneur. Mais comme l'on a une idée claire
de l'ordre, si l'on avait aussi une idée claire de l'âme par le
sentiment intérieur qu'on a de soi-même, on connaîtrait avec
évidence si elle serait conforme à l'ordre ; on saurait bien si
l'on est juste ou non ; on pourrait même connaître exactement
toutes ses dispositions intérieures au bien et au mal, lorsqu'on
en aurait le sentiment. Mais si l'on pouvait se connaître tel
qu'on est, on ne serait pas si sujet à la présomption. Et il y a
bien de l'apparence que saint Pierre n'aurait point dit à son
maître qu'il allait bientôt renier ? *Pourquoi ne puis-je pas*

---

2. *Eccl.*, ch. IX, 1.
    3. *Sed neque meipsum judico. Nihil enim mihi conscius sum : sed non in
hoc justificatus sum : qui autem judicat me Dominus est.* 1 *Cor.* c. 4, 4.

vous suivre maintenant : je donnerai ma vie pour vous.
Animam meam pro te ponam[4]. Car ayant sentiment intérieur
de ses forces et de sa bonne volonté, il aurait pu voir avec évidence, s'il aurait eu la force ou le courage de vaincre la mort,
ou plutôt les insultes d'une servante et de quelques valets
[…]. »

---

4. *Joan.* 13, 37.

4. Ralph CUDWORTH

The True Intellectual System of the Universe
The First Part; Wherein All the Reason and
Philosophy of Atheism is Confuted; and Its
Impossibility Demonstrated, London 1678 *

The Digression concerning the Plastic Life of Nature,
or an Artificial, Orderly and Methodical Nature.

....

15. [*The second imperfection of the plastic nature, that it acts
without animal fancy,* Συναίσθησις, *express con-sense, and*
consciousness, *and is devoid of self-perception and self-enjoy-
ment.*] There is in the next place another imperfection to be
observed in the plastic nature, that as it does not comprehend the reason of its own action, so neither is it clearly and

* Il existe un *reprint* de la première édition du *True Intellectual System*,
parue en 1678 à Londres chez Richard Royston, « Bookseller to His most
Sacred Majesty », par les soins de Friedrich Fromann Verlag, Stuttgart-
Bad Cannstatt 1964; plus récemment Thoemmes Press, Bristol, a publié
en 1995 un *reprint* en trois volumes de l'édition de 1845, parue chez Thomas Tegg, qui contient également le *Treatise Concerning Eternal and Immutable Morality* (posthume) et traduit les notes de l'édition latine de
Mosheim (1733).

Les paragraphes suivants sont empruntés à un long développement autonome inséré dans le Chapitre III, § xxxvii du livre, où Cudworth montre
que la réfutation des quatre grandes formes de matérialisme-athéisme
(« cosmo-plastique », « stoïque », « hylozoïque », « stratonique ») ne doit

Ralph CUDWORTH
Véritable système intellectuel de l'univers,
contenant la réfutation des raisons
philosophiques de l'athéisme et la démons-
tration de son impossibilité (Livre Premier)

Digression à propos de la vie plastique de la nature,
ou d'une nature artiste, organisatrice et méthodique.

. . . .

15. [*Seconde imperfection de la nature plastique : elle agit sans imagination animale,* Συναίσθησις, *con-sens et conscience expresse, elle n'a ni perception ni jouissance de soi.*] Il y a encore une autre imperfection à relever dans la nature plastique : elle ne comprend pas la raison de sa propre action, elle n'est donc pas clairement et expressément

_____

pas entraîner pour autant le rejet de l'hypothèse d'une « nature plastique » ou d'une finalité dans la nature, distincte de la vie elle-même, et responsable de la formation des individus selon un ordre général voulu par Dieu. En d'autres termes il faut admettre une « énergie » qui est récusée à la fois par Hobbes et par Descartes, l'un réduisant toute existence au corps, l'autre traçant une ligne de démarcation infranchissable entre pensée et étendue. Le problème qui se pose alors est de savoir si une telle énergie ou « nature plastique » requiert ou non la pensée de soi-même ou la réflexion. Comme pour le texte de Locke, nous modernisons l'orthographe, mais conservons la ponctuation originale. Nous insérons les sous-titres donnés dans la table analytique des matières placée par Cudworth en tête de l'ouvrage. Nous reproduisons les citations des *Ennéades* de Plotin données par l'auteur.

expressly conscious of what it does; in which respect it does
not only fall short of human art, but even of that very manner of acting, which is in brutes themselves, who though
they do not understand the reason of those actions, that
their natural instincts lead them to, yet they are generally
conceived to be conscious of them, and to do them by fancy;
whereas the plastic nature in the formation of plants and
animals seems to have no animal fancy, no express
συναίσθησις, « con-sense » or « consciousness » of what it
does. Thus the often commended philosopher, Ἡ φύσις
οὐδὲ φαντασίαν ἔχει, ἡ δὲ νόησις φαντασίας κρείττων,
φαντασία δὲ μεταξὺ φύσεως τύπου καὶ νοήσεως· ἡ μέν γε
οὐδενὸς ἀντίληψιν οὐδε σύνεσιν ἔχει (*Ennead.*, 4. lib. 4. sect.
13. de Dubitat. Animae), « Nature has not so much as any fancy
in it; as intellection and knowledge is a thing superior to fancy,
so fancy is superior to the impress of nature, for nature has no
apprehension nor conscious perception of any thing. » In a word,
nature is a thing that has no such self-perception or self-enjoy-
ment in it, as animals have.

16. [*Whether this energy of the plastic nature, be to be called cogitation or no, but a logomachy or contention about words. Granted
that what moves matter vitally, must needs do it by some energy of its
own, distinct from local motion; but that there may be a simple vital
energy, whithout that duplicity which is in* synaesthesis, *or clear
and express consciousness. Nevertheless that the energy of nature might
be called a certain drowsy, unawakened, or astonished cogitation.*]
Now, we are well aware, that this is a thing which the narrow
principles of some late philosophers will not admit of, that
there should be any action distinct from local motion besides
expressly conscious cogitation. For they, making the first
general heads of all entity to be extension and cogitation, or
extended being and cogitative, and then supposing that the
essence of cogitation consists in express consciousness, must
needs by this means exclude such a plastic life of nature, as we
speak of, that is supposed to act without animal fancy or
express consciousness. Wherefore we conceive, that the first

consciente de ce qu'elle fait. À cet égard, ce n'est pas seulement qu'elle reste en deçà de l'art humain, mais en deçà même de cette manière d'agir que possèdent les bêtes brutes elles-mêmes, lesquelles, même si elles ne comprennent pas la raison des actions auxquelles les portent leurs instincts naturels, sont généralement considérées comme en étant conscientes, et les faisant par imagination. Tandis que la nature plastique à l'œuvre dans la formation des plantes et des animaux ne paraît avoir ni imagination animale, ni *sunaisthèsis* expresse, c'est-à-dire « con-sens » ou « conscience » de ce qu'elle fait. Ainsi le philosophe dont nous ne nous lassons pas de recommander la doctrine [Plotin] écrit-il (*Enn.*, IV.4.13) : Ἡ φύσις οὐδὲ φαντασίαν ἔχει, ἡ δὲ νόησις φαντασίας κρείττων, φαντασία δὲ μεταξὺ φύσεως τύπου καὶ νοήσεως· ἡ μέν γε οὐδενὸς ἀντίληψιν οὐδὲ σύνεσιν ἔχει. « La nature n'a en elle rien de tel que l'imagination ; et comme l'intellection et la connaissance sont au-dessus de l'imagination, de même l'imagination est au-dessus de l'impression de la nature, car la nature n'a ni appréhension ni perception consciente de quoi que ce soit. » En un mot, la nature est une chose qui ne contient ni la perception de soi-même ni la jouissance de soi que possèdent les animaux.

16. [*La question de savoir si cette énergie de la nature plastique doit être appelée ou non « pensée » n'est qu'une logomachie ou une dispute de mots. On accorde que ce qui meut vitalement la matière doit nécessairement être une énergie propre, différente du mouvement local. Mais il peut exister une énergie vitale simple, privée de cette duplicité qui caractérise la* synaesthesis, *ou la conscience claire et expresse. Cependant on pourrait dire que l'énergie de la nature est une sorte de pensée assoupie, endormie ou hébétée.*] Mais nous savons bien que l'idée qu'il existe une action différente du mouvement local, à part la pensée expressément consciente, est une chose à laquelle les principes étroits de certains philosophes récents ne sauraient consentir. Faisant de l'étendue et de la pensée, ou de l'être étendu et de l'être pensant, les genres premiers de toute entité, puis supposant que l'essence de la pensée consiste dans la conscience expresse, il faut nécessairement qu'ils excluent le genre de vie plastique de la nature dont nous parlons ici, que nous supposons agissant

heads of being ought rather to be expressed thus : resisting or antitypous extension, and life (*i.e.* internal energy and self activity); and then again, that life or internal self-activity is to be subdivided into such as either acts with express consciousness and synaesthesis, or such as is without it; the latter of which is this plastic life of nature : so that there may be an action distinct from local motion, or a vital energy, which is not accompanied with that fancy, or consciousness, that is in the energies of animal life; that is, there may be a simple internal energy or vital autokinesy, which is without that duplication that is included in the nature of συναίσθησις, « con-sense and consciousness », which makes a being to be present with itself, attentive to its own actions, or animadversive of them, to perceive itself to do or to suffer, and to have a fruition or enjoyment of itself. And indeed, it must be granted, that what moves matters or determines the motion of it vitally, must needs do it by some other energy of its own, as it is reasonable also to conceive, that itself has some vital sympathy with that matter which it acts upon. But we apprehend that both these may be without clear and express consciousness. Thus the philosopher : Πᾶσα ζωὴ ἐνέργεια, καὶ ἡ φαύλη, ἐνέργεια δέ, οὐχ ὡς τὸ πῦρ ἐνέργει, ἀλλ᾽ ἡ ἐνέργεια αὐτῆς, κἂν μὴ αἴσθησίς τις παρῇ, κίνησίς τις οὐκ εἰκῇ (*Ennead* 3. lib. 2. cap. 16. De Provid.). « Every life is energy, even the worst of lives, and therefore that of nature. Whose energy is not like that of fire, but such an energy, as though there be no sense belonging to it, yet it is not temerarious or fortuitous, but orderly and regular. »

Wherefore this controversy, whether the energy of the plastic nature be cogitation or no, seems to be but a logomachy, or contention about words. For if clear and express consciousness be supposed to be included in cogitation, then it must needs be granted, that cogitation does not belong to the plastic life of nature : but if the notion of that word be enlarged, so as to comprehend all action distinct from local motion, and to be of equal extent with life, then the energy of nature is cogitation.

sans imagination animale ni conscience expresse. Nous en concluons que les genres premiers de l'être devraient plutôt être exprimés ainsi : la résistance ou étendue antitypique, et la vie (c'est-à-dire l'énergie interne et l'auto-activité), laquelle doit à son tour être subdivisée entre une auto-activité interne qui agit avec conscience expresse et *sunaesthesis*, et une autre qui en est privée. C'est cette dernière qui est la vie plastique de la nature : en sorte qu'il peut exister une action distincte du mouvement local, ou une énergie vitale, qui n'est pas accompagnée de cette imagination, ou conscience, qui est dans les énergies de la vie animale. C'est-à-dire qu'il peut y avoir une énergie interne simple, ou une *autokinèse* vitale, dépourvue de ce redoublement qui est impliqué dans la nature de la *sunaisthèsis*, « con-sens » et « conscience », qui fait qu'un être est présent à lui-même, attentif à ses propres actions ou les apercevant, qu'il se perçoit lui-même agissant ou pâtissant, et qu'il a la jouissance de lui-même ou tire du plaisir de soi. Et sans doute il faut accorder que ce qui meut la matière ou en détermine le mouvement vital ne peut le faire que par quelque autre énergie qu'il possède en propre, de même qu'il est raisonnable de penser que ce moteur a lui-même quelque sympathie vitale avec cette matière sur laquelle il agit. Mais nous concevons que l'un et l'autre peuvent exister sans conscience claire et expresse. Aussi le philosophe [Plotin] écrit-il : Πᾶσα ζωὴ ἐνέργεια, καὶ ἡ φαύλη, ἐνέργεια δέ, οὐχ ὡς τὸ πῦρ ἐνέργεῖ, ἀλλ᾽ ἡ ἐνέργεια αὐτῆς, κἂν μὴ αἴσθησίς τις παρῇ, κίνησίς τις οὐκ εἰκῇ (*Enn.* III, 2, 16). « Toute vie est énergie, même la plus grossière des vies, et donc celle de la nature. Son énergie n'est pas comme celle du feu, mais telle que, bien qu'elle ne dispose d'aucune sensation, elle n'est ni téméraire ni fortuite, mais ordonnée et régulière. »

Toute cette controverse sur le point de savoir si l'énergie de la nature plastique est ou non de la pensée, semble donc n'être que logomachie ou dispute de mots. Car si dans la pensée l'on inclut la conscience claire et expresse, il faut nécessairement accorder que la pensée n'appartient pas à la vie plastique de la nature : mais si l'on élargit la signification de ce mot, de sorte qu'il comprenne toute action autre que le mouvement local et devienne synonyme de vie, alors l'énergie de la nature est bien de la pensée.

Nevertheless, if any one think fit to attribute some obscure
and imperfect sense or perfection, different from that of animals, to the energy of nature, and will therefore call it a kind of
drowsy, unawakened, or astonished cogitation, the philosopher
before mentioned will not very much gainsay it : Εἴτις
βούληται σύνεσίν τινα ἢ αἴσθησιν αὐτῇ διδόναι, οὐχ οἷον
λέγομεν ἐπὶ τῶν ἄλλων τὴν αἴσθησιν ἢ τὴν σύνεσιν, ἀλλ᾽
οἷον· εἴ τις τὴν τοῦ ὕπνου τῇ τοῦ ἐγρηγορότος προσεικάσειε
(*Ennead* 3. lib. 8. sect. 3. De Natura, Contemplat. et Uno.) « If
any will needs attribute some kind of apprehension or sense to
nature, then it must not be such a sense or apprehension as is in
animals, but something that differs as much from it as the
sense of cogitation of one in a profound sleep differs from that
of one who is awake. » And since it cannot be denied but that
a plastic nature has a certain dull and obscure idea of that
which it stamps and prints upon matter, the same philosopher
himself sticks not to call this idea of nature, θέαμα and
θεώρημα, « a spectacle » and « contemplamen », as likewise
the energy of nature towards it, θεωρία ἄψοφος, « a silent
contemplation » ; nay, he allows, that nature may be said to be,
in some sense, φιλοθεάμων, « a lover of spectacles or contemplation. »

17. [*Instances which render it probable, that there may be a vital
energy, without synaesthesis, clear and express con-sense, or
consciousness.*] However, that there may be some vital energy
without clear and express συναίσθησις, « con-sence » and
« consciousness, animadversion, attention, » or « self-perception », seems reasonable upon several accounts. For first,
those philosophers themselves, who make the essence of the
soul to consist in cogitation, and again, the essence of cogitation in clear and express consciousness, cannot render it
any way probable that the souls of men in all profound
sleeps, lethargies, and apoplexies, as also of embryos in the
womb, from their very first arrival thither, are never so much
as one moment without expressly conscious cogitations ;
which if they were, according to the principles of their philosophy, they must, ipso facto, cease to have any being. Now,

Cependant, si quiconque croit devoir attribuer à l'énergie de la nature quelque sens ou perception obscure et imparfaite, et veut pour cela l'appeler une espèce de pensée assoupie, endormie ou hébétée, le philosophe que nous avons cité n'y contredirait certes pas : Εἴτις βούληται σύνεσίν τινα ἢ αἴσθησιν αὐτῇ διδόναι, οὐχ οἷον λέγομεν ἐπὶ τῶν ἄλλων τὴν αἴσθησιν ἢ τὴν σύνεσιν, ἀλλ᾽ οἷον· εἴ τις τὴν τοῦ ὕπνου τῇ τοῦ ἐγρηγορότος προσεικάσειε (*Enn., III, 8, 3*), « Si quelqu'un veut nécessairement attribuer à la nature quelque genre d'appréhension ou de sensation, alors ce ne peut être une sensation ou appréhension comme celles des animaux, mais quelque chose qui en diffère autant que la sensation ou la pensée d'un individu profondément endormi diffère de celles d'un individu éveillé. » Et puisqu'on ne peut pas nier qu'une nature plastique ait une certaine idée pesante et obscure de ce qu'elle estampille et imprime sur la matière, le même philosophe (*ibid.*) n'hésite pas à appeler cette idée de la nature un *theama* ou un *theôrêma*, une « vue » ou une « contemplation », comme également l'énergie de la nature qui y tend une *theôria apsophos*, une « contemplation silencieuse », et même il concède à la nature le droit d'être dite en un certain sens *philotheamôn*, c'est-à-dire « aimant les vues ou la contemplation ».

17. [*Arguments qui font penser qu'il peut exister une énergie vitale, dépourvue de* sunaisthêsis, *c'est-à-dire de con-sens ou conscience claire et expresse.*] Cependant il semble raisonnable pour diverses raisons d'admettre l'existence d'une énergie vitale privée de claire et expresse *sunaisthêsis*, « con-sens » et « conscience », aperception et attention, ou « perception de soi ». Car premièrement ces philosophes mêmes qui font consister l'essence de l'âme dans la pensée, et à son tour l'essence de la pensée dans la conscience claire et expresse, ne peuvent rendre probable si peu que ce soit que les âmes des hommes plongés dans de profonds sommeils, léthargies, états d'apoplexie, ou bien celles des embryons dans la matrice, depuis le moment de leur implantation, soient jamais ne fût-ce qu'un instant privés de pensées expressément conscientes ; car si c'était le cas, elles devraient *ipso facto* cesser d'exister, suivant les

if the souls of men and animals be at any time without consciousness and self-perception, then it must needs be granted that clear and express consciousness is not essential to life. There is some appearance of life and vital sympathy in certain vegetables and plants, which, however called sensitive-plants and plant-animals, cannot well be supposed to have animal sense and fancy, or express consciousness in them; although we are not ignorant in the meantime, how some endeavour to solve all those phenomena mechanically. It is certain that our human souls themselves are not always conscious of whatever they have in them; for even the sleeping geometrician has, at that time, all his geometrical theorems and knowledges some way in him; as also the sleeping musician, all his musical skill and songs: and therefore, why may it not be possible for the soul to have likewise some actual energy in it, which it is not expressly conscious of? We have all experience of doing many animal actions non-attendingly, what we reflect upon afterwards; as also that we often continue a long series of bodily motions, by a mere virtual intention of our minds, and as it were by half a cogitation. That vital sympathy, by which our soul is united and tied fast, as it were in a knot, to the body, is a thing that we have no direct consciousness of, but only in its effects. Nor can we tell how we come to be so differently affected in our souls, from the many different motions made upon our bodies. As likewise we are not conscious to ourselves of that energy whereby we impress variety of motions and figurations upon the animal spirits of our brain in our fantastic thoughts. For though the geometrician perceive himself to make lines, triangles, and circles in the dust with his finger, yet he is not aware of how he makes all those same figures first upon the corporeal spirits of his brain, from whence notwithstanding, as from a glass, they are reflected to him, fancy being rightly concluded by Aristotle to be a weak and obscure sense. There is also

principes mêmes de leur philosophie. Mais si les âmes des hommes et des animaux sont sans conscience ou perception de soi à un moment quelconque, il faut nécessairement accorder que la conscience claire et expresse n'est pas essentielle à la vie. Il y a quelque apparence de vie et de sympathie vitale dans certains végétaux et certaines plantes dont on ne peut pas vraiment supposer qu'ils possèdent la sensation et l'imagination, ou la conscience expresse, même si on les nomme plantes sensibles ou animaux-plantes ; cependant nous n'ignorons pas que certains tentent d'expliquer mécaniquement tous ces phénomènes. Il est certain que nos âmes humaines elles-mêmes ne sont pas toujours conscientes de tout ce qu'elles contiennent : car même le mathématicien endormi possède en lui en quelque manière ses théorèmes de géométrie et ses connaissances, de même que le musicien endormi possède toujours ses chants et son savoir musical : pourquoi serait-il donc impossible que l'âme contienne semblablement quelque énergie actuelle dont elle n'est pas expressément consciente ? Nous avons l'expérience courante d'accomplir sans y prêter attention sur le moment des actes animaux, et de n'y réfléchir qu'après-coup. De même il nous arrive souvent de continuer une longue suite de mouvements corporels, dont nos esprits n'ont eu que virtuellement l'intention, comme par une demi-pensée. Cette sympathie vitale qui unit et attache solidement notre âme au corps, comme par un nœud, est une chose dont nous n'avons aucune conscience directe, nous n'en avons conscience que par ses effets. Nous ne pouvons pas non plus dire comment il se fait que nous soyons si différemment affectés en nos âmes par les nombreux mouvements auxquels nos corps sont exposés. Pas plus que nous ne sommes conscients en nous-mêmes de l'énergie grâce à laquelle nous imprimons une variété de mouvements et de figures aux esprits animaux de notre cerveau dans nos pensées d'imagination. Car le mathématicien peut bien se percevoir lui-même traçant des droites, des triangles et des cercles avec son doigt dans le sable, mais il n'est pas conscient de la façon dont, au préalable, il a tracé ces mêmes figures sur les esprits corporels de son cerveau. Et cependant c'est de là que, comme en un miroir, elles se réfléchissent pour lui. Aristote a donc eu raison d'en conclure que l'imagination est une sensation affaiblie

another more interior kind of plastic power in the soul (if we may so call it), whereby it is formative of its own cogitations, which itself is not always conscious of; as when, in sleep or dreams, it frames interlocutory discourses betwixt itself and other persons, in a long series, with coherent sense and apt connexions, in which oftentimes it seems to be surprised with unexpected answers and repartees, though itself were all the while the poet and inventor of the whole fable. Not only our nictations for the most part when we are awake, but also our nocturnal volutations in sleep, are performed with very little or no consciousness. Respiration, or that motion of the diaphragma and other muscles which causes it (there being no sufficient mechanical account of it), may well be concluded to be always a vital motion, though it be not always animal; since no man can affirm that he is perpetually conscious to himself of that energy of his soul which does produce it when he is awake, much less when asleep. And lastly, The Cartesian attempts to solve the motion of the heart mechanically seem to be abundantly confuted by autopsy and experiment, evincing the systole of the heart to be a muscular constriction, caused by some vital principle, to make which nothing but a pulsific corporeal quality in the substance of the heart itself, is very unphilosophical and absurd. Now, as we have no voluntary imperium at all upon the systole and diastole of the heart, so are we not conscious to ourselves of any energy of our own soul that causes them; and therefore we may reasonably conclude from hence also, that there is some vital energy, without animal fancy or synaesthesis, express consciousness and self-perception.

et obscure. Il y a encore dans l'âme un autre genre, plus intérieur, de pouvoir plastique (si nous pouvons l'appeler ainsi),
par où elle forme ses propres pensées, et dont elle n'est pas
toujours consciente elle-même : comme lorsque dans son
sommeil ou en rêve elle construit des échanges de discours
entre elle-même et d'autres personnes, formant une longue
suite à la signification cohérente et aux articulations cor-
rectes, et qui peuvent souvent, en apparence, lui faire la sur-
prise de réponses et de réparties inattendues, alors
qu'elle-même est demeurée d'un bout à l'autre le poète et
l'inventeur de toute l'intrigue. Ce ne sont pas seulement la
plupart de nos clignements d'yeux à l'état de veille, mais
nos volitions nocturnes pendant le sommeil qui se font avec
peu ou pas de conscience. La respiration, ou ce mouvement
du diaphragme et d'autres muscles qui la cause (et dont nous
n'avons pas d'explication mécanique suffisante), peut donc
s'avérer être toujours un mouvement vital, bien qu'il ne soit
pas toujours animal ; car personne ne peut affirmer qu'il est
toujours conscient de cette énergie de son âme qui la produit, ni quand il est éveillé, ni moins encore quand il dort.
Pour finir, les tentatives faites par les cartésiens pour réduire
les mouvements du cœur à un mécanisme paraissent largement réfutées par les autopsies et par l'expérience, et il
semble aussi peu philosophique qu'absurde de nier que la
systole soit une contraction musculaire causée par quelque
principe vital, pour en faire une simple qualité pulsifique
corporelle de la substance même du cœur. Mais puisque
nous n'avons aucun empire volontaire sur la systole et la
diastole du cœur, nous ne sommes pas intérieurement
conscients de quelque énergie de notre propre âme qui en
soit la cause. C'est pourquoi de là aussi nous pouvons raisonnablement conclure qu'il existe une énergie vitale indépendante de toute imagination animale ou *synaesthesis*,
conscience expresse et perception de soi.

5. Sylvain RÉGIS
Système de Philosophie (1690) [1]

Tome Premier. La Logique ou l'Art de Penser, contenant les réflexions qu'on a faites sur les quatre principales opérations de l'Esprit, qui sont Apercevoir, Juger, Raisonner et Ordonner.

....

Première partie. Réflexions qu'on a faites sur la première Opération de l'Esprit, qui est la *Perception.*

Chapitre premier. Des Perceptions considérées en elles-mêmes et par rapport à leurs objets.

....

Les Perceptions sont ce qu'on appelle en général *Idées*, et l'on nomme *Idées* la simple vue des choses, qui se présentent à l'âme, sans aucune affirmation ni négation : Par exemple, connaître le Ciel, la Terre, la Mer, etc. c'est simplement apercevoir, ou avoir des idées.

Les Idées peuvent être considérées en deux manières, ou en elles-mêmes, ou par rapport à leurs objets. Quand on considère les idées en elles-mêmes, il n'y a rien de plus clair qu'elles, parce qu'il est de la nature de toute perception de se manifester par soi-même : mais quand on les considère par rapport à leurs objets, elles ne sont pas toujours claires, parce qu'on ne connaît pas toujours les rapports qu'elles ont aux choses qu'elles représentent […]

....

1. Pierre-Sylvain Régis, *Système de philosophie, contenant la logique, la métaphysique et la morale*, à Paris, imprimé chez D. Thierry, Annisson, Posuel et Rigaud, libraires à Lyon, 1690.

Quatrième partie [...]
....

Chapitre VIII. De la Science, ce qu'elle est, et en quoi elle diffère de l'opinion et de la foi.

....

Puisque nous ne nous servons de l'Analyse ou de la Synthèse que pour acquérir de la science, et par conséquent de la certitude, il faut, avant que de finir le traité de la méthode, examiner si nous sommes véritablement certains de quelque chose. On a eu là-dessus divers sentiments [...] Toutes ces opinions n'ont subsisté que dans le discours, et pas un de ceux qui en ont fait profession n'a été intérieurement persuadé de ce qu'il a dit sur ce sujet ; car bien qu'on puisse douter si l'on parle, si l'on marche, s'il y a un ciel, une terre, un soleil, des astres, etc., on ne peut néanmoins douter si l'on est, et si l'on pense, puisque soit qu'on parle, ou qu'on ne parle pas, qu'on marche ou qu'on soit assis, il est certain néanmoins que l'on est, puisque l'on pense, étant impossible de séparer l'être de la pensée, et de croire que ce qui pense ne soit pas.

Ce que je dis de la pensée se doit entendre de toutes les autres perceptions de l'âme quand on les sépare de leurs objets ; de sorte que chacun se renfermant dans soi-même, et faisant réflexion sur ce qui s'y passe, il y peut trouver une infinité de connaissances qui sont claires et distinctes.

Il y a donc de la certitude et de l'incertitude dans l'esprit [...]
....

La Métaphysique ou la connaissance des substances intelligentes et de leurs propriétés

Avertissement

Il y a plusieurs Philosophes parmi les Anciens, qui ont traité de la Métaphysique ; mais il faut avouer que jusqu'à ce siècle il ne s'en est trouvé aucun, qui ait connu assez distinctement l'objet de cette science, ayant tous confondu les vérités Métaphysiques [...] avec les choses Métaphysiques qui sont des substances intelligentes, séparées de la matière, et plutôt connues que la matière.

Les Substances intelligentes considérées en elles-mêmes se nomment en général *Esprits*, et les Esprits considérés par rapport aux corps avec lesquels ils sont unis, s'appellent Âmes.

Ce serait donc une chose inutile de vouloir porter les hommes à la connaissance de l'Esprit considéré en lui-même, parce que l'esprit étant de soi intelligible, personne ne peut ignorer ce qu'il est : mais il importe beaucoup de les exciter à connaître l'âme, laquelle n'étant pas intelligible de sa nature a besoin d'être connue par des choses qui soient intelligibles d'elles-mêmes ; ce qui fait que nous regardons la connaissance de l'âme comme la principale et la plus excellente partie de la Métaphysique.

Cette partie de la Métaphysique, quoique la plus excellente, n'est pas néanmoins la plus cultivée ni la plus achevée que nous ayons ; le commun des hommes la néglige entièrement, et entre ceux qui se piquent de science, il y en a très peu qui s'appliquent à examiner celle-là. Les uns sont persuadés qu'il n'est pas possible de connaître rien de l'Âme, ce qui vient de ce qu'ils sont tellement occupés à considérer leurs idées selon leurs Êtres objectifs, c'est-à-dire, selon la propriété qu'elles ont de représenter certaines choses plutôt que d'autres, qu'ils ne songent jamais à rentrer en eux-mêmes pour les considérer selon leur être formel, en tant qu'elles sont des modifications de leurs âmes. Les autres au contraire s'imaginent de bien connaître l'âme en la considérant simplement comme une chose qui pense, sans avoir aucun égard au rapport qu'elle a au corps avec lequel elle est unie, en quoi ils se méprennent étrangement, l'expérience faisant voir manifestement que toutes les fonctions de l'âme considérée en qualité d'Âme, dépendent absolument des mouvements du corps auquel elle est unie, ce qui rend la connaissance de cette union tout à fait nécessaire.

[...]

Livre Premier. Concernant les principes de la Certitude humaine

Première Partie : De l'existence et de la Nature de l'Esprit, du Corps, de Dieu, & de l'Homme.

Chapitre Premier : Chacun se peut assurer de sa propre existence.

[...]

Suivant ce principe, voici l'Analyse que chacun peut faire pour s'assurer de son existence. J'ai un grand nombre de connaissances ; je connais, par exemple, le Ciel, la Terre, la Mer, etc., et je ne puis pas douter de l'existence de ces connaissances, lorsque je les sépare de leurs objets, et que je les considère comme de simples perceptions par lesquelles je crois connaître le Ciel, la Terre, la Mer, etc. Or, la lumière naturelle m'apprend que si je n'étais rien, je ne pourrais pas avoir des perceptions ni des connaissances : Il faut donc que je sois quelque chose, et par conséquent que j'existe ; qui est ce que je demandais.

Je suis donc assuré que j'existe toutes les fois que je crois connaître quelque chose ; et je suis convaincu de la vérité de cette proposition, non pas par un véritable raisonnement, mais par une connaissance simple et intérieure, qui précède toutes les connaissances acquises, et que j'appelle *conscience*. En effet, quand je dis que je connais, ou que je crois connaître, ce *Je* présuppose lui-même mon existence, étant impossible que je connaisse, ou seulement que je croie connaître, et que je ne sois pas quelque chose d'existant […]

....

Seconde Partie. Des Propriétés de l'Esprit par rapport au corps auquel il est uni.

Chapitre Premier. Qu'il y a un Corps particulier qui m'appartient plus que les autres, et à raison duquel je m'appelle un *Homme*.

....

Pour me donner ensuite un Nom qui réponde au tout qui résulte de l'union de l'esprit et du corps, je m'appelle *Homme*, de sorte que par ce mot *Homme* j'entendrai à l'avenir un esprit et un corps unis ensemble, de telle sorte que l'esprit dépend du corps pour penser en plusieurs façons, et le corps dépend de l'esprit pour être mû en plusieurs manières.

Et parce que l'esprit qui fait la principale partie de ma Nature en tant que je suis un homme, a du rapport au corps avec lequel il est uni, pour signifier ce rapport je me servirai du mot d'*Âme*, de telle sorte que par *Âme* je n'entendrai pas l'esprit considéré en lui-même et selon son être absolu, selon lequel il est une substance qui pense, mais j'entendrai seulement le rapport que

l'esprit a au corps organique avec lequel il est uni ; d'où il s'ensuit que l'âme prise abstractivement ne sera autre chose *que
l'union de l'esprit avec un corps organique.*

   Suivant ce principe, je ne dirai pas en premier lieu que
l'homme pris formellement soit un être substantiel, je dirai au
contraire qu'il est un être modal, parce que l'union de l'esprit
et du corps qui constitue sa Nature, est un véritable mode. Je
dirai encore que toutes les propriétés de l'homme dépendent
aussi absolument de l'union de l'esprit et du corps, que toutes
les propriétés d'un triangle dépendent de ce qu'il est une étendue bornée de trois côtés. Je dirai enfin que le Corps et l'Esprit séparés ne sont pas plus un homme que la Mèche, et la
Cire séparée sont une bougie, c'est-à-dire que l'homme et la
bougie dépendent absolument de l'union des parties dont ils
sont composés. Je dis l'homme pris *formellement*, car si l'on
considère l'homme selon sa matière, il est évident qu'il n'y a
rien de plus substantiel que lui, puisque sa nature consiste
dans le corps et dans l'esprit qui sont les seules substances
que je connais [...]

6. LEIBNIZ
Nouveaux Essais
sur l'Entendement Humain (1703)[1]

Livre II, Chapitre XXVII : *Ce que c'est qu'identité ou diversité*

....

« § 9. PHILALETHE. Le mot de *personne* emporte un être pensant et intelligent, capable de raison et de réflexion, qui peut se considérer soi-même comme *le même*, comme une même chose, qui pense en différents temps et en différents lieux [...] On ne considère pas dans cette rencontre si le même soi est continué dans la même substance ou dans diverses substances ; car puisque la conscience (*conscious-ness* ou consciencisité) accompagne toujours la pensée, et que c'est là ce qui fait que chacun est ce qu'il nomme *soi-même* et par où il se distingue de toute autre chose pensante, c'est aussi en cela seul que consiste l'identité personnelle [...]

« THEOPHILE. Je suis aussi de cette opinion que la conscienciosité ou le sentiment du *moi* prouve une identité morale ou personnelle. Et c'est en cela que je distingue l'*incessabilité* de l'âme d'une bête de l'*immortalité* de l'âme de l'homme : l'une et l'autre garde *identité physique et réelle*, mais quant à l'homme, il est conforme aux règles de la divine providence, que l'âme garde encore l'identité morale et apparente à nous-mêmes, pour constituer la même personne, capable par conséquent de sentir les châtiments et les récompenses. Il semble

1. Gottfried Wilhelm Leibniz, *Nouveaux Essais sur l'Entendement Humain* (publiés en 1765). Nous suivons l'édition de Jacques Brunschwig (avec chronologie et introduction), Garnier-Flammarion, 1966, p. 201-209.

que vous tenez, Monsieur, que cette identité apparente se pourrait conserver quand il n'y en aurait point de réelle. Je croirais que cela se pourrait peut-être par la puissance absolue de Dieu, mais suivant l'ordre des choses, l'identité apparente à la personne même, qui se sent la même, suppose l'identité réelle à chaque *passage prochain* accompagné de réflexion ou de sentiment du *moi* : une perception intime et immédiate ne pouvant tromper naturellement. Si l'homme pouvait n'être que machine et avoir avec cela de la consciensiosité, il faudrait être de votre avis, Monsieur ; mais je tiens que cela n'est point possible au moins naturellement. Je ne voudrais point dire non plus que l'*identité personnelle* et même le *soi* ne demeurent point en nous et que je ne suis point ce *moi* qui ai été dans le berceau, sous prétexte que je ne me souviens plus de rien de tout ce que j'ai fait alors. Il suffit pour trouver l'identité morale par soi-même qu'il y ait une *moyenne liaison de consciensiosité*[2], en sorte que je ne susse point comment je serais devenu dans l'état présent, quoique je me souviendrais des choses plus éloignées, le témoignage des autres pourrait remplir le vide de ma réminiscence. On me pourrait même punir sur ce témoignage, si je venais de faire quelque mal de propos délibéré dans un intervalle, que j'eusse oublié un peu après par cette maladie. Et si je venais à oublier toutes les choses passées, et serais obligé de me laisser enseigner de nouveau jusqu'à mon nom et jusqu'à lire et écrire, je pourrais toujours apprendre des autres ma vie passée dans mon précédent état, comme j'ai gardé mes droits, sans qu'il soit nécessaire de me partager en deux personnes, et de me faire héritier de moi-même. Et tout cela suffit pour maintenir l'identité morale qui fait la même personne. Il est vrai que si les autres conspiraient à me tromper (comme je pourrais même être trompé par moi-même, par quelque vision, songe ou maladie, croyant que ce que j'ai songé me soit arrivé), l'apparence serait fausse ; mais il y a des cas où l'on peut être moralement certain de la vérité sur le rapport d'autrui : et auprès de Dieu, dont la liaison de société avec nous fait le point principal de la moralité, l'erreur ne saurait avoir lieu. Pour ce qui est du *soi*, il sera bon de le distinguer de l'*apparence du soi* et de la consciensiosité. Le *soi* fait l'identité

2. Autre version : *consciosité*.

réelle et physique, et l'*apparence du soi*, accompagnée de la vérité, y joint l'identité personnelle. Ainsi, ne voulant point dire que l'identité personnelle ne s'étend pas plus loin que le souvenir, je dirais encore moins que le *soi* ou l'identité physique en dépend. L'identité réelle et personnelle se prouve le plus certainement qu'il se peut en matière de fait, par la réflexion présente et immédiate ; elle se prouve suffisamment pour l'ordinaire par notre souvenir d'intervalle ou par le témoignage conspirant des autres : mais si Dieu changeait extraordinairement l'identité réelle, il demeurerait la personnelle, pourvu que l'homme conservât les apparences d'identité, tant les internes (c'est-à-dire la conscience) que les externes, comme celles qui consistent dans ce qui paraît aux autres. Ainsi la conscience n'est pas le seul moyen de constituer l'identité personnelle, et le rapport d'autrui et même d'autres marques y peuvent suppléer : mais il y a de la difficulté s'il se trouve contradiction entre ces diverses apparences. La conscience se peut taire comme dans l'oubli ; mais si elle disait bien clairement ce qui fut contraire aux autres apparences, on serait embarrassé dans la décision et comme suspendu quelquefois entre deux possibilités, celle de l'erreur de notre souvenir et celle de quelque déception dans les apparences externes.

....

§ 14. [...] THEOPHILE. Un être immatériel ou esprit *ne peut être dépouillé* de toute perception de son existence passée. Il lui reste des impressions de tout ce qui lui est jamais arrivé et il a même des pressentiments de tout ce qui lui arrivera : mais ces sentiments sont le plus souvent trop petits pour être distinguables et pour qu'on s'en aperçoive, quoiqu'ils pourraient peut-être se développer un jour. Cette continuation et liaison de *perceptions* fait le même individu réellement, mais les *aperceptions* (c'est-à-dire lorsqu'on s'aperçoit des sentiments passés) prouvent encore une identité morale, et font paraître l'identité réelle. La préexistence des âmes ne nous paraît pas par nos perceptions, mais si elle était véritable, elle pourrait se faire connaître un jour. Ainsi il n'est point raisonnable que la restitution du souvenir devienne à jamais impossible, les perceptions insensibles (dont j'ai fait voir l'usage en tant d'autres occasions importantes) servant encore ici à en garder les semences. Feu

M. Henri Morus, théologien de l'Église anglicane, était persuadé de la préexistence, et a écrit pour la soutenir [...]

....

§ 23. [...] THEOPHILE. J'avoue que si toutes les apparences
étaient changées et transférées d'un esprit sur un autre, ou si
Dieu faisait un échange entre deux esprits, donnant le corps
visible et les apparences et consciences de l'un à l'autre,
l'identité personnelle, au lieu d'être attachée à celle de la substance, suivrait les apparences constantes que la morale
humaine doit avoir en vue : mais ces apparences ne consiste-
ront pas dans les seules consciences, et il faudra que Dieu
fasse l'échange non seulement des aperceptions ou
consciences des individus en question, mais aussi des apparences qui se présentent aux autres à l'égard de ces personnes,
autrement il y aurait contradiction entre les consciences des
uns et le témoignage des autres, ce qui troublerait l'ordre des
choses morales. Cependant il faut qu'on m'avoue aussi que le
divorce entre le monde insensible et sensible, c'est-à-dire
entre les perceptions insensibles qui demeureront aux mêmes
substances et les aperceptions qui seraient échangées, serait
un miracle, comme lorsqu'on suppose que Dieu fait du vide ;
car j'ai dit ci-dessus pourquoi cela n'est point conforme à
l'ordre naturel. Voici une autre supposition bien plus conve-
nable : il se peut que dans un autre lieu de l'univers ou dans
un autre temps, il se trouve un globe qui ne diffère point sen-
siblement de ce globe de la terre où nous habitons, et que
chacun des hommes qui l'habitent ne diffère point sensible-
ment de chacun de nous qui lui répond [...] Il est vrai que
Dieu et les esprits capables d'envisager les intervalles et rapports externes des temps et des lieux et même les constitu-
tions internes, insensibles aux hommes des deux globes,
pourraient les discerner ; mais selon vos hypothèses, la seule
conscienciosité discernant les personnes, sans qu'il faille se
mettre en peine de l'identité ou diversité réelle de la substance
ou même de ce qui paraîtrait aux autres, comment s'empêcher
de dire que ces deux personnes, qui sont en même temps dans
ces deux globes ressemblants, mais éloignées l'une de l'autre
d'une distance inexprimable, ne sont qu'une seule et même
personne, ce qui est pourtant une absurdité manifeste [...]

7. CONDILLAC
Essai sur l'origine des connaissances humaines (1746)[1]

PREMIÈRE PARTIE : Des matériaux de nos connaissances et particulièrement des opérations de l'âme.

....

Section seconde : L'analyse et la génération des opérations de l'âme

....

Toute cette partie de la métaphysique a été jusqu'ici d'un si grand chaos, que j'ai été obligé de me faire, en quelque sorte, un nouveau langage. Il ne m'était pas possible d'allier l'exactitude avec des signes aussi mal déterminés qu'ils le sont dans l'usage ordinaire. Je n'en serai cependant que plus facile à entendre pour ceux qui me liront avec attention.

CHAPITRE PREMIER : De la perception, de la conscience, de l'attention et de la réminiscence

§ 1. La perception, ou l'impression occasionnée dans l'âme par l'action des sens, est la première opération de l'entendement. L'idée en est telle qu'on ne peut l'acquérir par aucun discours. La seule réflexion sur ce que nous éprouvons, quand nous sommes affectés de quelque sensation, peut la fournir.

....

1. Nous suivons l'édition du *Corpus général des philosophes français*, Auteurs modernes, Tome XXXIII, *Œuvres philosophiques de Condillac*, texte établi et présenté par Georges Le Roy, PUF, Paris 1947, vol. I, pp. 10-13.

§ 4. Nos recherches sont quelquefois d'autant plus difficiles que leur objet est plus simple. Les perceptions en sont un exemple. Quoi de plus facile en apparence que de décider si l'âme prend connaissance de toutes celles qu'elle éprouve ? Faut-il autre chose que de réfléchir sur soi-même ? Sans doute que tous les Philosophes l'ont fait : mais quelques-uns préoccupés de leurs principes, ont dû admettre dans l'âme des perceptions dont elle ne prend jamais connaissance ; et d'autres ont dû trouver cette opinion tout à fait inintelligible. Je tâcherai de résoudre cette question dans les paragraphes suivants. Il suffit dans celui-ci de remarquer que, de l'aveu de tout le monde, il y a dans l'âme des perceptions qui n'y sont pas à son insu. Or ce sentiment, qui lui en donne la connaissance, et qui l'avertit du moins d'une partie de ce qui se passe en elle, je l'appellerai *conscience*. Si, comme le veut Locke (*Essai*, I.i.5) l'âme n'a point de perception dont elle ne prenne connaissance, en sorte qu'il y ait contradiction qu'une perception ne soit pas connue, la perception et la conscience ne doivent être prises que pour une seule et même opération. Si au contraire le sentiment opposé était le véritable, elles seraient deux opérations distinctes ; et ce serait à la conscience et non à la perception, comme je l'ai supposé, que commencerait proprement notre connaissance.

§ 5. Entre plusieurs perceptions dont nous avons en même temps conscience, il nous arrive souvent d'avoir plus conscience des unes que des autres, ou d'être plus vivement averti de leur existence. Plus même la conscience de quelques-unes augmente, plus celle des autres diminue. Que quelqu'un soit dans un spectacle, où une multitude d'objets paraissent se disputer ses regards, son âme sera assaillie de quantité de perceptions, dont il est constant qu'il prend connaissance : mais peu à peu quelques-unes lui plairont et l'intéresseront davantage : il s'y livrera plus volontiers. Dès là il commencera à être moins affecté par les autres : la conscience en diminuera même insensiblement, jusqu'au point que, quand il reviendra à lui, il ne se souviendra pas d'en avoir pris connaissance. L'illusion qui se fait au théâtre en est la preuve [...] quoi qu'il en soit, cette opération par laquelle notre conscience, par rapport à certaines perceptions, augmente si vivement qu'elles paraissent les seules dont nous

ayons pris connaissance, je l'appelle *attention*. Ainsi être attentif à une chose, c'est avoir plus conscience des perceptions qu'elle fait naître, que de celles que d'autres produisent, en agissant comme elle sur nos sens ; et l'attention a été d'autant plus grande, qu'on se souvient moins de ces dernières.

§ 6. Je distingue donc deux sortes de perceptions parmi celles dont nous avons conscience : les unes dont nous nous souvenons au moins le moment suivant, les autres que nous oublions aussitôt que nous les avons eues. Cette distinction est fondée sur l'expérience que je viens d'apporter. Quelqu'un qui s'est livré à l'illusion se souviendra fort bien de l'impression qu'a fait sur lui une scène vive et touchante, mais il ne se souviendra pas toujours de celle qu'il recevait en même temps du reste du spectacle.

....

§ 12. Non seulement nous oublions ordinairement une partie de nos perceptions, mais quelquefois nous les oublions toutes. Quand nous ne fixons point notre attention, en sorte que nous recevons les perceptions qui se produisent en nous, sans être plus avertis des unes que des autres, la conscience en est si légère, que, si l'on nous retire de cet état, nous ne nous souvenons pas d'en avoir éprouvé. Je suppose qu'on me présente un tableau fort composé, dont à première vue les parties ne me frappent pas plus vivement les unes que les autres ; et qu'on me l'enlève avant que j'aie eu le temps de le considérer en détail : il est certain qu'il n'y a aucune de ses parties sensibles qui n'ait produit en moi des perceptions ; mais la conscience en a été si faible, que je ne puis m'en souvenir. Cet oubli ne vient pas de leur peu de durée. Quand on supposerait que j'ai eu pendant longtemps les yeux attachés sur ce tableau, pourvu qu'on ajoute que je n'ai pas rendu tour à tour plus vive la conscience des perceptions de chaque partie ; je ne serai pas plus en état, au bout de plusieurs heures, d'en rendre compte, qu'au premier instant [...]

§ 13. Concluons que nous ne pouvons tenir aucun compte du plus grand nombre de nos perceptions, non qu'elles aient été sans conscience, mais parce qu'elles sont oubliées un instant après. Il n'y en a donc point dont l'âme ne prenne connaissance. Ainsi la perception et la conscience ne sont qu'une même opération sous deux noms. En tant qu'on ne la

considère que comme une impression dans l'âme, on peut lui
conserver celui de perception ; en tant qu'elle avertit l'âme de
sa présence, on peut lui donner celui de conscience. C'est en
ce sens que j'emploierai désormais ces deux mots.

BIBLIOGRAPHIE [1]

1. Éditions et traductions de Locke

The Works of John Locke, New Edition in Ten Volumes, Londres 1823 (seule édition d'ensemble « complète » à ce jour; contient notamment in vol. IV : *Letters to the Right Reverend Edward, Lord Bishop of Worcester*; vol. VII : *The Reasonableness of Christianity*; *A Vindication of the Reasonableness of Christianity*; *A Second Vindication...*; vol. IX : *Posthumous Works [...]* II. *An Examination of P. Malebranche's Opinion of seeing all Things in God*).

An Essay concerning Human Understanding, Edited by John Yolton, Revised Edition, *Everyman's Library*, J.M. Dent and Sons, Londres 1965 (éd. abrégée 1993).

An Essay concerning Human Understanding, Edited with an introduction by Peter H. Nidditch, Oxford University Press 1975. (reprinted 1990).

An Early Draft of Locke's Essay, ed. R.I. Aaron and J. Gibb, Clarendon Press, Oxford 1936.

Drafts for the Essay concerning Human Understanding and other Philosophical Writings. Vol. I, ed. P. Nidditch and G.A.J. Rogers, Clarendon Press, Oxford 1990 (Le Vol. II est annoncé sous la responsabilité de G.A.J. Rogers).

Two Treatises of Government, A critical Edition with an Introduction and Apparatus criticus by Peter Laslett, Revised Edition, Cambridge University Press 1963.

1. Cette bibliographie complémentaire ne reprend pas la totalité des ouvrages et articles qui ont été cités précédemment en notes.

A Paraphrase and Notes on the Epistles of St Paul, ed. A.W. Wainwright, Clarendon Press, Oxford 1987.

The Correspondence of John Locke, Edited by E.S. De Beer in Eight Volumes, Clarendon Press, Oxford 1978.

Essai philosophique concernant l'entendement humain (trad. Coste, reprint de la cinquième édition par les soins de E. Naert), Librairie Vrin, Paris 1972.

Le Second Traité du Gouvernement, trad. et présent. par J. F. Spitz, PUF, Paris 1994.

Examen de la « Vision en Dieu » de Malebranche, Introduction, traduction et notes par J. Pucelle, Librairie Vrin, Paris 1978.

2. Commentaires et études sur Locke

ALLISON Henry E. : « Locke's Theory of Personal Identity : a re-examination », in *Locke on Human Understanding*, Selected Essays edited by I.C. Tipton, Oxford University Press 1977.

ALTHUSSER Louis : Compte rendu de Raymond Polin, *La Politique morale de John Locke*, in Revue d'Histoire moderne et contemporaine, 36/2, 1962.

ASHCRAFT Robert : *Revolutionary Politics and Locke's Two Treatises of Government*, Princeton University Press 1986 (tr. fr. PUF 1995).

ASHCRAFT Robert (ed.) : *John Locke. Critical Assessments*, 4 volumes, Londres 1991.

AYERS Michael : *Locke, Epistemology and Ontology*, « The Arguments of the Philosophers », Routledge, Londres 1991.

BEHAN D.P. : « Locke on Persons and Personal Identity », *Canadian Journal of Philosophy*, 9/1, 1979.

BRYKMAN Geneviève : « Sensibles communs et sens commun chez Locke et Berkeley », *Revue de Métaphysique et de morale*, 4, 1991.

BRYKMAN Geneviève : « Les deux christianismes de Locke et de Toland », in *John Toland (1670-1722) et la crise de conscience européenne, Revue de synthèse*, 2-3, 1995.

CARUTH Cathy : *Empirical Truths and Critical Fictions. Locke, Wordsworth, Kant, Freud*, The Johns Hopkins University Press, Baltimore 1991.

CRANSTON Maurice : *John Locke. A Biography*, Longmans, Londres 1957 (2e éd. Oxford, 1985).

CURLEY Edwin : « Leibniz on Locke on Identity », in HOOKER M. (ed.), *Leibniz : Critical and Interpretive Essays*, Minneapolis 1982.

DELBOS Victor : « Le « cogito » de Descartes et la philosophie de Locke », *L'année philosophique*, 1913.

DUCHESNEAU François : *L'Empirisme de Locke*, Martinus Nijhoff, La Haye 1973.

DUNN John : « L'exigence de liberté de conscience : liberté de parole, liberté de pensée, liberté de culte ? », *Philosophie*, 37, 1993.

FIRPO Massimo : « John Locke e il Socinianesimo », *Rivista Storica Italiana*, 92, 1980.

GÄBE Lüder : « Zur Apriloritätsproblematik bei Leibniz-Locke in ihrem Verhältnis zu Descartes und Kant », in WAGNER Hans (Hrg) : *Sinnlichkeit und Verstand in der deutschen und französischen Philosophie von Descartes bis Hegel*, Bonn 1976.

HUGHES Christopher : « Same-Kind Coincidence and the Ship of Theseus », *Mind*, 106, 1997.

JOLLEY Nicholas : *Leibniz and Locke : A Study of the New Essays on Human Understanding*, Clarendon Press, Oxford 1984.

KLEVER Wim : « Slocke, alias Locke in spinozistic profile », in *Disguised and Overt Spinozism around 1700*, edited by W. van Bunge and W. Klever, E.J. Brill, Leiden 1996.

MACPHERSON Crawford Brough : *The Political Theory of Possessive Individualism. Hobbes to Locke*, Oxford University Press, 1962 (*La théorie politique de l'individualisme possessif*, Gallimard, Paris 1971).

MARSHALL John : *John Locke. Resistance, Religion and Responsibility*, Cambridge University Press 1994.

MATTHEWS E. : « Descartes and Locke on the Concept of a Person », *Locke Newsletter*, 8.

MICHAUD Yves : *Locke*, Bordas, Paris 1986.

NAERT Émilienne : « La conscience de soi ou « self-consciousness » chez Locke », in R. ELLRODT (dir.) : *Genèse de la conscience moderne. Études sur le développement de la conscience de soi dans les littératures du monde occidental*, PUF, Paris 1983.

O'DONNELL N. : « Mr. Locke and the Ladies : The Indelible Words on the *Tabula Rasa* », *Studies in Eighteenth-Century Culture*, 8, 1979.

OLIVECRONA K. : « Locke's Theory of Appropriation », *Philosophical Quarterly*, 24/96, 1974.

ROGERS G.A.J. : « Zur Entstehungsgeschichte des *Essay Concerning Human Understanding* », in THIEL 1997.

THIEL Udo : « Locke's Concept of Person », in BRANDT R. (ed.), *John Locke. Symposium Wolfenbüttel 1979*, Walter de Gruyter, Berlin-New York 1981.

THIEL Udo : *Lockes Theorie der Personalen Identität*, Bonn 1983.

THIEL Udo (Hrsg.) : *John Locke. Essay über den menschlichen Verstand*, Klassiker Auslegen, Band 6, Akademie Verlag, Berlin 1997.

THIEL Udo : « Individuation und Identität, *Essay* II. xxvii », in THIEL 1997.

WIGGINS David : « Locke, Butler and the Stream of Consciousness : And Men as a Natural Kind », in *The Identity of Persons*, ed. by A.O. Rorty, University of California Press 1976.

YOLTON John W. : *Locke. An Introduction*, Basil Blackwell, Oxford 1985.

3. Autres textes classiques et commentaires

Archives de philosophie, N° spécial R. Cudworth, 58, 1995.

ARNAULD et NICOLE : *La Logique ou l'art de penser* (1662), Librairie Vrin, Paris 1981.

ARNAULD Antoine : *Des vraies et des fausses idées* (1683), rééd. Corpus des œuvres de philosophie en langue française, Fayard, Paris 1986.

BODEI Remo : *Géométrie des passions. Peur, espoir, bonheur : de la philosophie à l'usage politique*, tr. fr., PUF, Paris 1997.

CASSIRER Ernst : *Die Platonische Renaissance und die Schule von Cambridge*, Studien der Bibliothek Warburg, 1932 (*The Platonic Renaissance in England*, Londres et Edimbourg 1953).

CASSIRER Ernst : *La Philosophie des Lumières*, tr. fr. par P. Quillet, Fayard, Paris 1966 (rééd. Presses-Pocket Agora 1986).

COLIE Rosalie L. : *Light and Enlightenment. A Study of the Cambridge Platonists and the Dutch Arminians*, Cambridge University Press 1957.

CRISTOFOLINI Paolo : « Sul problema cartesiano della memoria intellettuale », in *Il Pensiero*, VII/3, 1962.

DESCARTES René : *Discours de la méthode*, Texte et Commentaire par Étienne Gilson, Librairie Vrin, Paris 1925 (4ᵉ édition, 1966).

ÉCOLE Jean : *La Métaphysique de Christian Wolff*, 2 vol. (Christian Wolff, *Gesammelte Werke. Materialien und Dokumente*, 12.1/12.2), Georg Olms, Hildesheim 1990.

GOUHIER Henri : *Cartésianisme et Augustinisme au XVIIᵉ siècle*, Librairie Vrin, Paris 1978.

HAMILTON William : « Note on Consciousness » et « Note on the history of the terms Consciousness, Attention, and Reflection », in *The Works of Thomas Reid*, now fully collected [...] by Sir William Hamilton [...], Vol. II, Edinburgh 1863.

HEGEL G.W.F. : *Leçons sur l'histoire de la philosophie*, Cours de 1825-1826, tome 6, « La philosophie moderne », 2ᵉ division, « Période de l'entendement pensant », traduction et présentation par P. Garniron, Librairie Vrin, Paris 1985.

KAMBOUCHNER Denis : « La Troisième intériorité. L'institution naturelle des passions et la notion cartésienne du "sens intérieur" », *Revue philosophique*, 4, 1988.

MARION Jean-Luc : *Questions cartésiennes*, I et II, PUF, Paris 1991 et 1996.

MCRAE Robert : « *Idea* as a philosophical term in the Seventeenth Century », *Journal of the History of ideas*, 26, 1965.

MCRAE Robert : « Descartes' Definition of Thought », in *Cartesian Studies*, edited by R.J. Butler, Basil Blackwell, Oxford 1972.

MORE Henry : *The Immortality of the Soul*, Edited by A. Jacob, Martinus Nijhoff Publishers, La Haye 1987.

NEWTON Isaac : *Philosophiae Naturalis Principia Mathematica*, éd. par I.B. Cohen, Harvard University Press, Cambridge (USA) 1972.

PÉPIN Jean : « Le problème de la communication des consciences chez Plotin et saint Augustin », *Revue de Métaphysique et de Morale*, 55, 1950.

PÉPIN Jean : « Note nouvelle sur le problème de la communication des consciences chez Plotin et saint Augustin », *Revue de Métaphysique et de Morale*, 56, 1951.

RODIS (LEWIS) Geneviève : *Le Problème de l'inconscient et le cartésianisme*, PUF, Paris 1950.

RODIS-LEWIS Geneviève : *L'Anthropologie cartésienne*, PUF, Paris 1990.

SAINT AUGUSTIN : *Le Maître* (suivi de *Le Libre arbitre*), Introduction, traduction et notes par Goulven Madec, Bibliothèque Augustinienne, Œuvres de saint Augustin, vol. 6, 3ᵉ éd., Desclée de Brouwer, 1976.

SAINT AUGUSTIN : *Les Confessions*, Introduction et notes par A. Solignac, Traduction de E. Tréhorel et G. Bouissou, Bibliothèque Augustinienne, Œuvres de saint Augustin, vol. 13 et 14, 2ᵉ éd. avec add. et corr., Desclée de Brouwer, 1992.

THIEL Udo : « Cudworth and Seventeenth-Century Theories of Consciousness », in GAUKROGER S. (ed.) : *The Uses of Antiquity. The Scientific Revolution and the Classical tradition*, Reidel, Dordrecht 1991.

WOLFF Christian : *Psychologia Empirica* (ed. J. École), in Chr. Wolff, *Gesammelte Werke*, hrsg. von J. École, etc., II. Abt., Bd 5, Georg Olms, Hildesheim 1968.

4. *Études sur l'invention de la conscience et la théorie classique du sujet*

BALIBAR Étienne : « Sujet, individu, citoyen : Qu'est-ce que « l'homme » des philosophes au XVIIᵉ siècle ? » in COLEMAN Janet (dir.) : *L'Individu dans la théorie politique et dans la pratique*, PUF, Paris 1996.

BENOIST Jocelyn : « La subjectivité », in KAMBOUCHNER Denis (dir.) : *Notions de Philosophie*, vol. II, Gallimard, Paris 1995.

BRUNSCHVICG Léon : *Le Progrès de la conscience dans la philosophie occidentale*, Librairie Félix Alcan, Paris 1927.

CANGUILHEM Georges : *La Formation du concept de réflexe aux XVIIᵉ et XVIIIᵉ siècles*, P.U.F., Paris 1955.

CANGUILHEM, Georges : *Qu'est-ce que la psychologie ?* (1956), in *Études d'histoire et de philosophie des sciences*, Librairie Vrin, Paris 1968.

CANGUILHEM Georges : « Le cerveau et la pensée » (1980), rééd. in *Georges Canguilhem, Philosophe, historien des sciences*, Albin Michel, Paris 1992.

CARPENTIER René : « Conscience », in *Dictionnaire de spiritualité ascétique et mystique* [...] sous la direction de Charles Baumgartner, S.J., II/2, Éditions Beauchesne, Paris s.d.

DERRIDA Jacques : *L'Archéologie du frivole* [Introduction à l'*Essai sur l'origine des connaissances humaines* de Condillac, rééd.], Galilée, Paris 1990.

DIEMER A. : « Bewusstsein », in J. Ritter, K. Gründer (Hrg.), *Historisches Wörterbuch der Philosophie*, 1971.

GLYN-DAVIES Catherine : Conscience *as consciousness : the idea of self awareness in French philosophical writing from Descartes to Diderot*, The Voltaire Foundation, Oxford 1990.

KITTSTEINER, Heinz D. : *Die Entstehung des modernen Gewissens*, Wissenschaftliche Buchgesellschaft, Darmstadt 1992 (*La naissance de la conscience moderne*, Éditions du Cerf, 1997).

PERKINS Jean, *The Concept of the Self in the French Enlightenment*, Droz, Genève, 1969.

5. Travaux contemporains susceptibles d'éclairer le texte de Locke

CUMMING Robert Denoon : *Human Nature and History. A Study of the Development of Liberal Political Thought*, 2 vol., The University of Chicago Press, 1969.

DELEUZE Gilles : « Klossowski ou les corps-langages », in *Logique du sens*, Les Éditions de Minuit, Paris 1969.

DESCOMBES Vincent : « Le pouvoir d'être soi », *Critique*, n° 529-530, juin-juillet 1991.

ELSTER Jon (ed.) : *The Multiple Self*, Cambridge University Press 1986.

FOUCAULT Michel : *Les Mots et les choses,* Gallimard, Paris 1966.

FOUCAULT Michel : *Le Souci de soi*, Gallimard, Paris 1984.

FRANK Manfred : *Selbstbewusstseinstheorien von Fichte bis Sartre* (anthologie suivie d'un Essai : *Fragmente einer Geschichte der Selbstbewusstseins-Theorie von Kant bis Sartre*), Suhrkamp, Francfort 1991.

GROETHUYSEN Bernard : *Anthropologie philosophique*, Gallimard, Paris 1953 (rééd. 1980).

GUENANCIA Pierre : « L'identité », in KAMBOUCHNER Denis (dir.) : *Notions de Philosophie*, vol. II, Gallimard, Paris 1995.

HUSSERL Edmund : *Leçons pour une phénoménologie de la conscience intime du temps,* traduction par H. Dussort, Préface de G. Granel, PUF, Paris 1964.

HUSSERL Edmund : *Philosophie première, I : Histoire critique des idées,* PUF, Paris 1970.

JAMES William : « The Divided Self and the Process of its Unification », repr. in *The Varieties of Religious Experience* (1902), Harvard University Press, Cambridge (USA) 1982.

JAMES William : *Essays in Radical Empiricism* (1912), Harvard University Press, Cambridge (USA) 1976.

KOHUT Heinz : *The Analysis of the Self,* International Universities Press, New York 1971 *(Le Soi,* PUF 1974).

LACAN Jacques : *Le Séminaire. Livre XI (1964) : Les quatre concepts fondamentaux de la psychanalyse,* texte établi par J.-A. Miller, Éditions du Seuil, Paris 1973.

MAUSS Marcel : « Une catégorie de l'esprit humain : la notion de "personne", celle de "moi" » (1938), rééd. in *Sociologie et Anthropologie,* Introduction par Cl. Lévi-Strauss, PUF, Paris 1960.

MEAD George Herbert : *Mind, Self and Society from the Standpoint of a Social Behaviorist* (1934) (tr. fr. *L'Esprit, le soi et la société,* PUF, Paris 1963).

MONTEFIORE Alan : « Reflexivity and responsibility », in DURFEE Harold A. and RODIER David F.T. (eds.) : *Phenomenology and beyond : the self and its language,* Kluwer Academic Publishers, 1989.

MONTEFIORE Alan : « Identité morale. L'identité morale et la personne », in CANTO-SPERBER Monique (dir.) : *Dictionnaire d'éthique et de philosophie morale,* PUF, Paris 1996.

OKSENBERG RORTY Amélie : *Mind in Action. Essays in the Philosophy of Mind,* Beacon Press, Boston 1988.

PARFIT Derek : *Reasons and Persons,* Oxford University Press 1984.

RENAUT Alain : *L'Ère de l'individu. Contribution à une histoire de la subjectivité,* Gallimard, Paris 1989.

RORTY Richard : *Philosophy and the Mirror of Nature,* Princeton University Press 1979 *(L'Homme spéculaire,* Seuil, Paris 1990).

RYLE Gilbert : *The Concept of Mind,* Hutchinson & Co., Londres 1949 (reprinted Barnes and Noble Books, New York) *(La Notion d'esprit,* Préface de F. Jacques, Payot, Paris 1978).

SARTRE Jean-Paul : *La Transcendance de l'ego. Esquisse d'une description phénoménologique* (1934), Introduction, notes et appendices par Sylvie Le Bon, Librairie Vrin, Paris 1988.

STRAWSON Peter F. : *Les Individus*, tr. fr. Ed. du Seuil, Paris 1973 *(Individuals,* Londres 1957).

SWAIN Gladys : *Dialogue avec l'insensé. Essais d'histoire de la psychiatrie*, Gallimard, Paris 1994.

TAYLOR Charles : *Sources of the Self. The Making of the Modern Identity*, Cambridge University Press 1989.

TUGENDHAT Ernst : *Selbstbewusstsein und Selbstbestimmung. Sprachanalytische Interpretationen*, Suhrkamp, Frankfurt 1979 (tr. fr. *Conscience de soi et autodétermination*, A. Colin, Paris, 1995).

WILLIAMS Bernard : *Problems of the Self. Philosophical Papers 1956-1972*, Cambridge University Press 1973.

Table

I. Introduction. Le traité lockien de l'identité 9

1. Une énigme de traduction : l'« expédient »
de Pierre Coste 12

2. L'invention européenne de la conscience 29

   2.1. Cogito *et* cogitatio *: éthique
   et métaphysique de la certitude
   de soi-même chez Descartes* 32

   *2.2. L'idée d'une métaphysique de l'âme
   chez les « cartésiens » français* 45

   *2.3. Conscience en tant que méconnaissance :
   Malebranche* 50

   2.4. « Sunaisthêsis, Con-sense
   and Consciousness » :
   le néologisme de Cambridge 57

3. *Mind, Consciousness, Identity* : l'isolement
du « mental » dans l'*Essay concerning Human
Understanding* 63

   3.1. Le mental et le verbal 67

   3.2. Le principe d'identité 71

   3.3. L'origine des idées et le sens interne 76

4. La conscience sujet : le Soi ou la Responsabilité 84

5. Intérieur/Extérieur : la « topique » lockienne
de la conscience 91

II. Textes 103

Traduction de COSTE : *Ce que c'est qu'*Identité,
et Diversité (Chapitre xxvii du Livre II de
l'*Essai philosophique concernant l'entendement
humain* par M. Locke) 104

LOCKE : *Of Identity and Diversity, An Essay
concerning Human Understanding,* II, xxvii
(texte anglais et traduction nouvelle) 132

III. Glossaire 183

IV. Dossier 263

   1. Extraits de DESCARTES (1641 à 1648) 265

   2. Louis DE LA FORGE : *Traité de l'Esprit
      de l'Homme* (1666) (extraits) 274

   3. MALEBRANCHE : *De la Recherche de la Vérité*
      (1674) et *Éclaircissements sur la Recherche
      de la Vérité* (1678) (extraits) 282

   4. Ralph CUDWORTH : *The True Intellectual System
      of the Universe* (1678) (extrait) (texte anglais
      et traduction) 292

   5. Sylvain RÉGIS : *Système de Philosophie* (1690)
      (extraits) 304

   6. LEIBNIZ : *Nouveaux Essais sur l'Entendement
      Humain* (1703) (extrait) 309

   7. CONDILLAC : *Essai sur l'origine des connaissances
      humaines* (1756) (extrait) 313

V. Bibliographie 317

Points Essais

SÉRIE BILINGUE

L'Être et l'Essence
Le vocabulaire médiéval de l'ontologie
Thomas d'Aquin et Dietrich de Freiberg
traduction et commentaires
par Alain de Libera et Cyrille Michon

De la liberté du chrétien et Préfaces à la Bible
La naissance de l'allemand philosophique
Martin Luther
traduction et commentaires par Philippe Büttgen

Esquisses pyrrhoniennes
Sextus Empiricus
traduction et commentaires par Pierre Pellegrin

De l'ontologie
et autres textes sur les fictions
Jeremy Bentham
texte anglais établi par Philip Schofield
traduction et commentaires par Jean-Pierre Cléro
et Christian Laval

Sur la nature ou sur l'étant
La langue de l'être ?
Parménide
traduction et commentaires par Barbara Cassin

Éthique
Spinoza
traduction et commentaires par Bernard Pautrat

Essai d'autocritique
et autres préfaces
Nietzsche
traduction et commentaires par Marc de Launay

L'Histoire d'Homère à Augustin
Préfaces des historiens et textes sur l'histoire
traduction par Michel Casevitz
commentaires par François Hartog

Des différentes méthodes du traduire
et autre texte
Friedrich Schleiermacher
traduction par Antoine Berman et Christian Berner
commentaire par Christian Berner

L'Harmonie des langues
G.-W. Leibniz
traduction et commentaires par Marc Crépon

Sur le caractère national des langues
et autres écrits sur le langage
Wilhelm von Humboldt
traduction et commentaires par Denis Thouard

La Métaphore baroque
D'Aristote à Tesauro
Extraits du *Cannocchiale Aristotelico* et autres textes
traduction et commentaires par Yves Hersant

Système sceptique et autres systèmes
David Hume
traduction et commentaires par Michel Malherbe

Catégories
Aristote
traduction et commentaires
de Frédérique Ildefonse et Jean Lallot

Contre les Professeurs
Sextus Empiricus
traduction par C. Dalimier, D. et J. Delattre, B. Pérez
sous la direction de P. Pellegrin
commentaires par Pierre Pellegrin

Les Purifications
Empédocle
traduction et commentaires par Jean Bollack

En guise de contribution
à la grammaire et à l'étymologie du mot « être »
Martin Heidegger
traduction et commentaires par Pascal David

Amours plurielles
Doctrines médiévales du rapport amoureux
de Bernard de Clairvaux à Boccace
traduction et commentaires
par Ruedi Imbach et Iñigo Atucha

Philosopher à Bagdad au Xe siècle
Al-Fārābī
notes et introduction d'Ali Benmakhlouf
traduction de l'arable par Stéphane Diebler
glossaire par Pauline Koetschet

IMPRESSION : NORMANDIE ROTO IMPRESSION S.A.S. À LONRAI
DÉPÔT LÉGAL : SEPTEMBRE 1998. N° 26300-3 (104661)
IMPRIMÉ EN FRANCE

Éditions Points

Le catalogue complet de nos collections est sur Le Cercle Points, ainsi que des interviews d'auteurs, des jeux-concours, des conseils de lecture, des extraits en avant-première…

www.lecerclepoints.com

Collection Points Essais

DERNIERS TITRES PARUS

24. L'Écriture et l'Expérience des limites
    par Philippe Sollers
25. La Charte d'Athènes, *par Le Corbusier*
26. Peau noire, Masques blancs, *par Frantz Fanon*
28. Le Phénomène bureaucratique, *par Michel Crozier*
34. Les Stars, *par Edgar Morin*
35. Le Degré zéro de l'écriture
    suivi de Nouveaux Essais critiques, *par Roland Barthes*
43. Le Hasard et la Nécessité, *par Jacques Monod*
44. Le Structuralisme en linguistique, *par Oswald Ducrot*
49. Le Cas Dominique, *par Françoise Dolto*
51. Trois Essais sur le comportement animal et humain
    par Konrad Lorenz
55. Pour la sociologie, *par Alain Touraine*
57. L'Enfant, sa « maladie » et les autres, *par Maud Mannoni*
61. Psychanalyser, *par Serge Leclaire*
63. Mort de la famille, *par David Cooper*
65. La Convivialité, *par Ivan Illich*
69. Psychanalyse et Pédiatrie, *par Françoise Dolto*
70. S/Z, *par Roland Barthes*
71. Poésie et Profondeur, *par Jean-Pierre Richard*
73. Introduction à la littérature fantastique
    par Tzvetan Todorov
74. Figures I, *par Gérard Genette*
75. Dix Grandes Notions de la sociologie, *par Jean Cazeneuve*
76. Mary Barnes, un voyage à travers la folie
    par Mary Barnes et Joseph Berke
77. L'Homme et la Mort, *par Edgar Morin*
78. Poétique du récit, *par Roland Barthes,*
    Wayne Booth, Wolfgang Kayser et Philippe Hamon
80. Le Macroscope, *par Joël de Rosnay*
82. Système de la peinture, *par Marcelin Pleynet*

83. Pour comprendre les médias, *par M. McLuhan*
84. L'Invasion pharmaceutique
par Jean-Pierre Dupuy et Serge Karsenty
85. Huit Questions de poétique, *par Roman Jakobson*
89. La Dimension cachée, *par Edward T. Hall*
90. Les Vivants et la Mort, *par Jean Ziegler*
91. L'Unité de l'homme, *par le Centre Royaumont*
1. Le primate et l'homme
par E. Morin et M. Piattelli-Palmarini
94. Pensées, *par Blaise Pascal*
96. Semeiotiké, recherches pour une sémanalyse
par Julia Kristeva
97. Sur Racine, *par Roland Barthes*
98. Structures syntaxiques, *par Noam Chomsky*
99. Le Psychiatre, son « fou » et la psychanalyse
par Maud Mannoni
100. L'Écriture et la Différence, *par Jacques Derrida*
102. Une logique de la communication
par P. Watzlawick, J. Helmick Beavin, Don D. Jackson
106. Figures II, *par Gérard Genette*
107. L'Œuvre ouverte, *par Umberto Eco*
108. L'Urbanisme, *par Françoise Choay*
109. Le Paradigme perdu, *par Edgar Morin*
110. Dictionnaire encyclopédique des sciences du langage
par Oswald Ducrot et Tzvetan Todorov
111. L'Évangile au risque de la psychanalyse, tome 1
par Françoise Dolto
115. De la psychose paranoïaque dans ses rapports
avec la personnalité, *par Jacques Lacan*
116. Sade, Fourier, Loyola, *par Roland Barthes*
117. Une société sans école, *par Ivan Illich*
120. Poétique de la prose, *par Tzvetan Todorov*
123. La Méthode
1. La nature de la nature, *par Edgar Morin*
124. Le Désir et la Perversion, *ouvrage collectif*
125. Le Langage, cet inconnu, *par Julia Kristeva*
126. On tue un enfant, *par Serge Leclaire*
127. Essais critiques, *par Roland Barthes*
128. Le Je-ne-sais-quoi et le Presque-rien
1. La manière et l'occasion, *par Vladimir Jankélévitch*
129. L'Analyse structurale du récit, Communications 8
ouvrage collectif
130. Changements
par Paul Watzlawick, John Weakland et Richard Fisch
131. Onze Études sur la poésie moderne, *par Jean-Pierre Richard*
132. L'Enfant arriéré et sa mère, *par Maud Mannoni*
134. Le Je-ne-sais-quoi et le Presque-rien
2. La méconnaissance, *par Vladimir Jankélévitch*

135. Le Plaisir du texte, *par Roland Barthes*
136. La Nouvelle Communication, *ouvrage collectif*
138. Théories du langage, Théories de l'apprentissage
      par le Centre Royaumont
139. Baudelaire, la Femme et Dieu, *par Pierre Emmanuel*
140. Autisme et Psychose de l'enfant, *par Frances Tustin*
141. Le Harem et les Cousins, *par Germaine Tillion*
142. Littérature et Réalité, *ouvrage collectif*
143. La Rumeur d'Orléans, *par Edgar Morin*
145. L'Évangile au risque de la psychanalyse, tome 2
      par Françoise Dolto
147. Système de la mode, *par Roland Barthes*
148. Démasquer le réel, *par Serge Leclaire*
149. Le Juif imaginaire, *par Alain Finkielkraut*
150. Travail de Flaubert, *ouvrage collectif*
151. Journal de Californie, *par Edgar Morin*
152. Pouvoirs de l'horreur, *par Julia Kristeva*
154. La Foi au risque de la psychanalyse
      par Françoise Dolto et Gérard Sévérin
157. Enquête sur les idées contemporaines
      par Jean-Marie Domenach
158. L'Affaire Jésus, *par Henri Guillemin*
160. Le Langage silencieux, *par Edward T. Hall*
161. La Rive gauche, *par Herbert R. Lottman*
162. La Réalité de la réalité, *par Paul Watzlawick*
164. Dandies, *par Roger Kempf*
167. Le Traité du sablier, *par Ernst Jünger*
168. Pensée de Rousseau, *ouvrage collectif*
169. La Violence du calme, *par Viviane Forrester*
170. Pour sortir du XXᵉ siècle, *par Edgar Morin*
172. Sexualités occidentales, Communications 35
      ouvrage collectif
174. La Révolution du langage poétique, *par Julia Kristeva*
175. La Méthode
      2. La vie de la vie, *par Edgar Morin*
176. Théories du symbole, *par Tzvetan Todorov*
177. Mémoires d'un névropathe, *par Daniel Paul Schreber*
180. La Sociologie des organisations, *par Philippe Bernoux*
181. Théorie des genres, *ouvrage collectif*
182. Le Je-ne-sais-quoi et le Presque-rien
      3. La volonté de vouloir, *par Vladimir Jankélévitch*
185. Théâtres, *par Bernard Dort*
186. Le Langage du changement, *par Paul Watzlawick*
187. Lettre ouverte à Freud, *par Lou Andreas-Salomé*
188. La Notion de littérature, *par Tzvetan Todorov*
190. Le Langage et son double, *par Julien Green*
191. Au-delà de la culture, *par Edward T. Hall*
192. Au jeu du désir, *par Françoise Dolto*

197. Zola, *par Marc Bernard*
203. Le Paradoxe de la morale, *par Vladimir Jankélévitch*
204. Saint-Exupéry, *par Luc Estang*
205. Leçon, *par Roland Barthes*
207. François Mauriac
     2. Un citoyen du siècle (1933-1970), *par Jean Lacouture*
208. Proust et le Monde sensible, *par Jean-Pierre Richard*
211. Les Sociologies contemporaines, *par Pierre Ansart*
212. Le Nouveau Roman, *par Jean Ricardou*
214. Les Enfants d'Athéna, *par Nicole Loraux*
215. La Grèce ancienne, tome 1
     par Jean-Pierre Vernant et Pierre Vidal-Naquet
217. Le Séminaire. Livre XI, *par Jacques Lacan*
218. Don Juan ou Pavlov
     par Claude Bonnange et Chantal Thomas
219. L'Aventure sémiologique, *par Roland Barthes*
220. Séminaire de psychanalyse d'enfants, tome 1
     par Françoise Dolto
221. Séminaire de psychanalyse d'enfants, tome 2
     par Françoise Dolto
222. Séminaire de psychanalyse d'enfants
     tome 3, Inconscient et destins, *par Françoise Dolto*
224. Vide et Plein, *par François Cheng*
225. Le Père : acte de naissance, *par Bernard This*
226. La Conquête de l'Amérique, *par Tzvetan Todorov*
227. Temps et Récit, tome 1, *par Paul Ricœur*
228. Temps et Récit, tome 2, *par Paul Ricœur*
229. Temps et Récit, tome 3, *par Paul Ricœur*
230. Essais sur l'individualisme, *par Louis Dumont*
231. Histoire de l'architecture et de l'urbanisme modernes
     1. Idéologies et pionniers (1800-1910), *par Michel Ragon*
232. Histoire de l'architecture et de l'urbanisme modernes
     2. Naissance de la cité moderne (1900-1940)
     par Michel Ragon
233. Histoire de l'architecture et de l'urbanisme modernes
     3. De Brasilia au post-modernisme (1940-1991)
     par Michel Ragon
234. La Grèce ancienne, tome 2
     par Jean-Pierre Vernant et Pierre Vidal-Naquet
235. Quand dire, c'est faire, *par J. L. Austin*
236. La Méthode
     3. La Connaissance de la Connaissance, *par Edgar Morin*
238. Une place pour le père, *par Aldo Naouri*
239. L'Obvie et l'Obtus, *par Roland Barthes*
240. Mythe et société en Grèce ancienne, *par Jean-Pierre Vernant*
241. L'Idéologie, *par Raymond Boudon*
242. L'Art de se persuader, *par Raymond Boudon*
243. La Crise de l'État-providence, *par Pierre Rosanvallon*

244. L'État, *par Georges Burdeau*
245. L'homme qui prenait sa femme pour un chapeau
    par Oliver Sacks
246. Les Grecs ont-ils cru à leurs mythes ?, *par Paul Veyne*
247. La Danse de la vie, *par Edward T. Hall*
248. L'Acteur et le Système
    par Michel Crozier et Erhard Friedberg
249. Esthétique et Poétique, *collectif*
250. Nous et les Autres, *par Tzvetan Todorov*
251. L'Image inconsciente du corps, *par Françoise Dolto*
252. Van Gogh ou l'Enterrement dans les blés
    par Viviane Forrester
253. George Sand ou le Scandale de la liberté, *par Joseph Barry*
254. Critique de la communication, *par Lucien Sfez*
256. La Grèce ancienne, tome 3
    par Jean-Pierre Vernant et Pierre Vidal-Naquet
257. Palimpsestes, *par Gérard Genette*
258. Le Bruissement de la langue, *par Roland Barthes*
259. Relations internationales
    1. Questions régionales, *par Philippe Moreau Defarges*
260. Relations internationales
    2. Questions mondiales, *par Philippe Moreau Defarges*
261. Voici le temps du monde fini, *par Albert Jacquard*
262. Les Anciens Grecs, *par Moses I. Finley*
264. La Vie politique en France, *ouvrage collectif*
265. La Dissémination, *par Jacques Derrida*
266. Un enfant psychotique, *par Anny Cordié*
267. La Culture au pluriel, *par Michel de Certeau*
268. La Logique de l'honneur, *par Philippe d'Iribarne*
269. Bloc-notes, tome 1 (1952-1957), *par François Mauriac*
271. Bloc-notes, tome 3 (1961-1964), *par François Mauriac*
272. Bloc-notes, tome 4 (1965-1967), *par François Mauriac*
273. Bloc-notes, tome 5 (1968-1970), *par François Mauriac*
275. Face au racisme
    2. Analyses, hypothèses, perspectives
    sous la direction de Pierre-André Taguieff
276. Sociologie, *par Edgar Morin*
277. Les Sommets de l'État, *par Pierre Birnbaum*
278. Lire aux éclats, *par Marc-Alain Ouaknin*
279. L'Entreprise à l'écoute, *par Michel Crozier*
280. Le Nouveau Code pénal, *par Henri Leclerc*
281. La Prise de parole, *par Michel de Certeau*
282. Mahomet, *par Maxime Rodinson*
283. Autocritique, *par Edgar Morin*
284. Être chrétien, *par Hans Küng*
285. À quoi rêvent les années 90 ?, *par Pascale Weil*
286. La Laïcité française, *par Jean Boussinesq*
287. L'Invention du social, *par Jacques Donzelot*

288. L'Union européenne, *par Pascal Fontaine*
290. Les Régimes politiques occidentaux
     par Jean-Louis Quermonne
292. Introduction à la géopolitique
     par Philippe Moreau Defarges
293. Les Grandes Crises internationales et le Droit
     par Gilbert Guillaume
294. Les Langues du Paradis, *par Maurice Olender*
295. Face à l'extrême, *par Tzvetan Todorov*
296. Écrits logiques et philosophiques, *par Gottlob Frege*
297. Recherches rhétoriques, Communications 16
     ouvrage collectif
298. De l'interprétation, *par Paul Ricœur*
299. De la parole comme d'une molécule, *par Boris Cyrulnik*
300. Introduction à une science du langage
     par Jean-Claude Milner
301. Les Juifs, la Mémoire et le Présent, *par Pierre Vidal-Naquet*
302. Les Assassins de la mémoire, *par Pierre Vidal-Naquet*
303. La Méthode
     4. Les idées, *par Edgar Morin*
304. Pour lire Jacques Lacan, *par Philippe Julien*
305. Événements I
     Psychopathologie du quotidien, *par Daniel Sibony*
306. Événements II
     Psychopathologie du quotidien, *par Daniel Sibony*
307. Le Système totalitaire, *par Hannah Arendt*
308. La Sociologie des entreprises, *par Philippe Bernoux*
309. Vers une écologie de l'esprit 1
     par Gregory Bateson
311. Histoire constitutionnelle de la France, *par Olivier Duhamel*
313. Que veut une femme ?, *par Serge André*
314. Histoire de la révolution russe
     1. La révolution de Février, *par Léon Trotsky*
315. Histoire de la révolution russe
     2. La révolution d'Octobre, *par Léon Trotsky*
317. Le Corps, *par Michel Bernard*
318. Introduction à l'étude de la parenté, *par Christian Ghasarian*
319. La Constitution (10ᵉ édition), *par Guy Carcassonne*
320. Introduction à la politique
     par Dominique Chagnollaud
321. L'Invention de l'Europe, *par Emmanuel Todd*
322. La Naissance de l'histoire (tome 1), *par François Châtelet*
323. La Naissance de l'histoire (tome 2), *par François Châtelet*
324. L'Art de bâtir les villes, *par Camillo Sitte*
325. L'Invention de la réalité
     sous la direction de Paul Watzlawick
326. Le Pacte autobiographique, *par Philippe Lejeune*
327. L'Imprescriptible, *par Vladimir Jankélévitch*

328. Libertés et Droits fondamentaux
*sous la direction de Mireille Delmas-Marty
et Claude Lucas de Leyssac*
329. Penser au Moyen Âge, *par Alain de Libera*
330. Soi-même comme un autre, *par Paul Ricœur*
331. Raisons pratiques, *par Pierre Bourdieu*
332. L'Écriture poétique chinoise, *par François Cheng*
333. Machiavel et la Fragilité du politique
par Paul Valadier
334. Code de déontologie médicale, *par Louis René*
335. Lumière, Commencement, Liberté
par Robert Misrahi
336. Les Miettes philosophiques, *par Søren Kierkegaard*
337. Des yeux pour entendre, *par Oliver Sacks*
338. De la liberté du chrétien *et* Préfaces à la Bible
par Martin Luther (bilingue)
340. Les Deux États, *par Bertrand Badie*
341. Le Pouvoir et la Règle, *par Erhard Friedberg*
342. Introduction élémentaire au droit, *par Jean-Pierre Hue*
343. La Démocratie politique
Science politique t. 1, *par Philippe Braud*
344. Penser l'État
Science politique t. 2, *par Philippe Braud*
345. Le Destin des immigrés, *par Emmanuel Todd*
346. La Psychologie sociale, *par Gustave-Nicolas Fischer*
347. La Métaphore vive, *par Paul Ricœur*
348. Les Trois Monothéismes, *par Daniel Sibony*
349. Éloge du quotidien. Essai sur la peinture
hollandaise du XVIIIe siècle, *par Tzvetan Todorov*
350. Le Temps du désir. Essai sur le corps et la parole
par Denis Vasse
351. La Recherche de la langue parfaite dans la culture européenne
par Umberto Eco
352. Esquisses pyrrhoniennes, *par Pierre Pellegrin*
353. De l'ontologie, *par Jeremy Bentham*
354. Théorie de la justice, *par John Rawls*
355. De la naissance des dieux à la naissance du Christ
par Eugen Drewermann
356. L'Impérialisme, *par Hannah Arendt*
357. Entre-Deux, *par Daniel Sibony*
358. Paul Ricœur, *par Olivier Mongin*
359. La Nouvelle Question sociale, *par Pierre Rosanvallon*
360. Sur l'antisémitisme, *par Hannah Arendt*
361. La Crise de l'intelligence, *par Michel Crozier*
362. L'Urbanisme face aux villes anciennes
par Gustavo Giovannoni
363. Le Pardon, *collectif dirigé par Olivier Abel*
364. La Tolérance, *collectif dirigé par Claude Sahel*

365. Introduction à la sociologie politique, *par Jean Baudouin*
366. Séminaire, livre I : les écrits techniques de Freud
    par Jacques Lacan
367. Identité et Différence, *par John Locke*
368. Sur la nature ou sur l'étant, la langue de l'être ?
    par Parménide
369. Les Carrefours du labyrinthe I, *par Cornelius Castoriadis*
370. Les Règles de l'art, *par Pierre Bourdieu*
371. La Pragmatique aujourd'hui,
    une nouvelle science de la communication
    par Anne Reboul et Jacques Moeschler
372. La Poétique de Dostoïevski, *par Mikhaïl Bakhtine*
373. L'Amérique latine, *par Alain Rouquié*
374. La Fidélité, *collectif dirigé par Cécile Wajsbrot*
375. Le Courage, *collectif dirigé par Pierre Michel Klein*
376. Le Nouvel Age des inégalités
    par Jean-Paul Fitoussi et Pierre Rosanvallon
377. Du texte à l'action, essais d'herméneutique II
    par Paul Ricœur
378. Madame du Deffand et son monde
    par Benedetta Craveri
379. Rompre les charmes, *par Serge Leclaire*
380. Éthique, *par Spinoza*
381. Introduction à une politique de l'homme, *par Edgar Morin*
382. Lectures 1. Autour du politique
    par Paul Ricœur
383. L'Institution imaginaire de la société
    par Cornelius Castoriadis
384. Essai d'autocritique et autres préfaces, *par Nietzsche*
385. Le Capitalisme utopique, *par Pierre Rosanvallon*
386. Mimologiques, *par Gérard Genette*
387. La Jouissance de l'hystérique, *par Lucien Israël*
388. L'Histoire d'Homère à Augustin
    *préfaces et textes d'historiens antiques
    réunis et commentés par François Hartog*
389. Études sur le romantisme, *par Jean-Pierre Richard*
390. Le Respect, *collectif dirigé par Catherine Audard*
391. La Justice, *collectif dirigé par William Baranès
    et Marie-Anne Frison Roche*
392. L'Ombilic et la Voix, *par Denis Vasse*
393. La Théorie comme fiction, *par Maud Mannoni*
394. Don Quichotte ou le roman d'un Juif masqué
    par Ruth Reichelberg
395. Le Grain de la voix, *par Roland Barthes*
396. Critique et Vérité, *par Roland Barthes*
397. Nouveau Dictionnaire encyclopédique
    des sciences du langage
    par Oswald Ducrot et Jean-Marie Schaeffer

398. Encore, *par Jacques Lacan*
399. Domaines de l'homme
    Les Carrefours du labyrinthe II, *par Cornelius Castoriadis*
400. La Force d'attraction, *par J.-B. Pontalis*
401. Lectures 2, *par Paul Ricœur*
403. Histoire de la philosophie au XXᵉ siècle
    par Christian Delacampagne
405. Esquisse d'une théorie de la pratique
    par Pierre Bourdieu
406. Le siècle des moralistes, *par Bérengère Parmentier*
407. Littérature et Engagement, de Pascal à Sartre
    par Benoît Denis
408. Marx, une critique de la philosophie, *par Isabelle Garo*
409. Amour et Désespoir, *par Michel Terestchenko*
410. Les Pratiques de gestion des ressources humaines
    par François Pichault et Jean Mizet
411. Précis de sémiotique générale, *par Jean-Marie Klinkenberg*
413. Refaire la Renaissance, *par Emmanuel Mounier*
415. Droit humanitaire, *par Mario Bettati*
416. La Violence et la Paix, *par Pierre Hassner*
417. Descartes, *par John Cottingham*
418. Kant, *par Ralph Walker*
419. Marx, *par Terry Eagleton*
420. Socrate, *par Anthony Gottlieb*
423. Les Cheveux du baron de Münchhausen
    par Paul Watzlawick
424. Husserl et l'Énigme du monde, *par Emmanuel Housset*
425. Sur le caractère national des langues
    par Wilhelm von Humboldt
426. La Cour pénale internationale, *par William Bourdon*
427. Justice et Démocratie, *par John Rawls*
428. Perversions, *par Daniel Sibony*
429. La Passion d'être un autre, *par Pierre Legendre*
430. Entre mythe et politique, *par Jean-Pierre Vernant*
432. Heidegger. Introduction à une lecture, *par Christian Dubois*
433. Essai de poétique médiévale, *par Paul Zumthor*
434. Les Romanciers du réel, *par Jacques Dubois*
435. Locke, *par Michael Ayers*
436. Voltaire, *par John Gray*
437. Wittgenstein, *par P.M.S. Hacker*
438. Hegel, *par Raymond Plant*
439. Hume, *par Anthony Quinton*
440. Spinoza, *par Roger Scruton*
441. Le Monde morcelé
    Les Carrefours du labyrinthe III, *par Cornelius Castoriadis*
442. Le Totalitarisme, *par Enzo Traverso*
443. Le Séminaire Livre II, *par Jacques Lacan*
444. Le Racisme, une haine identitaire, *par Daniel Sibony*

445. Qu'est-ce que la politique ?, *par Hannah Arendt*
447. Foi et Savoir, *par Jacques Derrida*
448. Anthropologie de la communication, *par Yves Winkin*
449. Questions de littérature générale, *par Emmanuel Fraisse et Bernard Mouralis*
450. Les Théories du pacte social, *par Jean Terrel*
451. Machiavel, *par Quentin Skinner*
452. Si tu m'aimes, ne m'aime pas, *par Mony Elkaïm*
453. C'est pour cela qu'on aime les libellules *par Marc-Alain Ouaknin*
454. Le Démon de la théorie, *par Antoine Compagnon*
455. L'Économie contre la société *par Bernard Perret, Guy Roustang*
456. Entretiens de Francis Ponge avec Philippe Sollers *par Philippe Sollers - Francis Ponge*
457. Théorie de la littérature, *par Tzvetan Todorov*
458. Gens de la Tamise, *par Christine Jordis*
459. Essais sur le politique, *par Claude Lefort*
460. Événements III, *par Daniel Sibony*
461. Langage et Pouvoir symbolique, *par Pierre Bourdieu*
462. Le Théâtre romantique, *par Florence Naugrette*
463. Introduction à l'anthropologie structurale, *par Robert Deliège*
464. L'Intermédiaire, *par Philippe Sollers*
465. L'Espace vide, *par Peter Brook*
466. Étude sur Descartes, *par Jean-Marie Beyssade*
467. Poétique de l'ironie, *par Pierre Schoentjes*
468. Histoire et Vérité, *par Paul Ricœur*
469. La Charte des droits fondamentaux de l'Union européenne *Introduite et commentée par Guy Braibant*
470. La Métaphore baroque, d'Aristote à Tesauro, *par Yves Hersant*
471. Kant, *par Ralph Walker*
472. Sade mon prochain, *par Pierre Klossowski*
473. Seuils, *par Gérard Genette*
474. Freud, *par Octave Mannoni*
475. Système sceptique et autres systèmes, *par David Hume*
476. L'Existence du mal, *par Alain Cugno*
477. Le Bal des célibataires, *par Pierre Bourdieu*
478. L'Héritage refusé, *par Patrick Champagne*
479. L'Enfant porté, *par Aldo Naouri*
480. L'Ange et le Cachalot, *par Simon Leys*
481. L'Aventure des manuscrits de la mer Morte *par Hershel Shanks (dir.)*
482. Cultures et Mondialisation *par Philippe d'Iribarne (dir.)*
483. La Domination masculine, *par Pierre Bourdieu*
484. Les Catégories, *par Aristote*
485. Pierre Bourdieu et la théorie du monde social, *par Louis Pinto*
486. Poésie et Renaissance, *par François Rigolot*

487. L'Existence de Dieu, *par Emanuela Scribano*
488. Histoire de la pensée chinoise, *par Anne Cheng*
489. Contre les professeurs, *par Sextus Empiricus*
490. La Construction sociale du corps, *par Christine Detrez*
491. Aristote, le philosophe et les savoirs
     par Michel Crubellier et Pierre Pellegrin
492. Écrits sur le théâtre, *par Roland Barthes*
493. La Propension des choses, *par François Jullien*
494. La Mémoire, l'Histoire, l'Oubli, *par Paul Ricœur*
495. Un anthropologue sur Mars, *par Oliver Sacks*
496. Avec Shakespeare, *par Daniel Sibony*
497. Pouvoirs politiques en France, *par Olivier Duhamel*
498. Les Purifications, *par Empédocle*
499. Panorama des thérapies familiales
     collectif sous la direction de Mony Elkaïm
500. Juger, *par Hannah Arendt*
501. La Vie commune, *par Tzvetan Todorov*
502. La Peur du vide, *par Olivier Mongin*
503. La Mobilisation infinie, *par Peter Sloterdijk*
504. La Faiblesse de croire, *par Michel de Certeau*
505. Le Rêve, la Transe et la Folie, *par Roger Bastide*
506. Penser la Bible, *par Paul Ricoeur et André LaCocque*
507. Méditations pascaliennes, *par Pierre Bourdieu*
508. La Méthode
     5. L' humanité de l' humanité, *par Edgar Morin*
509. Élégie érotique romaine, *par Paul Veyne*
510. Sur l'interaction, *par Paul Watzlawick*
511. Fiction et Diction, *par Gérard Genette*
512. La Fabrique de la langue, *par Lise Gauvin*
513. Il était une fois l'ethnographie, *par Germaine Tillion*
514. Éloge de l'individu, *par Tzvetan Todorov*
515. Violences politiques, *par Philippe Braud*
516. Le Culte du néant, *par Roger-Pol Droit*
517. Pour un catastrophisme éclairé, *par Jean-Pierre Dupuy*
518. Pour entrer dans le XXIe siècle, *par Edgar Morin*
519. Points de suspension, *par Peter Brook*
520. Les Écrivains voyageurs au XXe siècle, *par Gérard Cogez*
521. L'Islam mondialisé, *par Olivier Roy*
522. La Mort opportune, *par Jacques Pohier*
523. Une tragédie française, *par Tzvetan Todorov*
524. La Part du père, *par Geneviève Delaisi de Parseval*
525. L'Ennemi américain, *par Philippe Roger*
526. Les Pousse-au-jouir du Maréchal Pétain, *par Gérard Miller*
527. L'Oubli de l'Inde, *par Roger-Pol Droit*
528. La Maladie de l'islam, *par Abdelwahab Meddeb*
529. Le Nu impossible, *par François Jullien*
530. Schumann. La Tombée du jour, *par Michel Schneider*
531. Le Corps et sa danse, *par Daniel Sibony*

532. Mange ta soupe et… tais-toi !, *par Michel Ghazal*
533. Jésus après Jésus, *par Gérard Mordillat et Jérôme Prieur*
534. Introduction à la pensée complexe, *par Edgar Morin*
535. Peter Brook. Vers un théâtre premier, *par Georges Banu*
536. L'Empire des signes, *par Roland Barthes*
537. L'Étranger ou L'Union dans la différence
     par Michel de Certeau
538. L'Idéologie et l'Utopie, *par Paul Ricœur*
539. En guise de contribution à la grammaire
     et à l'étymologie du mot « être », *par Martin Heidegger*
540. Devoirs et Délices, *par Tzvetan Todorov*
541. Lectures 3, *par Paul Ricœur*
542. La Damnation d'Edgar P. Jacobs
     par Benoît Mouchart et François Rivière
543. Nom de Dieu, *par Daniel Sibony*
544. Les Poètes de la modernité
     par Jean-Pierre Bertrand et Pascal Durand
545. Souffle-Esprit, *par François Cheng*
546. La Terreur et l'Empire, *par Pierre Hassner*
547. Amours plurielles, *par Ruedi Imbach et Inigo Atucha*
548. Fous comme des sages
     par Roger-Pol Droit et Jean-Philippe de Tonnac
549. Souffrance en France, *par Christophe Dejours*
550. Petit Traité des grandes vertus, *par André Comte-Sponville*
551. Du mal/Du négatif, *par François Jullien*
552. La Force de conviction, *par Jean-Claude Guillebaud*
553. La Pensée de Karl Marx, *par Jean-Yves Calvez*
554. Géopolitique d'Israël, *par Frédérique Encel, François Thual*
555. La Méthode
     6. Éthique, *par Edgar Morin*
556. Hypnose mode d'emploi, *par Gérard Miller*
557. L'Humanité perdue, *par Alain Finkielkraut*
558. Une saison chez Lacan, *par Pierre Rey*
559. Les Seigneurs du crime, *par Jean Ziegler*
560. Les Nouveaux Maîtres du monde, *par Jean Ziegler*
561. L'Univers, les Dieux, les Hommes, *par Jean-Pierre Vernant*
562. Métaphysique des sexes, *par Sylviane Agacinski*
563. L'Utérus artificiel, *par Henri Atlan*
564. Un enfant chez le psychanalyste, *par Patrick Avrane*
565. La Montée de l'insignifiance, Les Carrefours du labyrinthe IV
     par Cornelius Castoriadis
566. L'Atlantide, *par Pierre Vidal-Naquet*
567. Une vie en plus, *par Joël de Rosnay,*
     Jean-Louis Servan-Schreiber, François de Closets,
     Dominique Simonnet
568. Le Goût de l'avenir, *par Jean-Claude Guillebaud*
569. La Misère du monde, *par Pierre Bourdieu*
570. Éthique à l'usage de mon fils, *par Fernando Savater*

571. Lorsque l'enfant paraît t. 1, *par Françoise Dolto*
572. Lorsque l'enfant paraît t. 2, *par Françoise Dolto*
573. Lorsque l'enfant paraît t. 3, *par Françoise Dolto*
574. Le Pays de la littérature, *par Pierre Lepape*
575. Nous ne sommes pas seuls au monde, *par Tobie Nathan*
576. Ricœur, *textes choisis et présentés par Michael Fœssel et Fabien Lamouche*
577. Cantatrix Sopranica L. et autres écrits scientifiques *par Georges Perec*
578. Philosopher à Bagdad au Xe siècle, *par Al-Fārābī*
579. Mémoires. 1. La brisure et l'attente (1930-1955) *par Pierre Vidal-Naquet*
580. Mémoires. 2. Le trouble et la lumière (1955-1998) *par Pierre Vidal-Naquet*
581. Discours du récit, *par Gérard Genette*
582. Le Peuple « psy », *par Daniel Sibony*
583. Ricœur 1, *par L'Herne*
584. Ricœur 2, *par L'Herne*
585. La Condition urbaine, *par Olivier Mongin*
586. Le Savoir-déporté, *par Anne-Lise Stern*
587. Quand les parents se séparent, *par Françoise Dolto*
588. La Tyrannie du plaisir, *par Jean-Claude Guillebaud*
589. La Refondation du monde, *par Jean-Claude Guillebaud*
590. La Bible, *textes choisis et présentés par Philippe Sellier*
591. Quand la ville se défait, *par Jacques Donzelot*
592. La Dissociété, *par Jacques Généreux*
593. Philosophie du jugement politique, *par Vincent Descombes*
594. Vers une écologie de l'esprit 2, *par Gregory Bateson*
595. L'Anti-livre noir de la psychanalyse, *par Jacques-Alain Miller*
596. Chemins de sable, *par Chantal Thomas*
597. Anciens, Modernes, Sauvages, *par François Hartog*
598. La Contre-Démocratie, *par Pierre Rosanvallon*
599. Stupidity, *par Avital Ronell*
600. Fait et à faire, Les Carrefours du labyrinthe V *par Cornelius Castoriadis*
601. Au dos de nos images, *par Luc Dardenne*
602. Une place pour le père, *par Aldo Naouri*
603. Pour une naissance sans violence, *par Frédérick Leboyer*
604. L'Adieu au siècle, *par Michel del Castillo*
605. La Nouvelle Question scolaire, *par Éric Maurin*
606. L'Étrangeté française, *par Philippe d'Iribarne*
607. La République mondiale des lettres, *par Pascale Casanova*
608. Le Rose et le Noir, *par Frédéric Martel*
609. Amour et justice, *par Paul Ricœur*
610. Jésus contre Jésus, *par Gérard Mordillat et Jérôme Prieur*
611. Comment les riches détruisent la planète *par Hervé Kempf*
612. Pascal, *textes choisis et présentés par Philippe Sellier*

613. Le Christ philosophe, *par Frédéric Lenoir*
614. Penser sa vie, *par Fernando Savater*
615. Politique des sexes, *par Sylviane Agacinski*
616. La Naissance d'une famille, *par T. Berry Brazelton*
617. Aborder la linguistique, *par Dominique Maingueneau*
618. Les Termes clés de l'analyse du discours
     par Dominique Maingueneau
619. La grande image n'a pas de forme, *par François Jullien*
620. «Race» sans histoire, *par Maurice Olender*
621. Figures du pensable, Les Carrefours du labyrinthe VI
     par Cornelius Castoriadis
622. Philosophie de la volonté 1, *par Paul Ricœur*
623. Philosophie de la volonté 2, *par Paul Ricœur*
624. La Gourmandise, *par Patrick Avrane*
625. Comment je suis redevenu chrétien
     par Jean-Claude Guillebaud
626. Homo juridicus, *par Alain Supiot*
627. Comparer l'incomparable, *par Marcel Detienne*
629. Totem et Tabou, *par Sigmund Freud*
630. Malaise dans la civilisation, *par Sigmund Freud*
631. Roland Barthes, *par Roland Barthes*
632. Mes démons, *par Edgar Morin*
633. Réussir sa mort, *par Fabrice Hadjadj*
634. Sociologie du changement
     par Philippe Bernoux
635. Mon père. Inventaire, *par Jean-Claude Grumberg*
636. Le Traité du sablier, *par Ernst Jüng*
637. Contre la barbarie, *par Klaus Mann*
638. Kant, *textes choisis et présentés*
     par Michaël Fœssel et Fabien Lamouche
639. Spinoza, *textes choisis et présentés par Frédéric Manzini*
640. Le Détour et l'Accès, *par François Jullien*
641. La Légitimité démocratique, *par Pierre Rosanvallon*
642. Tibet, *par Frédéric Lenoir*
643. Terre-Patrie, *par Edgar Morin*
644. Contre-prêches, *par Abdelwahab Meddeb*
645. L'Éros et la Loi, *par Stéphane Mosès*
646. Le Commencement d'un monde
     par Jean-Claude Guillebaud
647. Les Stratégies absurdes, *par Maya Beauvallet*
648. Jésus sans Jésus, *par Gérard Mordillat et Jérôme Prieur*
649. Barthes, *textes choisis et présentés par Claude Coste*
650. Une société à la dérive, *par Cornelius Castoriadis*
651. Philosophes dans la tourmente, *par Élisabeth Roudinesco*
652. Où est passé l'avenir?, *par Marc Augé*
653. L'Autre Société, *par Jacques Généreux*
654. Petit Traité d'histoire des religions, *par Frédéric Lenoir*
655. La Profondeur des sexes, *par Fabrice Hadjadj*